향유 내음 가득한 집

이 동원 지음

생명의말씀사

서 문

― 이 책을 읽거나 사용하실 분들에게 ―

저자는 스스로 불행하다고 생각한 가정에서 태어나 행복하다고 자부하는 가정을 갖게 되었습니다. 그러면서 "가정"은 언제나 나의 관심의 우선 순위에 있었습니다. 그래서 한국 교회에 아직 가정 생활 세미나가 소개되기 전에 이 방면에 먼저 눈을 떠, 이에 대하여 소개하는 일을 시도하기도 했습니다. 그리고 기회가 있는 대로 자주 교회 강단을 통하여 가정의 회복과 성도들의 가정 생활의 책임을 설교하였습니다.

이 책은 기본적으로 이런 가정 생활에 대한 메시지들을 모은 것입니다. 그런 의미에서 이 책은 설교집이라고 할 수 있습니다. 그러나 이 메시지를 편집하는 과정에서 저자는 이 책이 설교집 이상의 것으로 사용되기를 기대하며 기도하게 되었습니다.

이 책이, 신혼 여행을 떠나는 부부들이 매일 한 장씩 읽고 토의함으로써 유익을 얻는 데 사용되었으면 좋겠다는 생각을 했습니다. 혹은 새 가정을 이룬, 아직도 신혼이라고 생각하는 부부들의 그룹 스터디(group study)로 사용될 수도 있을 것입니다. 결혼 생활의 많은 연륜이 쌓였지만 아직도 기독교적 가정의 가치관을 정립하지 못한 부부들 그리고 중년의 위기를 실감하는 부부들도 가정의 갱신을 위하여 이 책을 읽어 주었으면 하는 기도를 드렸습니다.

물론 언제나처럼 목회 강단을 통하여 주를 기쁘시게 하는, 가정의 정립을 위해 말씀을 준비하실 사랑하는 동역자들의 참고 도서용으로도 사용될 것을 기대합니다.

저자는 여러 해에 걸쳐 선포된 이 메시지들을 다시 간추리며, 한국 교회에 속한 가정들이 원초적 낙원의 가정의 아름다움을 드러내는 향유 내음 가득한 집들이 되는 비전을 확인해 봅니다.

우리 가정에 가득한 향유 내음, 그것은 곧 한국 교회와 한국 사회에 가득한 향유 내음이 될 것을 확신하기 때문입니다.

샬롬을 빌며
지구촌 목장에서 이 동원 드림

목 차

제3부 행복한 자녀 양육을 위하여

제4부 행복한 미래의 가정을 위하여

부록

제1부

행복한 가정을 위하여

1

향유 내음 가득한 집

요한복음 12 : 1-12

"유월절 엿새 전에 예수께서 베다니에 이르시니 이곳은 예수께서
죽은 자 가운데서 살리신 나사로의 있는 곳이라 거기서 예수를 위하
여 잔치할새 마르다는 일을 보고 나사로는 예수와 함께 앉은 자 중
에 있더라 마리아는 지극히 비싼 향유 곧 순전한 나드 한 근을 가져
다가 예수의 발에 붓고 자기 머리털로 그의 발을 씻으니 향유 냄새
가 집에 가득하더라 제자 중 하나로서 예수를 잡아 줄 가룟 유다가
말하되 이 향유를 어찌하여 삼백 데나리온에 팔아 가난한 자들에게
주지 아니하였느냐 하니 이렇게 말함은 가난한 자들을 생각함이 아
니요 저는 도적이라 돈 궤를 맡고 거기 넣는 것을 훔쳐 감이러라 예
수께서 가라사대 저를 가만 두어 나의 장사할 날을 위하여 이를 두
게 하라 가난한 자들은 항상 너희와 함께 있거니와 나는 항상 있지
아니하리라 하시니라 유대인의 큰 무리가 예수께서 여기 계신 줄을
알고 오니 이는 예수만 위함이 아니요 죽은 자 가운데서 살리신 나
사로도 보려 함이러라 대제사장들이 나사로까지 죽이려고 모의하니
나사로 까닭에 많은 유대인이 가서 예수를 믿음이러라."

향유 내음 가득한 집

우 리가 삶에서 가지는 모든 열망 가운데 행복한 가정에 대한 열망처럼 짙은 소원은 없을 것입니다. 그런데 이 행복은 사실 성경적인 단어라기보다는 세속적인 단어입니다.

한문에서 나온 이 행복(幸福)이라는 단어와 영어의 행복(happiness)이라는 단어는 모두 요행이나 행운이나 재수에 근거한 횡재라는 뜻으로 사용된 복의 개념입니다. 행복 또는 행운에 해당되는 happiness라는 단어는 "우연히 일어나는 어떤 사건"(happening)을 나타낼 때 사용되는 단어에서 유래한 것입니다.

이 행복은 어떤 노력에 의해서 주어지는 결과로서의 축복이라기보다는 어느 날 갑자기 내 삶의 장에 쏟아지는 축복, 그러니까 라스베가스나 애틀랜타(놀음이나 도박으로 유명한 도시)에 가서 도박으로 얻은, 쏟아져 나온 어떤 횡재 같은 복, 요행스럽고 다행한 횡재에 근거한 복의 개념을 말할 때 행복이라는 단어가 사용된 것입니다.

성경에는 행복이란 단어가 이런 세속적인 개념으로는 한번도 사용되지 않습니다. 성경에서 말하는 복의 개념에 가장 가까운 단어를 찾는다면 그것은 행복보다는 축복이라는 단어가 될 것입니다.

축복(blessing)이라는 단어는 성경이 기록된 문화권에서부터 쓰이던 단어입니다. 그런데 이 단어는 흥미롭게도 "피 제사"를 뜻하는 단어에서 나온 것입니다.

피(blood)는 축복과 같은 어근에서 나온 것입니다. 성경이 영향을 미친 앵글로 색슨 문화권에서도 축복이라는 단어가 쓰여질 때 이미 피의 제사, 다시 말하면 하나님과의 바른 관계를 전제로 한 복을 생각했습니다. 내가 하나님 앞에 제사를 드려, 피 흘리는 제물을 통해서 내 죄에 대한 용서를 받지 않고, 하나님과 올바른 관계가 맺어지지 않을 때 내 삶은 행복할 수 없다는, 하나님과의 관계를 전제로 한 축복을 생각하고 있었습니다.

사실, 성경이 가르치고 있는 복의 개념은 여기에서부터 시작합니다. 하나님과 나 사이의 바른 관계는 성경이 말하는 복의 전제가 됩니다. 성경은 축복이라는 개념을 다룰 때 내가 어떻게 사느냐, 내가 인생에서 추구하고 있는 내 소원이 어떻게 만족이 되느냐라는 사실보다, 가장 근원적으로 하나님과 나는 어떤 관계에 있는가를 이야기하는 것입니다.

오늘 성경은 축복받은 한 가정의 모습을 보여 주고 있습니다. 그러나 이 가정은 오늘날 우리가 이 세상에서 기대하고 바라는 식으로 바라보자면 그렇게 행복한 가정은 아니었습니다.

오늘 본문에는 우리가 잘 아는 마리아, 마르다 자매 그리고 그 오빠 나사로가 함께 살아가고 있었던 한 가정의 모습이 기록되고 있습니다.

어떤 성경학자들은 이 사건이 일어난 집이 시몬의 집일 것이라고 말하기도 합니다. 공관복음서에 의하면 그렇습니다. 만약 본

문을 공관복음서의 사건과 다른 사건으로 구별해서 생각한다면
아마도 이것은 마르다와 마리아의 집에서 일어난 사건일 것입니
다.

마르다와 마리아가 시집을 간 여자인지 아니면 시집을 못 간
여자인지 성경에는 자세히 나와 있지 않습니다. 그리고 그 오빠
인 나사로가 어떤 직업을 가지고 있던 사람인지, 결혼을 했는지
안했는지, 부인이 있었는지 없었는지도 성경은 밝혀 주지 않습니
다. 또 우리는 마르다, 마리아 그리고 나사로의 부모에 대한 기록
도 성경에서 도무지 찾을 길이 없습니다.

만약 부모도 없고, 나사로가 결혼도 안한 사람이고, 마르다와
마리아도 그냥 그렇게 늙어 가는 사람들이었다면, 우리가 세상적
으로 볼 때는 이 집이 절대로 행복한 집이 아니라고 생각할 수
있습니다. 결혼 못한 노총각이 결혼 못한 노처녀인 자기의 여동
생들과 함께 더불어 살고 있었던 일종의 독신자 합숙소 같은 집
이 바로 이 집의 모습이 될 것입니다. 우리가 이 세상에서 기대하
는 행복의 조건들과는 전혀 거리가 먼 가정입니다.

행복한 가정이라고 하면, 우리는 얼른 세상에서 말하는 행복의
조건들을 만족시키고 있는 집을 연상하게 됩니다. 우리는 얼핏
건강을 생각하기도 하고, 또 단란한 인간 관계를 맺으면서 살아
가고 있는 식구들의 모습을 연상합니다. 경제적으로 염려할 것이
없는 경제적인 안정을 조건으로 생각합니다. 어느 정도 이 지상
에서의 삶을 즐길 수 있는 쾌락의 가능성도 이 행복의 조건에서
빠뜨릴 수가 없습니다.

그리고 우리 주변의 이웃집보다는 좀더 편안하고 안락하게 살
아갈 수 있는, 더 편리한 삶의 구조를 갖고 있는 집, 이런 집이라
야 우리는 행복을 말할 수 있는 행복한 집이라고 생각하게 됩니

다.

이러한 행복의 전제, 세속적인 행복의 기준치, 이러한 행복의
표준에 비교해서 오늘 성경에 나타난 마리아, 마르다 그리고 나
사로의 집을 본다면 이 가정은 절대로 행복한 가정은 아닙니다.
그럼에도 불구하고 우리는 이 가정이 불행한 가정이라는 결론을
절대로 내릴 수가 없습니다.

행복의 세속적인 조건을 하나도 가지고 있지 않았음에도 불구
하고 결코 불행하지 않았던 가정, 이 가정을 주님이 사랑하셨습
니다. 예수님의 지상 생애 가운데서 세 번 이상 찾아가신 것으로
언급되어 있는 가정은 이 곳밖에 없습니다. 주님은 이 가정에서
쉼을 얻으셨습니다. 이 가정을 방문하셨을 때마다 주님은 마음속
에 큰 위로와 격려를 경험하셨습니다.

어쩐지 마르다, 마리아의 가정이라고 하면 불행한 가정이라고
연상되지 않습니다. 그렇게 생각되십니까? "마르다, 마리아의
집"이라는 말만 들어도 따뜻함을 느낍니다. 이 따뜻하고 포근한
가정, 행복할 조건이 하나도 없었음에도 절대로 불행하지 않았던
복받은 가정이 바로 마르다와 마리아의 가정이었습니다.

본문에 보면 우리가 잘 아는 사건이 기록되어 있습니다. 마리
아가 예수님의 발 위에 향유를 붓고 자기의 머리털로 그 발을 씻
습니다(3절). 그랬더니 그 결과가 무엇이었습니까? 향유로 예수
님의 발에 붓고 머리털로 주의 발을 씻으니, 향유 냄새가 그 집에
가득했다고 성경은 말하고 있습니다.

이 사건 이후부터 마르다, 마리아의 집에는 "향유 냄새가 가득
한 집"이라는 영광스러운 별명이 붙었습니다. 얼마나 아름다운
표현입니까? 향유 냄새가 가득한 집! 이것이 이 집에 대한 아주
영광스럽고, 명예스러운 별명이 되었습니다.

이 향유는 주님을 기쁘시게 해드리려는 것이었습니다. 이 향유
는 주님 앞에 순전한 그 사랑을 드리려는 것이었습니다. 참으로
향유 내음이 가득했던 이 집의 이미지에서 우리는 도저히 불행을
읽어낼 수가 없습니다.

행복한 이 집의 축복의 비밀과 원인은 무엇일까요?
세 가지로 생각할 수가 있습니다. 이 집에는 나사로의 간증이
있었고, 마르다의 봉사가 있었고, 마리아의 헌신이 있었습니다.
그러기에 행복의 조건이 하나도 없었어도, 결코 이 집은 불행하
지 않을 수 있었습니다. 이 세 가지가 이 집의 행복의 비밀이었습
니다. 이 집에 간증이 있었기 때문에, 이 집에 봉사가 있었기 때
문에, 이 집에 헌신이 있었기 때문입니다.

나사로의 간증

첫째로, 이 집에는 나사로의 간증이 있었습니다.
간증이란 주님께 대한 우리의 체험을 말합니다. 주님의 영광을
내가 바라본 것, 주님의 사랑을 체험한 것, 주님의 은혜를 경험한
그리스도인의 러브 스토리를 가리켜서 우리는 간증이라고 말합
니다.
간증이라는 것을 아주 쉽게 말하면 우리는 그냥 "이야기"라고
할 수 있습니다. 우리가 부르는 찬송가 중에는 이러한 가사가 있
지 않습니까? "이것은 나의 간증이요, 이것은 나의 찬송일세." 영
어 찬송가에 보면 이 가사가 "이것은 나의 이야기"(This is my
story)라고 되어 있습니다.
간증은 우리의 이야기입니다. 너무 너무 소중하고 간절한 이야

기입니다. 내가 할 수 있는 모든 이야기 가운데 이보다 신나는 것이 없고, 이보다 더 영광스러운 것이 없고, 이보다 더 감격스러운 것이 없습니다. 그리스도인이 주님과의 관계에서 경험한 너무나도 아름다운 이야기, 이 이야기를 간증이라고 말하는 것입니다.

다른 말로 기억, 추억(memory)이라고 말할 수도 있습니다. 내 생애에서 내가 경험한 가장 아름다운 추억일 것입니다. 진실한 크리스천에게는 누구나 이 아름다운 기억이 있기 마련입니다.

여러분, 조만간 우리가 인생을 살면서 겪은 모든 삶의 경험은 다 과거가 될 것입니다. 어떤 사건도 어떤 고통도 어떤 기쁨도 모두 과거가 됩니다. 현재란 무엇입니까? 우리가 살고 있는 현재라는 것은 과거의 기억들이 모여서 형성한 삶의 결정체입니다. 현대의 유명한 설교가 중에는 앤드류 블랙우드(Andrew Black-wood)라는 설교가가 있습니다. 이 설교가는 "부모 여러분, 여러분이 자녀들에게 물려줄 수 있는 최대의 유산이 있습니다. 그 유산은 아름다운 추억입니다"라고 말했습니다.

여러분, 여러분이 이 세상을 떠나신 후 여러분의 자식들은, 여러분의 아들과 딸은 자신의 부모를 어떻게 추억할까요? 우리의 가정 생활 속에서 내 자식들은 장차 어떤 기억을 가장 소중한 추억으로 기억하게 될 것이라고 생각하십니까?

우리 아버지, 우리 어머니 하면……다투시고 싸우시던 부모님, 아버지 때문에 눈물을 흘리시고 통곡하시던 우리 어머니, 내 어머니 때문에 그렇게도 가슴을 쥐어뜯고 아파하시던 우리 아버지, 소리 치던 아버지, 그렇게도 냉정하고 무섭고 싸늘하게 나를 대하셨던 아버지…….

이것이 자식들이 기억할 우리 아버지, 어머니의 모습입니까?

우리 자식들은 자기 아버지, 자기 어머니에 대한 어떤 기억을 간 직할까 한번 생각해 봅시다.

크리스천도 불신자와 다르지 않게 우리네 삶에서 폭풍우를 경 험합니다. 그러나 '이런 폭풍우와 비바람이 우리 가정에 닥쳤을 때, 내 아버지와 어머니가 함께 무릎 꿇어 기도하며 하나님의 도 우심을 구했더니 주께서 기도를 응답하셨습니다. 하나님이 기도 로 우리 가정의 폭풍우를 이기게 하시고, 기도의 응답을 받고 그 렇게 기뻐하시던 우리 아버지, 어머니……'라는 기억을 우리 자녀 들의 가슴 속에 간직하게 한다면 얼마나 아름다운 일입니까!

홀로 골방과 밀실에 들어가서 나를 위해 내 이름을 불러가며, 내 자식, 사랑하는 내 딸과 내 아들의 이름을 불러가며 기도하시 던 내 아버지, 내 어머니에 대한 기억은 자식들에게 남길 수 있는 어떤 값비싼 재산보다도, 상속보다도 더 소중하고, 더 유익하고, 더 귀하고, 더 아름다운 유산입니다.

그런데 우리가 오늘 생각하게 되는 이 가정은 이런 아름다운 기억들을 갖고 있었습니다. 아름답기보다는 차라리 놀라운 추억 이 있었습니다. 놀라운 사건이었습니다. 어떤 사건입니까?

이 가정이 살면서 경험했던 가장 커다란 폭풍우는 나사로의 죽 음이었고, 이 죽은 나사로를 주님이 살리셨습니다. 이것보다 더 신나는 사건이 어디 있겠습니까? 이것보다 더 흥분되는 이야기 가 어디 있겠습니까? 죽은 오빠를 우리 하나님이 은혜로 다시 살리신 사건, 이 사건에 대한 기억이 이 가정의 감격의 근원이었 습니다. 따라서 이 사건만 생각하면 견딜 수 없는 감사가 있었습 니다.

그래서 성경에 보면 잔치를 열었습니다. 하나님께서 우리 가정에게, 우리 오빠에게, 우리 식구에게 행하신 이 놀라운 기적, 이 은총의 기적을 주 앞에 감사하기 위한 감은의 잔치, 이것이 바로 잔치의 이유였습니다.

여러분, 이 잔치의 충격과 영향이 어떤 결과를 가져왔습니까? 9절 이하에 보면, 죽은 나사로가 다시 살았다는 이야기를 듣고 마을 사람들이 이 집에 몰려들었습니다. 그렇습니다. 예수님이 이 집에 계신다, 죽은 나사로를 살리신 예수님이 이곳에 오셨다는 소문을 듣고 살아 계신 주님을 보려고 모두들 이 집으로 몰려왔습니다.

여러분, 이 사건을 읽으면서 이 사건은 여러분과 저와는 아무런 관련이 없는 사건이라고 생각하십니까? 물론, 나사로를 다시 살리신 것은 인간에게 있어서 죽음이 마지막이 아니라 부활이 있다는 것을 가르치려는 역사적 표본이었습니다. 죽음 건너편에 부활의 소망이 있다라는 부활의 교훈을 가르치기 위해서 대표로 한 사람만 살리신 부활의 예시가 바로 나사로의 사건입니다.

그러나 사랑하는 여러분, 나사로를 살리시기 전에 예수께서는 육체적인 부활뿐 아니라 영적인 부활의 중요성도 함께 가르치셨습니다. 생각 나십니까? 예수께서 무덤 앞에서 "나는 부활이요 생명이니 나를 믿는 자는 죽어도 살겠고(이것은 육적인 부활을 의미합니다.) 무릇 살아서 나를 믿는 자는 영원히 죽지 아니하리라(이 부분은 영적 부활을 의미하는 것입니다.)"고 말씀하셨습니다.

살아 있는 이 순간 예수님을 믿어야겠다는 것을 깨닫고 그리스도를 나의 구주와 주님으로 믿으면, 우리는 살아 계신 하나님과 영원한 관계 속으로 들어갑니다.

하나님은 내 아버지가 되고, 나는 새 생명을 얻은 하나님의 자녀가 됩니다. 이것이 영적 부활입니다. 우리는 다시 산 것입니다. 영적으로 부활을 체험한 것입니다. 모든 그리스도인의 삶 속에는 영적 부활의 체험이 있습니다.

여러분, 다시 살아난 경험이 있습니까? 영적으로 다시 살아난 경험, 송장이 벌떡 일어나 살아나는 경험에 못지않게, 아니 그보다 더 위대하고 영광스러운, 영적인 부활의 체험이 여러분의 삶 속에 있었습니까? 여러분의 가정 속에 이 부활의 체험이 있었습니까?

내 아내에게, 내 남편에게, 내 자식들에게 이 부활의 체험, 다시 살아난 체험이 있었습니까? 삶의 방향을 모르고, 목적을 모르고 살아가던 내 자식이 예수님을 경험하고, 그리스도를 깨달았던, 송장 같던 내 자녀가 새 생명을 얻어 벌떡 일어난 사건, 그래서 잔치를 연 사건이 있었습니까? 예수님 없이 살던 내 남편, 그래서 삶의 방향과 목표가 없었습니다. 그런데 어느 날 예수님을 믿고 나자 남편이 다시 살아났습니다. 바로 이것이 영적인 부활입니다.

우리는 기도할 때마다 "죄로 말미암아 죽을 수밖에 없는 이"라고 말하곤 합니다. 언제 이 기도를 그만할지 모르겠습니다. 성경에는 이런 표현이 한 군데도 없습니다. 우리는 이미 죄로 말미암아 죽었습니다. 에베소서 2 : 1에 "허물과 죄로 죽었던"이란 구절이 나옵니다. 성경은 예수님을 알지 못하는 사람을 이미 죽었다고 말합니다. 송장이라고 말합니다. 여기서 죽었다는 말은 하나님과의 관계가 끊어졌다는 것을 말합니다.

주님 없이 살고 있는 사람들이 곧, 영적 송장들입니다. 예수님을 믿는 순간 하나님과의 관계가 살아납니다. 그래서 하나님을 "아버지"라고 부를 수 있게 됩니다. 하나님과 나 사이에 새로운 관계가 생겨납니다. 영적인 부활입니다. 이렇게 새 생명이 내 속에 찾아오는 그 순간 내가 다시 살아난다는 것입니다.

다시 삶의 체험, 이 부활의 체험이 우리의 가정 속에, 내 남편에게, 내 아내에게, 내 자식에게 일어나면 이것은 구경거리입니다.

"저 집 사람들이 변했대. 남편이, 아내가, 자식들이 변했다네."

"내 자식이 다시 살았어요, 삶이 달라졌어요 !!"

이 부활의 소식이 우리 동네, 우리 사회의 뉴스거리입니다. 우리 식구들 가운데 누군가가 이 놀라운 경험을 했다는 간증은 우리가 인생에서 겪을 수 있는 가장 위대하고, 소중한 사건입니다. 이 부활의 경험, 이 부활의 사건, 이것은 전생애를 주고 그 어떤 기억과도 바꿀 수 없는 감격의 근원이 됩니다.

"하나님이 나를 다시 살리셨습니다." "하나님이 내 아내를 살리고 내 남편을 살렸어요 !!" 이것은 미칠 수밖에 없는 뉴스입니다. 이 사건과 바꿀 수 있는 사건이 어디 있겠습니까? 간증이 있었던 집, 그래서 이 가정에는 다른 사건이 없어도 이 사건 하나만을 통해서도 하나님을 향해서 입을 닫을 수 없는 찬송이 터져 나오고 있었습니다.

마르다의 봉사

둘째로, 이 집에는 마르다의 봉사가 있었습니다.

봉사, 얼마나 아름다운 단어입니까? 잔치가 열렸는데, 이 잔치에서 봉사를 담당하는 주역을 맡은 여자가 누구입니까? 마르다입니다(2절). 마르다, 마리아 자매의 사건을 성경에서 추적해서 읽어 보면 언제나 일어서서 열심이 일하고 활동하는 사람은 바로 마르다입니다. 그리고 마리아는 항상 앉아 있는 것으로 기록되어 있습니다.

요한복음 11장을 보십시오. "많은 유대인이 마르다와 마리아에게 그 오라비의 일로 위문하러 왔더니 마르다는 예수 오신다는 말을 듣고 곧 나가 맞되 마리아는 집에 앉았더라"(19–20절). 누가 자기 집에 방문하시는 예수님을 나아가 맞았습니까? 마르다입니다.

누가복음 10장에도 예외가 아닙니다. "저희가 길 갈 때에 예수께서 한 촌에 들어가시매 마르다라 이름하는 한 여자가 자기 집으로 영접하더라"(38절).

누가 영접했습니까? 마르다입니다. 주님을 먼저 자기 집에 영접한 사람, 행동의 주역, 늘 앞장 서서 일하고 활동하고 모시는 것은 마르다입니다.

그 다음에 보십시오. "그에게 마리아라 하는 동생이 있어 주의 발 아래 앉아"(39절)라는 구절이 나옵니다. 성경에 보면 마리아는 항상 앉아 있습니다.

이 사건을 계속 읽어 보면 마르다는 일어나 열심히 봉사하면서도 한 가지 불만이 있었습니다. 자기 동생 때문이었습니다. 주님의 발아래 앉아 말씀만을 듣고 있는 동생을 보면서 "왜 주님은 마리아가 나의 일하는 것을 돕지 않는데도 그대로 두십니까?"라고 불만을 터트렸습니다.

우리가 잘 아는 대로 이 사건의 대목에서 예수께서 마르다에게 "너는 너무 많은 일로 네 마음이 분주하고 생각이 부산해서, 말씀도 즐기지 못하고, 봉사하면서도 즐기지 못하니 이것은 합당하지 않다. 마리아는 더 좋은 편을 선택했다"라고 말씀하시며 오히려 마리아를 칭찬하신 사실을 볼 수가 있습니다.

그러나 항상 이런 것은 아닙니다. 마리아 때문에 마르다가 불평하고 있는 대목은 이 대목밖에 없습니다. 우리가 그동안 너무나 마리아 자매만 칭찬을 하고 마르다 자매를 칭찬하지 못했는데, 오늘 이 시간 마르다 자매를 칭찬해 줄 필요를 느낍니다. 이사건 이후에도 보면, 마르다는 주님을 향한 봉사를 포기하지 않습니다. 저는 이것이 참 은혜스럽고 감동스러운 장면이라고 생각합니다.

마르다는 주님을 위해서 일을 하다가 야단을 맞았습니다. 이런 경우 흔히 일어날 수 있는 반응은 어떤 것입니까? 주님을 위해서 열심히 봉사하다가 욕만 먹은 경우, "좋다, 내가 이제 봉사하나 봐라. 나도 맨 앞에 앉아서 말씀을 듣기만 하겠다"고 하면서 모두가 다 마르다와 같은 사역을 포기하고 말았다면, 어떻게 되었을까요? 우리 교회 여전도회의 경우에도 모두가 다 마르다가 되기를 포기했다면, 그 모든 교회의 봉사 사역이 어떻게 되었을까요?

참 귀한 것은 마르다 자매가 주님의 나무라심에도 불구하고 일어서서 봉사를 계속한 것입니다. 다시는 자기 동생 마리아로 인하여 불평하지 않았습니다. 그녀는 아마도 주님의 이 나무라심을 통해서 시샘을 하지 아니하고 주님을 계속 섬기는 봉사의 중요성을 배웠을 것입니다.

이제는 달라진 태도로, 이제는 달라진 마음가짐으로 주님을 계속 섬기고, 계속 봉사했던 이 마르다의 향기, 이 봉사의 향기는 마리아의 향기 못지않게 귀하고 아름답고 영광스러운 향기였습니다. 봉사는 특권입니다.

사실, 마르다가 예수님을 위해 잔치를 열어 주님을 시중 들 수 있었다는 것, 이것은 이 지상에서 마지막 봉사의 기회였습니다. 이것이 마지막이었습니다. 예수님은 얼마 안 있으면 십자가를 향해서 가게 됩니다. 그가 주님을 위해서 이 잔치 석상에서 일할 수 있었던 봉사의 특권을 마르다는 얼마나 먼 훗날 주님 앞에 감사하고, 또 감사했을까요?

봉사는 봉사하는 자기 자신에게 큰 기쁨을 가져다 주는 것입니다. 받는 것에 약간의 기쁨이 있다면, 주는 봉사는 우리에게 지고의 기쁨을 가져다 주는 것입니다.

사랑하는 여러분, 폴 트루니에(Paul Tournier)라는 유명한 크리스천 의사는 "부모 여러분, 여러분의 자녀들에게 가르쳐야 할 모든 것 가운데서 특별히 봉사를 가르치십시오. 주는 봉사의 중요성을 가르치십시오. 그러면 그들은 받는 작은 기쁨보다도 주는 그 가장 커다란 기쁨, 그 지고의 기쁨 속에서 사는 자부심을 형성할 수가 있을 것입니다"라고 충고를 했습니다.

저의 아버님이 독자이십니다. 그리고 제가 장남이기 때문에, 어렸을 때부터 받는 것을 중심으로 살아왔습니다. 지금도 잊을 수가 없는 것은 중학생이 되어서 처음으로 농촌 봉사를 나갔을 때, 내 생애에 처음으로 받는 것이 아니라 주는 사역을 했을 때, 한달 동안 그렇게 땀 흘려서 일을 하면서도 내 마음속에 신선한 기쁨, 설명할 수 없는 그 깨끗한 기쁨과 보람이 깃들었습니다. 주는 것은 얼마나 귀한 것입니까! 이제 주님께서 받는 것보다 주는 것이 더 복되다고 하신 말씀을 이해할 수가 있습니다.

시간을 주고, 수고의 땀을 주고, 봉사를 하면서 이 집을 주님을 위한 잔치 석상으로 만들었던 아름다운 마르다, 마르다의 봉사가 있기 때문에 이 집은 주님을 위한 잔치를 할 수 있는 아름다운 집이 될 수 있었던 것입니다. 마르다를 칭찬합시다. 이 집의 향기에 주요한 한 대목을 장식하고 있었던 것이 바로 마르다의 봉사입니다. 이 집에는 주님께 받은 놀라운 간증이 있었을 뿐 아니라 아름다운 봉사가 있었습니다.

마리아의 헌신

셋째로, 이 집에는 마리아의 헌신이 있었습니다.

우리가 잘 아는 대로 향유를 주님 발에 부었던 마리아의 모습이 등장합니다. 그런데 재미있는 것은, 여러분, 마리아가 향유를 부었을 때, 그 향유 냄새가 어디에서 났습니까? 주님에게서 났을 뿐 아니라 그 향유를 부었던 마리아 그 자신에게서도 그 향유 냄새가 났음을 보십시오. 그 향유 냄새는 집안에 가득했습니다. 주님께 향유를 붓고 자신의 머리털로 주님의 발을 씻었던 마리아! 그 다음부터 마리아가 시장 가면 시장에서, 교회 가면 교회에서 이 향유 냄새가 나지 않았겠습니까!

헌신은 향기를 냅니다. 순수한 헌신은 아주 순수한 향기를 냅니다. 치사한 헌신은 치사한 냄새가 나중에라도 나기 마련입니다. 잘못된 헌신은 반드시 그 다음에 이상한 냄새가 납니다. 그러나 주님을 위하여, 주님께 바치려는 순수한 동기를 가지고 바치는 헌신에는 반드시 향기가 있습니다.

순수한 헌신의 향기 가득한 이 집의 모습을 보십시오. 주님을 사랑하는 동기, 이 동기 외에는 달리 아무런 동기도 없었던 마리아! 옥합을 깨고 향유를 부었던 마리아의 헌신을 보십시오. 이제 그 헌신의 향기는 마리아의 전존재를 통해서, 그의 삶 속에 존재합니다.

마리아의 집에 향기가 있었습니다. 그가 가는 곳에 이 향기가

있었습니다. 향기가 가득한 집. 향기 나는 여인. 이 사건 이래로
성경에 나타난 모든 여인들 중에서 마리아보다 더 아름다운, 우
리 삶에 감동을 주는 여인이 어디 있습니까? 향기를 나타낼 수
있었던 이 여인보다 말입니다. 마리아는 헌신의 향기를 발하는
주인공이 된 것입니다.

그러나 오늘 우리의 가정은 어떻습니까?

여러분, 우리의 가정 생활 가운데서 우리가 겪는 모든 어려움,
인간 관계의 어려움을 한마디로 말하자면 무엇이겠습니까? 그
것은 이기심입니다. 당신은 왜 나를 이해하지 않고, 나를 사랑하
지 않느냐고 말하는 남편의 이기심, 아내의 이기심, 자녀의 이기
심 그리고 왜 부모를 부모로서 대접하지 않느냐는 부모의 이기심
입니다. 이 모든 가족 관계의 이기심이 우리 가정의 행복을 깨고,
향기를 빼앗습니다. 어떻게 우리가 이런 이기심을 극복할 수가
있겠습니까?

오늘 이 집의 행복은, 행복할 수 있는 조건을 하나도 갖지 않았
어도 행복할 수 있었던 이 집의 비밀은, 한마디로 모든 식구들의
삶의 초점이 하나님께 있었다는 것입니다.

주님께 은혜를 받았던 나사로, 주님을 섬기고 봉사했던 마르
다, 그리고 주님을 향해서 순수한 헌신을 바쳤던 마리아, 이 온
식구들의 삶의 초점은 주님이었습니다! 주님께 모든 것이 드려
지고 바쳐지고 있었습니다. 주님을 바라보았을 때 벌써 그 이기
심이 극복된 것입니다. 주님 안에서 사랑할 수 있었고, 주님 안에
서 용납할 수 있었습니다. 만약 우리 인생의 초점 가운데 나라는
이기심보다 더 큰 삶의 초점이 없으면, 우리 주변에서 목격하고
있는 가정들의 불행이 우리의 불행일 수가 있습니다.

어떻게 하면 신앙의 초점을 주님께 모을 수가 있습니까? 이것은 성경이 요구하는 축복을 갈망하는 모든 사람들이 물어야 하는 가장 중요한 질문입니다. 그 대답은 주 예수님, 믿음의 주요, 온전케 하시는 그 예수 그리스도를 온 식구가 바라볼 때, 남편의 가장 중요한 분이 예수가 될 때, 아내의 삶 속에서 가장 중요한 분이 예수가 될 때, 자녀들의 삶 속에서 가장 중요한 분이 예수가 될 때입니다.

그리스도 앞에서 겸손히 굴복하여 주님의 다스림을 받는 가정에 천국이 임합니다. 인생의 역경의 모든 파도를 극복하고 행복할 수가 있습니다. 이것이 마리아, 마르다 자매의 간증이고 우리를 향한 도전입니다.

오늘 우리의 가정은 어떻습니까? 우리 가정도 향유 냄새 가득한 집일까요?

아버지, 하나님!

이 세상에서 사람이 너나 할 것 없이 기대하는 행복의 조건을 하나도 갖지 않았던 이 자매들, 그러나 그럼에도 불구하고 한없이 복된 삶을 살았고, 성경을 읽는 모든 시대의 크리스천들에게 참으로 아름다운 삶의 모습을 보여 주었던 마르다, 마리아 자매를 생각합니다.

주님이 그렇게도 즐겨 찾으셨으며, 마음에 쉼을 얻으셨던 가정. 십자가로 가시기 이전에 주님을 위하여 마지막 잔치를 열어, 주님의 가슴에 한없는 위로와 격려를 드렸던 이 집.

이 집에는 하나님이 기적을 주신 간증이 있었습니다. 이 가정 속에는 개인의 욕심과 이기심을 극복하고 주 앞에, 주님의 사랑하는 사람들 앞에 바쳐졌던 순수한 봉사와 헌신의 모습이 있었습니다.

아버지 하나님, 주님이 그 가정에 오셨고 주님이 그 가정 속에 역사하셨기 때문입니다. 하나님, 우리도 우리의 가정을 주님 앞에 내놓습니다. 그리고 주의 통치를 기다립니다. 내가 내 마음대로 가정을 다스리려고 했지만 그것이 가져온 허무와 불안과 갈등과 아픔과 실망 앞에 나는 다시 한번 나의 나약성과 부패를 인정하고 주의 도우심을 구합니다.

사랑하는 주님, 우리를 다스려 주옵소서. 우리의 가정을 다스려 주옵소서. 우리에게 더 높은 삶의 목표를 주시기 원하옵니다. 주님을 위해 살고자 하는 섬김의 거룩한 목표를 주옵소서. 돈보다도, 잘사는 것보다도 더 위대한 목표인, 주님을 위한 삶을 허락해 주옵소서. 그리하여 이 우리의 가정에 가득 채워진 이 향기의 근원이 예수님이신 것을 알고, 주님을 자랑하고, 주님을 나타내는 가정이 되도록 도와주옵소서. 예수님의 이름으로 기도합니다. 아멘.

복습과 토의 질문

1. 세속적 용어인 행복과 성경적 용어인 축복은 어떻게 다른가요?

2. 가정에서 있었던 식구들의 구원의 간증을 나누어 보십시오.

3. 가정에서의 나의 봉사의 스타일을 말해 보십시오.

4. 우리 가정이 좀더 주님의 향기로 채워지기 위해 나는 나의 가정에 어떤 헌신을 드려야 할까요? 각자의 결심을 이야기해 봅시다.

2

안식할 수 있는 가정

롯기 3 : 1-5

"룻의 시모 나오미가 그에게 이르되 내 딸아 내가
너를 위하여 안식할 곳을 구하여 너로 복되게 하여야
하지 않겠느냐 네가 함께하던 시녀들을 둔 보아스는
우리의 친족이 아니냐 그가 오늘 밤에 타작마당에서
보리를 까불리라 그런즉 너는 목욕하고 기름을 바르
고 의복을 입고 타작 마당에 내려가서 그 사람이 먹
고 마시기를 다 하기까지는 그에게 보이지 말고 그가
누울 때에 너는 그 눕는 곳을 알았다가 들어가서 그
발치 이불을 들고 거기 누우라 그가 너의 할 일을 네
게 고하리라 룻이 시모에게 이르되 어머니의 말씀대
로 내가 다 행하리이다 하니라."

안식할 수 있는 가정

우리는 과거 어떤 때보다도 훨씬 편리해진 시대 속에 살고 있습니다. 그러나 이상하게도 그 편리한 주변 환경에도 불구하고 현대인은 더욱 안식을 찾지 못하고 방황하고 있습니다. 어떤 시인의 묘사처럼, 돌아올 둥지를 잃어버린 비오는 날의 외로운 참새처럼 이 처마에서 저 처마로 정처 없이 방황하고 있는 것이 현대인의 모습입니다.

피조된 인간에게 하나님이 제일 처음에 선사하신 선물은 안식이었습니다. 우리가 보통 안식일을 일곱번째 날이라고 생각합니다만 인간 편에서 볼 때 안식일은 첫번째 날입니다. 인간이 언제 창조되었습니까? 몇째 날입니까?

창세기 1장의 기사에 의하면 인간은 여섯번째 날에 창조되었습니다. 그러나 사람이 눈을 뜨고 그가 첫번째 맞이한 날은 어떤 날입니까? 안식일입니다. 그는 쉬고, 안식하고, 그 다음에 다른 일들을 시작한 것입니다. 하나님은 먼저 안식을 주시고, 이 안식으로 얻어진 에너지, 자유함, 평안함을 가지고 나머지 한 주간의 삶을 감당하도록 하셨던 것입니다.

그리고 이 아담과 하와가 안식을 즐기면서 즐거워했던 첫번째 장소는 가정이었습니다. 아담과 하와가 함께 가정에서 안식을 누렸습니다.

어떤 면에서 이 안식과 가정은 동의어라고 할 수 있습니다. 가정이라고 하면 우리는 쉴 수 있는 곳, 안식할 수 있는 곳이라는 이미지를 떠올립니다. 그래서 영어에도 "편히 쉬십시오"라고 말할 때, "집에서처럼 편하게 하십시오"(Make yourself at home!)라고 말합니다.

편히 쉰다는 말과 가정이란 말은 어떤 의미에서 동의어로 쓰이고 있습니다. 오늘 본문 룻기 3:1에 보면 "안식"이란 말이 나옵니다. 3장의 맨 마지막 절에 보시면 "내 딸아 이 사건이 어떻게 되는 것을 알기까지 가만히 앉아 있으라 그 사람이 오늘날 이 일을 성취하기 전에는 쉬지 아니하리라"(18절)는 구절이 나옵니다. 안식이라는 단어가 몇 번씩 등장합니다.

여기 3:1에 나오미가 룻에게 안식할 곳을 구해야 하지 않겠느냐고 말합니다. 너도 이제 가정이 필요하지 않겠느냐는 말입니다. 히브리 사람들은 안식이란 말을 이해할 때 보통 쉰다라는 단순하고 표면적인 의미 이상의 깊은 의미를 부여했습니다. 히브리 사람들은 안식이라는 말을 "메누카"라고 불렀는데, 이것은 "삶의 근거"라는 뜻입니다. 그래서 어떤 영어 성경에 보면 이 안식이라는 말을 "안전"(security)이란 말로 번역한 경우가 있습니다. 우리가 가정에서 누리는 참된 안식이 우리의 모든 삶을 감당할 수 있다는 근거가 된다는 이야기입니다.

자, 지금 나오미와 룻은 부서진 가정, 깨어진 가정의 상처를 안고 있는 여인들입니다. 무엇보다 룻은 이제 하나님의 은혜를 통해서 새로운 가정을 필요로 하는 시점에 직면한 것입니다. 이 새로운 가정이 형성되는 과정에서, 오늘 3장에 등장하는 세 사람의 주인공, 즉 세 명의 주역 배우들을 통해서 안식할 수 있는 복된 가정의 필수 요건이 무엇인가를 생각하고 싶습니다.

나오미의 사랑

첫째로, 나오미를 생각합니다.

우선 3장에 나타난 나오미의 성격을 조심스럽게 살펴본다면 이 나오미라는 여인은 자기의 필요보다 남의 필요를 먼저 생각하는 인물입니다. 다시 말하면 나오미는 이기심을 극복한 사람입니다.

지금 우리는 룻의 재혼 문제를 이야기하고 있습니다만 나오미에게는 재혼의 필요가 없었습니까? 나오미도 역시 고독한 여인입니다. 그런데 여기에 지금 결혼 상대자가 등장했습니다. 그는 누구입니까? 보아스입니다. 그런데 보아스가 처음 만나는 여인 룻에게 "내 딸아"라는 표현을 쓴 것을 보면 상당히 나이가 많았다고 생각됩니다. 어떤 면에서는 나오미가 자기의 상대자로 보아스를 선택할 수도 있었습니다. 그렇게 되면 룻하고 삼각 관계가 형성될 수도 있는 상황입니다. 그러니까 나오미 편에서 보아도 보아스가 친척이므로 친척 구혼자의 자격이 될 수 있었던 것입니다. 그런데 룻기를 보면 나오미는 한번도 자기의 필요를 암시하지 않습니다. 언제나 며느리의 처지를 먼저 생각합니다.

나오미의 깊은 관심은 자기에 대한 것이 아니라 불행하게 된 자기 며느리에 대한 것이었습니다. 더구나 자기 며느리에 대해서 "내 딸아"라고 불렀던 것을 통해서 시어머니된 나오미의 그 자상한 심정을 읽을 수가 있습니다. 고약한 시어머니 같으면, 이때 룻에게 "애, 너는 이제 우리 집 귀신이 돼야 해. 너 시집 가면 재미없어!"라고 말할 수도 있었을 것입니다. 그러나 다른 사람의 필요, 다른 사람의 사정을 먼저 생각했던 나오미였기에 육신적으로, 정신적으로 언제나 룻의 어머니로서 머물러 있을 수 있었던, 존경받을 수 있었던 어머니가 된 것입니다. 그래서 나오미는 룻이 후에 자식을 낳았을 때, 그 자식을 가리켜 "내 자식"이라고 말할 수 있는 영광스러운 가계의 어른이 될 수 있었습니다.

이렇게 될 수 있었던 것은 나오미의 태도 때문입니다. 이것은 오늘 저와 여러분이 처한 가정의 모습과는 얼마나 다릅니까? 오늘 가정에서 일어나는 그 많은 비극과 불행과 상처의 원인이 어디에 있습니까? 많은 원인이 있겠지만 가장 중요한 것은 이기심입니다. 남편은 남편대로, 아내는 아내대로, 자식은 자식대로 나만 위해 살려는 것입니다. 현대 가정의 비극적인 요소의 제 일번은 바로 이기심이라고 생각합니다.

왜 이기심을 버리지 못합니까? 왜 인간은 이기심을 버리지 못하고 끈질기게 자기만을 위해 살아 주기 원하는, 자기 중심의 삶을 살아가게 됩니까? 우리는 그것을 그리스도인의 시각에서 이렇게 말할 수 있습니다.

그것은 사람들이 아직도 골고다에 서 본 경험이 없기 때문입니다. 골고다 언덕의 십자가 사건을 생각해 보십시오. 만약 그 골고다의 십자가에서 예수님이 자신만을 생각했더라면 어떻게 되었을 뻔했습니까? 그분과 아무 상관이 없었던 저와 여러분을 위해서 그의 목숨을 내주신 아가페의 사랑을 통해서, 십자가의 사랑을 통해 우리는 이기심이 배제된 순수한 사랑을 경험하게 되는 것입니다.

"우리가 아직 죄인 되었을 때에 그리스도께서 우리를 위해서 죽으심으로 하나님께서 우리에 대한 자기의 사랑을 확증하셨느니라"(롬 5:8). 참된 사랑이 무엇인가를 우리는 십자가에서 발견하게 될 것입니다.

여러분, 이 이야기를 많이 들었을 것입니다. 천국과 지옥의 차이를 설명할 때 많이 드는 예화로, 설교자들에게 많이 알려진 유명한 이야기입니다. 어떤 사람이 식사 시간에 천국과 지옥을 구경 갔는데, 먼저 지옥을 갔습니다. 지옥에 가니 식사 시간에 쓰는 젓가락이 무지무지하게 길었습니다. 그것을 가지고 식사를 하고 있었습니다. 그런데 그걸 가지고 자기만 먹으려고 하니까, 식사 시간이 아니고 칼싸움 시간이 되었습니다. 얼마 후에 그 사람이 천국에 갔는데, 그곳도 역시 식사 시간이었습니다. 그곳에서도 긴 젓가락을 사용하고 있었는데 천국에서는 그 젓가락으로 상대방을 먹여 주는 것이었습니다.

이 짧은 예화는 천국적인 생의 방식과 지옥 같은 생의 방식의 차이를 명확하게 보여 주고 있습니다. 하나님의 백성된 사람들의 삶의 방식은 이기심을 버리는 것입니다.

그렇습니다. 오늘 가정에서 일어나고 있는 숱한 비극의 원인은 나만을 위해 주기 원하는 남편의 이기심 때문입니다. 자기만을 위해 주기 원하는 아내 때문입니다. 나만 위해 주기를 원하는 부모 때문입니다. 나만 위해 주기를 바라는 자식들 때문입니다. 그러나 이기심을 뛰어넘어서 순수한 주님의 사랑을 가지고 살아가는 가정을 지켜 보십시오.

자, 여러분의 가정을 향해 발걸음을 옮길 때 이런 고백을 할 수 있습니까? "내 가정에 가면 진정으로 나를 위해 주는 내 아내가 있습니다", "참으로 나를 위해 주는 남편이 있습니다", "참으로 나를 위해 주는 자식들이 있습니다", "참으로 나를 위해 주는 부모님이 계십니다."

왜 집으로 가는 발걸음이 그렇게 가볍습니까? 우리가 가정에서 안식을 누릴 수 있기 때문입니다. 그러나 참 안식을 누리기 위해서는 가정에 있는 우리 스스로가 먼저 나를 위해 살아 주기 원하는 이기심을 포기하고 내가 먼저 남을 위해 살아 줄 수 있어야 합니다. 이기심을 극복한 사랑, 절대적인 아가페의 사랑이 우리의 가정에 실천될 때 우리의 가정은 쉼의 가정, 안식의 가정이 될 수 있지 않겠습니까?

오늘 본문에 나타난 나오미의 성격이, 우리에게 가르쳐 주는 교훈이 바로 이것입니다. 자기의 필요보다 다른 사람의 필요를 앞에 두었던 이 인물의 교훈을 생각해 보십시오.

룻의 신뢰와 순종

둘째로, 룻을 생각합니다.

3절에 나타난 룻은 어떤 성격으로 등장합니까? 순종의 성격으로 나타납니다(5절). 고대의 성경의 습관이나 중동 지방의 습성을 알지 못하고 3장을 읽으면 에로틱한 소설을 읽는 것같이 착각할 수 있습니다. 이 구절이 무엇을 말하는지 아십니까? 보아스가 타작하고 누워 있는 발치 밑에서 자다가 그를 한번 건드려 보라는 것입니다. 상상이나 할 수 있습니까? 성경에 이런 이야기가 있습니다.

여러분이 그런 건의를 받았다면(그 건의는 시어머니가 며느리에게 건의한 것입니다.), 여러분이 그 며느리라면 어떤 반응을 보이겠습니까? "어머나, 어머니! 생각이 어떻게 되신 것 아니예요?" 하며 펄쩍 뛰었을 것입니다. 그러나 이 이야기는 그러한 내용이 아닙니다.

팔레스타인 지방의 풍습에 의하면 자기에게 친절을 베푼 남자가 어쩌면 자기의 배필일 수 있다는 생각이 마음속에 있다면 여성이 먼저 프로포즈를 해야 합니다. 이것이 그 당시 합법적인 풍속이었습니다. 그래서 그것을 이야기하는 것입니다. 가서 그를 꼬시라는 이야기가 아닙니다. 중동 지방에서는 여인 편에서 먼저 이렇게 해야만 결혼이 성립할 수 있었습니다.

그런데 여러분 룻은 같은 중동 지방에 살았으면서도 히브리 문화와 습관에 익숙하지 않았던 모압 여인이었던 것을 기억하시기 바랍니다. 룻이라는 여인의 정숙성이나, 여성다운 태도에 대해서 의문을 두지 마십시오. 이 여인이 현숙한 여인이라는 사실은 이미 룻기 전체를 통해서 몇 번씩 확인되었고, 또 증명되었습니다. 3:11에도 룻이 현숙한 여인이라는 것이 온 성읍에서 증명되고 있습니다. 그러니까 그 추수 마당에서 남자들과 함께 섞여 일하면서도 자기 몸을 참으로 아름답고 정숙하게 지킨 여인으로 평판이 나 있었습니다.

그러므로 룻을 의심하지 마시기 바랍니다. 2장의 제일 마지막 두 구절을 봐도 알 수 있습니다. 그러므로 룻의 정숙성을 편견되게 이해하려고 하지 마십시오. 이 습관에 익숙해 있지 않으면서도, 히브리 습관에 익숙해 있지 않았으면서도 시어머니의 권고 앞에 말없이 순종할 수 있었던 이유가 어디에 있었다고 생각합니까? 저는 그것이 자기 시어머니에 대한 신뢰 때문이라고 생각합니다.

신뢰가 순종을 낳습니다. 왜 순종하지 못합니까? 서로가 서로의 인격을 존중하지 못하고, 순종하지 못하는 가장 깊은 이유가 어디에 있습니까? 여러 가지 이유가 있겠지만 한마디로 말하면 "불신"하기 때문입니다. 왜 불신합니까?

인간과 인간 사이에 끊임없이 계속되고 있는 불신, 심지어 한 지붕 밑에서 삶을 누리고 있는 가정 안에서도 신뢰하지 못하는, 남편과 아내 사이의, 부모와 자식 사이의 불신의 원인은 어디에 있습니까? 골고다 언덕에 서 본 경험이 없기 때문입니다. 십자가 앞에 서 본 경험이 없기 때문입니다.

십자가는 우리에게 어떤 교훈을 주고 있습니까? 속아 사는 이 세상에서 십자가 앞에 서는 순간 우리가 무엇을 느낍니까? 거기에서 피를 흘려 우리에게 생명을 주신 예수 그리스도, 내가 그를 신뢰했을 때에 이 십자가는 나로 새사람이 되게 했습니다. 이 사건을 바꿔 말할까요? "하나님은 나를 믿어 주셨습니다."

나의 변화와 나의 가능성을 믿어 주신 것입니다. 주의 보혈로 새사람 되어 용서받고 거듭날 때 내가 하나님의 사람으로 일할 수 있다는 가능성을 보시고, 아시고, 하나님은 십자가를 통해서, 십자가를 받아들이는 모든 사람들에게 "나는 너를 신뢰한다"고 말씀하시는 것입니다.

주께서는 저와 여러분을 믿어 주셨습니다. 그래서 우리는 십자가 앞에서 죄 사함을 받고 일어나 감격하여 주를 위해 살게 되었습니다. 주님께 "믿음을 가지고 살겠습니다"라고 고백한 것입니다. 십자가를 경험한 사람마다 이 불신앙의 세상 속에서 다시 신뢰함으로 살기 시작합니다.

"여보, 나는 당신을 믿소"라고 말할 수 있는 가정, 얼마나 행복한 가정입니까! 여러 가지 많은 말을 주고 받지만 남편과 아내 사이에 이 신뢰의 유대 관계가 없는 가정의 비극을 한번 생각해 보시기 바랍니다. "내 아내는 나를 믿고 있습니다", "내 남편은 나를 신뢰하고 있습니다", "내 자식들도 나를 신뢰합니다", "우리 아버지, 어머니는 나를 믿어 주고 있습니다." 이런 가정은 얼마나 아름답습니까!

"너, 정말이니? 거짓말이지?"라고 캐물으면서 믿지 못하는 가정의 비극, 이런 가정에서 자라나는 사람들일수록 자기 주변의 모든 인간 관계를 불신하기 시작할 것입니다. 하나님도 믿지 못합니다.

그러나 나를 믿어 주는 내 아내가 있는 가정, 나를 믿어 주는 내 남편이 나를 기다리고 있는 가정, 나를 믿어 주는 내 아들이, 내 딸이 기다리고 있는 가정, 나를 믿어 주는 내 아버지, 내 어머니가 있는 가정, 이 가정이 바로 우리가 안식할 수 있는 가정, 쉴 수 있는 가정이 되는 것입니다. 그럴 때 우리 가정은 낙원입니다.

룻의 순종을 배웁시다. 룻이 이렇게 순종할 수 있었던 것은 하나님께 대한 신뢰를 통해서 인간에 대한 신뢰를 배웠기 때문입니다.

속더라도 좀 믿읍시다. 속아 본 경험 때문에 우리는 사람을 믿지 않고 움츠러드는 경우가 있습니다. 그러지 맙시다. 속는 한이 있더라도 서로를 믿어 줍시다. 전능하신 하나님께서 나를 믿어 주시고, 나 같은 죄인을 믿어 주시고, 나의 가능성을 믿어 주셨습니다. "새롭게 살아야 한다. 나는 너를 기대한다. 나는 너를 믿는다"는 것이 나를 향한 하나님의 메시지요, 사랑의 감동이라면 여러분, 믿으면서 삽시다.

보아스의 책임 의식

셋째로, 보아스를 생각해 봅니다.

이 보아스는 어떤 교훈을 우리에게 가르치고 있습니까? 3장을 읽어 보면 보아스는 책임 있는 사랑을 하고 있는 인물로 등장합니다. 자, 이제 룻이 그 타작 마당, 보아스의 발치 밑에 누웠습니다. 여러분이 보아스라면, 자다가 발치 밑에 뭐가 걸려서 보니까 여자가 있었다고 한다면 어떻게 하겠습니까? 자다가 무엇이 발에 걸려 보니까 젊은 여자였습니다. 미모의 여성입니다. 어떻게 하겠습니까?

도덕적인 자부심이 강한 남자라면 이런 여자에게 톡톡히 창피를 주고 단단히 버릇을 가르치려고 시도할 수도 있었을 것입니다.

그런데 이러한 상황에서 보아스는 어떻게 행동했습니까? 보아스는 우선 이것이 프로포즈인 것을 알았습니다(12-13절). 룻의 가까운 친척 한 사람이 또 있었으므로 그에게 우선권이 있었습니다. 보아스는 그 사람이 책임을 행하지 않겠다고 하면 자신이 룻을 자기의 아내로 맞아서 그녀의 일생을 책임 지겠다고 말합니다. 마지막까지 읽어 보면 보아스와 룻 사이에 아무 일도 일어나지 않았다는 것을 알 수 있습니다.

이것은 에로틱한 소설의 한 부분이 아닙니다. 이것은 책임의 문제입니다. 한 여인의 삶을 지켜 보며 하나님 앞에 자기의 책임을 인식했습니다. 그리고 이 여인을 돌보고, 이 여인을 사랑하는 것이 하나님이 뜻이라면 받아들이겠다고 말하고 있습니다.

그는 질서를 지키며 행동합니다. 그리고 이런 상황 속에서 그가 끝까지 냉철한 이성으로 덕을 세우고 있는 모습을 보십시오.

15절에 보면 보아스가 보리를 담아서 룻에게 주었습니다. 그것으로 도와주었습니다. 이 여인에게 필요한 것을 공급함으로써 변함 없는 관심과 애정을 표시하고 있는 모습을 볼 수 있습니다. 주어진 상황에서 가장 윤리적으로, 이성을 지켜, 가장 합법적으로 행동하고 있는 이 냉철한 사람, 이 덕 있는 사람, 보아스의 모습을 지켜 보십시오.

오늘 저와 여러분이 살고 있는 이 시대는 사랑의 홍수 시대라고 생각합니다. 오늘 이 시대만큼 세상에 사랑이란 낱말이 흔했던 때가 언제 있었습니까? 라디오만 틀면, TV만 틀어 놓으면 계속 들려 오는 소리가 사랑입니다. 그러나 참 사랑이 어디에 있습니까?

여러분, 홍수를 만나면 온 천지가 다 물입니다. 그런데 그때 제일 고갈되는 것이 무엇인 줄 아십니까? 제일 아쉬운 것이 물입니다. 마실 물이 정말 없습니다. 사랑의 홍수 시대에 살고 있지만 참으로 고갈된 것은 진정한 사랑입니다.

참된 사랑은 언제나 책임을 지는 사랑입니다. 오늘 저와 여러분이 살고 있는 시대야말로 책임 없는 사랑이 유행하고 있습니다. 정욕을 해소하기 위한, 정욕의 이름으로 처리되고 있는 에로스의 사랑은 유행해도, 책임을 질 줄 알고, 상대방의 유익을 구하는 진정한 의미에서의 사랑은 고갈되어 있습니다.

세계화를 시도하는 이 땅에서의 창피한 모습들 가운데 하나는 지금 미혼모가 상당히 많고, 또 이혼을 통해서 버림받은 아이들이 퍼센트로 따져서 세계 최고라는 것입니다. 책임 없이 아이를 버리는 비극이 오늘 조국의 한 모퉁이에서 일어나고 있습니다. 자신의 행동에 대한 책임을 지지 않습니다.

사랑하는 여러분, 우리는 얼마나 우리의 가정에서, 우리의 삶의 현장에서 책임을 질 수 있는, 책임 있는 사람으로 살아가고 있습니까? 보아스가 예수 그리스도의 모형이 될 수 있었던 가장 중요한 이유는 바로 책임을 질 줄 알았던 그의 인격 속에 있었다고 생각합니다.

디모데전서 5 : 8에는 누구든지 자기의 친족과 가족을 돌보지 않는 사람은 믿음을 버린 자이며, 불신자보다도 더 악하다고 말씀합니다.

당신은 책임 질 줄 아는 남편입니까? 당신은 책임 질 줄 아는 아내입니까? 당신은 책임을 질 줄 아는 시어머니입니까? 당신은 책임을 질 줄 아는 부모입니까? 당신은 책임을 질 줄 아는 자식입니까? 내 부모에 대하여, 내 남편에 대하여, 내 아내에 대해서 책임 질 줄 아는 분입니까?

하나님은 우리를 구원하셨습니다. 그러고서 그대로 내버려 두셨습니까? 우리를 구원하신 후에 성령님을 통해서 날마다 우리의 삶 속에 간섭해 오십니다. 책임 있는 사랑입니다. "내가 저희에게 영생을 주노니 영원히 멸망치 아니할 터이요 또 저희를 내 손에 빼앗을 자가 없느니라 저희를 주신 내 아버지는 만유보다 크시매 아무도 아버지 손에서 빼앗을 수 없느니라"(요 10 : 28- 29). 나를 그의 손에 쥐시고, 내 삶을 주관하시고, 다스리시는 이유, 그것은 그분이 내 삶에 책임을 지시기 때문입니다.

이 하나님을 나의 아버지로 모신 사랑하는 여러분, 오늘 여러분은 책임을 질 줄 아는 인격, 책임을 질 줄 아는 사랑으로 인생을 살고 계십니까? 오늘의 젊은이들에게 우리는 이 사랑을 가르치고 있습니까? 책임 질 수 있는 사랑을 가르치고 있습니까?

부모가 부모된 책임을 다하지 못하고, 부부의 책임을 다하지 못할 때 자식들에게 무엇을 가르치겠습니까? 가정의 구성원, 한 사람 한 사람이 책임과 의무를 다하고, 질서와 덕을 세울 때 그 가정의 아름다운 모습을 지켜 보십시오.

"내 남편은 내 삶을 책임 질 수 있는 남편이다", "내 아내는 아내로서 책임과 자리를 지키면서, 나를 향해 그 모든 덕과 의무를 다하는 아내이다." 여기서 싹트는 신뢰를 생각해 보십시오. 책임을 질 줄 아는 가정의 구성원이 모여 구성하는 책임 있는 가정이야말로 우리가 자랑할 수 있는 가정, 우리가 신뢰할 수 있는 가정입니다.

모든 것이 무너지고 파괴되는 이 시대 한복판에서, "이 가정이 내 요새요, 이 가정이 내 보금 자리"라고 말할 수 있는 크리스천 가정은 하나님이 우리에게 주신 얼마나 놀라운 선물입니까? 이 가정에 안식이 깃들고, 이런 가정에 평화가 임합니다. 오늘 여러분의 가정은 어떻습니까? 쉴 수 있는 가정입니까? 안식할 수 있는 가정이십니까?

가정에 가도 마음이 불안한 것은 왜 일까요? 오늘 우리가 본문에서 보았던 세 가지 요인, 나만을 위해 달라는 식구들의 이기심, 믿지 못해 하는 불신 그리고 책임을 회피하는, 이 세 가지 이유 때문에 우리의 가정은 어둠과 비극을 경험하고 있습니다.

어떻게 우리의 가정은 안식을 되찾을까요? 방법은 하나밖에 없습니다. 이 죄들을 회개해야 합니다. 그리고 주님 앞에 돌아와서 참 안식의 주인이신 예수 그리스도를 나의 구주, 나의 하나님으로 내 마음속에 모실 뿐만 아니라 내 가정의 주님이 되게 해야 합니다. 주께서 "수고하고 무거운 짐진 자들아 다 내게로 오라 내가 너희를 쉬게 하리라"고 말씀하십니다.

죄가 안식을 깨뜨렸습니다. 그러나 그리스도 앞에서 죄 사함을 받는 순간 주께서 우리의 과거를 용서하십니다. 그리고 다시 출발하라고 말씀하십니다. 이제 예수 그리스도의 놀라운 사랑, 그 황송한 사랑, 놀라운 은혜를 입은 나는 이기심을 깨뜨린 그 놀라운 사랑을 십자가 앞에서 경험했습니다.

주님이 나를 그렇게 사랑하셨으니, 이 사랑을 주셨으니, 나도 이기심을 넘어서는 사랑을 해야 합니다. 주께서 나를 믿어 주셨고, 나 같은 인간도 신뢰해 주셨으니, 나도 믿어야 합니다.

그리고 하나님의 능력을 신뢰하면서 책임 있는 가정의 구성원이 되기 위해서 가족 모두가 하나님을 바라보고 살아갈 때, 이 가정은 하나님께서 주시는 놀라운 평화와 안식의 가정이 됩니다.

오늘 여러분의 가정은 이러한 안식을 소유하고 있습니까? 오늘 여러분의 가정 속에 이런 안식이 없다면, 이런 평안을 소유하지 못하고 있다면 그 원인이 무엇이겠습니까? 우리 가정의 죄, 아니 구체적으로 나의 죄, 나의 무책임, 나의 이기심이 바로 그 원인입니다. 정말 그리스도를 주님으로 모시고 그리스도를 따라 쉼이 있는 가정을 만들고 싶지 않으십니까?

이런 인격들이 모여서 새로운 가정을 형성했던 보아스의 새 가정, 이 가정에서 주님이 나오셨습니다. 메시아가 이 가계를 타고 오셨습니다.

이런 가정-참 안식의 가정이 우리 시대에도 기다려집니다.

오! 하나님!
우리에게 안식이 필요합니다. 안식의 가정이 필요합

니다. 우리의 죄를 용서하시고 우리의 가정을 치유하사 우리의 가정들이 참 안식의 터전이 되게 하옵소서. 예수님의 이름으로 기도합니다. 아멘.

복습과 토의 질문

1. 우리 가정에 존재하는 이기심의 갈등에는 어떤 것들이 있습니까?

2. 우리 가정에 존재하는 불신의 문제에는 어떤 것들이 있습니까?

3. 가정 생활에서 내가 등한히하고 있는 책임의 영역에는 어떤 것들이 있습니까?

4. 우리 가정이 안식할 수 있는 가정이 되기 위하여 특히 집중적으로 개선되어야 할 한 가지 영역은 무엇입니까?

3

포도원을 허는 여우들

아가 2 : 15

"우리를 위하여 여우 곧 포도원을
허는 작은 여우를 잡으라 우리의 포도
원에 꽃이 피었음이니라."

포도원을 허는 여우들

여러분은, 오늘날 서구 세계에서 절반에 가까운 어린이들이 자기 어머니나 아버지의 슬하에서가 아니라 계모나 계부의 슬하에서 자라나고 있다는 사실을 아십니까?

몇 년 전에 저희 아이가 가족 족보(family tree)를 만들어 오라는 학교 숙제를 가지고 왔었습니다. 가족 족보란 빈칸에 아버지, 어머니, 할머니, 할아버지 이름을 나무 모양으로 채워 나가는 것입니다. 그런데 애가 숙제를 도와 달라고 하면서 "아빠, 왜 우리 집에는 계모나 계부가 없어요?"라고 질문을 하는 것입니다. 그래서 "그게 무슨 뜻이지?" 하고 묻자, 내 친구들은 모두 계모나, 계부가 있는데 자기는 왜 없느냐는 것입니다.

여러분, 이 세대는 지금 행복한 가정이나 정상적인 가정이 오히려 비정상적으로 여겨지는 세대라는 사실을 아십니까? 1960년도 미국인의 가정은 100가정 중에 25가정이 이혼을 했습니다. 70년도에는 100가정 중에 약 40가정 정도가 이혼을 하는 추세를 나타냈습니다. 75년에 와서는 100가정 중에 45가정이 이혼하는 추세를 나타냈습니다. 1980년도에서는 100가정 중에서 약 50가정이,

결혼하는 부부들 중에 약 절반이 이혼하는 추세를 나타냈습니다.
최근에 와서는 이혼율이 조금 주춤하니까 미국의 보수적인 경
향이 다시 살아나고 있다고 미국의 뜻있는 사람들이 매우 기뻐했
습니다. 그러나 한 사람이 "그것은 사실이 아니다. 오늘날 이혼율
이 조금 줄어드는 것처럼 보이는 것은 결혼식도 올리지 않고 그
냥 살고 있는 젊은이들이 많기 때문이다"라고 지적하고 나섰습
니다.

얼마 전에 L. A. 의 한 보석상이 L. A. 타임지에 "저희 가게에서
는 결혼 반지를 빌려 드립니다"라는 광고를 냈습니다. 이것은 보
통 사건이 아닙니다. 결혼 반지를 빌려 주겠다는 것은 결혼이 오
래가지 않으니까 반지를 살 필요가 없다는 것입니다. 적당히 빌
려서 갖고 있다가 되돌려 주면 된다는 생각입니다.

최근 미국에 집을 파는 곳에 가 보면 "Home for Sale"이라는
팻말이 붙어 있습니다. 여러분, 우리가 살던 집(house)을 팔 수
있어도 가정(home)은 팔 수가 없습니다. 집과 가정은 다릅니다.
그런데 여러분들과 내가 사는 오늘 이 시대는 가정을 팔기 시작
한 시대입니다. 이것이 오늘 미국의 비극이고, 현대인의 가정 속
에 일어나고 있는 비극입니다. 무엇이 오늘날의 가정을 파괴하고
있습니까?

본문은 솔로몬과 술람미 여인의 사랑 노래를 기록한 연가입니
다. 두 사람의 사랑의 관계를, 사랑의 보금자리를, 본문은 포도원
으로 비유하고 있습니다.

아마도 어느 날 이 두 사람은 그들의 사랑의 관계 속에서 위기
를 발견하기 시작한 것 같습니다. 그래서 그들의 사랑의 보금자
리를, 사랑의 포도원을 지키지 않으면 큰일이다라는 자기의 가정
에 대한, 자기의 보금자리에 대한 심각한 위기를 직감하기 시작

한 것 같습니다. 그래서 "여우를 잡자!"고 경고합니다.

팔레스타인의 황야에는 많은 여우들이 기식하고 있습니다. 얼마 전까지도 팔레스타인 땅에는 여우들이 많았습니다. 사사기 15장 이하에 보면 삼손이 여우 사냥을 하는 장면이 나오는데, 여우를 무려 300마리나 잡아서 그 꼬리를 모두 붙들어 맵니다. 그리고 꼬리에 홰를 달아서 불을 당겼더니, 여우들이 돌아다니면서 밭을 다 망치는 신기한 장면이 나타납니다.

여우라는 것은 이스라엘에서 포도 농사를 해치는 적으로 생각되었습니다. 돌아다니면서 땅을 파고, 구덩이를 만들고, 뿌리를 갉아 먹고, 줄기를 다 뜯어 버리는 여우는 일종의 포도원의 파괴자였습니다. 그런데 이 여우가 활동을 맹렬히 하는 시기가 바로 포도 꽃이 피는 시기입니다.

이스라엘의 젊은이들에게 있어서 포도 꽃이 피는 계절은 어떤 시기입니까? 이 계절은 그들이 사랑을 꽃피우는 아름다운 계절입니다. 이 아름다운 계절, 포도 꽃이 피고, 석류 꽃이 피는 이 계절에 여우들이 또한 활동하면서 포도원을 해치기 시작합니다.

그것은 마치 사랑의 계절에, 많은 사람이 사랑을 꽃피우고 가정을 세우는 계절에 우리의 이웃에서는 가정이 허물어지고 무너지는 광경을 목격하는 것과 마찬가지입니다. 그래서 이스라엘 사람들에게 있어서 여우가 포도원을 해치는 적이었던 것처럼 오늘날 우리의 가정을 해치는 상징으로서 여우를 여기에 등장시켰던 것입니다.

그런데 사실은 여우가 한 마리가 아닙니다. 한글 개역 성경에서는 이 단수와 복수의 개념이 등장하지 않았지만 원문이나 영어 성경을 보면 복수로 표시되어 있습니다. "여우들"입니다. 그런데 그냥 여우들이 아니라 "작은" 여우들입니다. 포도원을 허는 작은 여우들을 잡아라!

종종 우리의 가정을 파괴하는 원인은 굉장히 큰 사건이 아닙니다. 가장 시시하고, 가장 보잘것없는, 사소한 사건이 우리의 가정을 붕괴시키는 몰락의 원인이 된다는 것입니다. 작은 원인을 경계할 필요가 있습니다.

여러분, 미국에서 대 화재로 말미암아 생겨나는 피해보다도 개미 떼들이 주는 피해가 더 크다는 사실을 아십니까? 작은 흰개미 떼가 돌아다니면서 농사를 망친다든지, 집을 허문다든지 하는 피해가 더 크다는 것입니다.

눈에 띄는 굉장한 사건만이 피해를 주는 것은 아닙니다. 보이지 않는 사소한 것, 아주 작은 것들이 때때로 우리의 가정의 기초를 붕괴하는 가장 결정적인 사건이 될 수 있다는 사실에 우리는 놀라야 합니다.

여러 해 전에 미국에서 대형 비행기 사고가 나서 93명의 승객이 동시에 몰살을 당했던 사건이 있었습니다. 그 사고의 원인을 조사해 보니까, 뜻밖에도 작은 나사못 하나가 빠졌기 때문이었습니다. 그래서 이 사건이 신문의 머릿기사로 크게 보도된 적이 있었습니다. 작은 나사 못 하나, 얼마나 보잘것없습니까? 그러나 그것이 그런 엄청난 피해를 가져왔던 것입니다.

여러분, 우리가 아가서를 읽을 때, 아가서를 사랑의 연가, 사랑이 얼마나 아름다운가를 보여 주는 책으로만 볼 수도 있습니다. 그런데 이 아가서를 잘 읽어 보시면 아가서는 사랑의 아름다움을 예찬하고 있을 뿐 아니라 사랑의 위기를 경고하고 있습니다. 이 사랑의 위기가 얼마나 엄청난 것인가를 경고하고 있습니다.

사랑에는 언제나 위기가 있을 수 있습니다. 우리는 아가서를 읽으면서 아가서의 연인들이 경험했던 사랑의 위기를 느낄 수 있습니다. 하마터면 그들의 가정이 파괴될 수 있었습니다. 그 사실을 직감했던 오늘 본문의 주인공은 이렇게 결심하고 있는 것입니다. "우리를 위하여 우리의 포도원을 허는 이 작은 여우들을 잡자!"

그 여우들은 무엇입니까? 오늘 여러분의 가정을 흔들거리게 하는 여우들은 무엇입니까? 그것은 아주 작고 사소한 것일 수도 있습니다. 그러나 그 작은 원인이 우리 가정의 기초를 흔들어 대고 있는 것입니다.

오늘 아가서를 읽어 보면 가정의 행복을 위협하고 있는 세 가지 여우들을 발견하실 수 있습니다. 첫째는 열등감입니다. 둘째는 고독입니다. 셋째는 무관심입니다.

우리가 우리 가정에서 경험하고 있는 열등감, 혹은 가정 속에서도 경험하는 고독, 혹은 무관심 외에도 오늘 우리의 가정을 붕괴시키는 많은 원인들이 있습니다. 그러나 솔로몬의 시대와 조금도 다를 것이 없는, 오늘날 우리의 가정 속에도 상존하고 있는 이 요인들을 보십시오. 열등감, 고독 그리고 무관심을!

열등감

첫째로, 이 두 사람의 사랑의 관계를 위협하고 있었던 중대한 원인 중의 하나는 열등감입니다.

"예루살렘 여자들아 내가 비록 검으나 아름다우니 게달의 장막 같을지라도 솔로몬의 휘장과도 같구나"(아 1 : 5).

이 게달의 장막이 무엇입니까? 이스라엘에 가면 유목민들이

살고 있는, 소위 베두인의 장막이라는 천막이 있습니다. 그 너덜
너덜한 천막 위를 덮고 있는 시커먼 지붕 같은 것, 그것이 게달의
장막입니다.

자기 외모에 대한 깊은 열등감을 이 여인이 느끼고 있었던 것
같습니다. 내가 비록 검지만 나는 아름답다라고 악을 쓰는 것은
자기에게 문제가 있으니까 그 열등감을 덮기 위해서 아우성을 치
고 있는 것입니다.

그 다음에 보십시오. "내가 일광에 쬐어서 거무스름할지라도
흘겨 보지 말라"(6절)고 말합니다.

얼마나 많은 사람들이 열등감의 피해를 받고 있습니까? 자기
의 외모 때문에, "나는 하필이면 왜 이렇게 생겼을까?" 하면서
고민합니까? 여러분은 거울에 비친 자기의 모습을 바라보는 순
간 어떤 생각을 하십니까? "하필 나는 왜 이렇게 생겨 먹었을
까?", "하필 나는 왜 이런 아버지를, 이런 어머니를 부모로 소유
하게 되었을까?" 우리 자녀들의 마음속에 있는 이런 열등감을
이해하려고 노력해 보신 적이 있습니까?

우리 가정에 대한, 부모에 대한, 자기의 능력에 대한 열등감,
자신의 아내에 대한, 자신의 남편에 대한, 자기 부모에 대한, 자기
자식들에 대한 열등감, 얼마나 많은 사람들이 이 열등감을 극복
하지 못하고 있는지 모릅니다.

이 열등감이라는 단어 대신에 우리는 자격지심이라는 말을 많
이 써 왔습니다. 이 열등감을 극복하지 못할 때 우리는 불필요한
자기 방어를 하기 시작합니다. 자기의 약점을 남에게 드러내고
싶은 사람은 아무도 없습니다. 그러니까 자기를 보호하기 위해서
불필요하게 칭찬하고, 스스로를 드러내기 위한 쇼를 합니다. 방
어 기재의 작용입니다. 그리고 다른 사람을 필요 없이 지나치게

고발합니다. 다른 사람을 향해서 고소하고, 비방하고, 헐뜯고, 중상합니다. 이런 사람들의 의식 밑바탕에는 깊은 열등감이 자리하고 있는 것입니다. 인간 관계가 원만하지 못한 사람들의 의식의 심층을 분석해 보면, 그들의 생각의 밑바탕에 이 해소할 수 없는 열등감이 그들을 붙들고 있음을 볼 수 있습니다.

여러분, 이 열등감이라는 상처에 대한 최선의 치유책을 아십니까? 다른 것이 없습니다. 격려하고 칭찬하는 것밖에 없습니다. 열등감은 건드리지 마십시오. 자기의 상처가 폭로될 때 느끼는 그 자기 자신에 대한 분노와 좌절감. 그래서 사람들은 자기 삶의 균형을 잃어버리고, 정상적인 삶을 누리지 못하고, 자기 자신 앞에서 자유하지 못한 것입니다.

가정의 축복이 무엇입니까? 가정이란 축복은 이 열등감이 보호될 수 있다는 것입니다. 내 약점을 내가 압니다. 다른 사람들도 물론 알고 있습니다. 그럼에도 불구하고 내 가정에서는 내 약점이 보호될 수 있다는 사실, 내 가족들이 내 약점을 알고, 내 잘못을 앎에도 불구하고 그들은 여전히 나를 보호하고 있으며, 나를 사랑하고 있으며, 나를 지켜 주고 있고, 나를 옹호하고 있다는 사실을 아는 한, 이 가정은 행복의 피난처가 될 수 있고, 보금자리가 될 수 있습니다.

가정에서마저 내가 이해되지 못한다면 이 얼마나 슬픈 일입니까? 그러나 내가 밖에 나가서 아무리 다른 사람들에게 비판을 받아도, 고발을 당해도, 내 가정에서 내가 가장 사랑하는 사람들로부터 용납되고 옹호됨을 아는 한 아무도 그 행복을 빼앗아 갈 수 없습니다.

어떻습니까, 여러분! 여러분은 얼마나 여러분의 가정에서 이 열등감에 대한 위로를 받으시면서 살고 계십니까?

아가서에 나타난 이 여인의 경우에, 자기의 외모에 대한 깊은 열등감이 있었던 것 같습니다. 그럼에도 불구하고 이 신랑이 얼마나 이 신부의 외모를 칭찬합니까? 그것도 한 번이 아니라 여러 번에 걸쳐서 칭찬합니다. 이 사랑하는 여인에 대한 칭찬이 얼마나 자주 기록되고 있습니까? 한 번이 아니라 계속 반복되고 있습니다. 네 눈은 어떻고, 네 배꼽은 어떻고……그렇게 아름다운 여인이 아닌데도 말입니다. 그래서 사랑은 인간을 눈멀게 하는지도 모릅니다. 사랑하기 시작했을 때 그 여인의 검음이 검게 보이지 않았던 모양입니다.

어떤 신랑이 결혼을 하고서 첫날밤에 자기 신부에게 "여보, 내가 당신을 사랑하오. 그런데 나는 이런 말을 시시하게 반복하고 싶지 않소. 오늘 밤 내가 당신에게 한 이 고백은 평생 유효하니, 내가 오늘 밤 한 번만 고백해도 평생 내가 당신을 사랑하고 있다는 사실로 알고 살아가길 바라오"라고 말했습니다. 그러자 이 지혜로운 신부가 "여보, 나는 한 가지 약점이 있는데, 얼마나 건망증이 심한지 몰라요. 그래서 당신이 그 사실을 날마다 고백해 주지 않으면 난 도무지 살 수가 없어요"라고 대답했다고 합니다.
성경은 우리가 서로를 인정하고 격려하는, 따사로운 삶을 강조하고 있습니다. 바울 서신에서 가장 많이 등장하는 단어 중에 하나가 "서로서로"라는 말입니다. "너희는 서로서로 사랑하라", "너희는 서로서로 세우라", "서로서로 용납하라."
우리 자신이 가진 열등감 때문에 우리의 삶이 얼마나 더 비틀거려야 합니까? 그것을 아시는 하나님께서 우리의 열등감의 처방으로 가정을 주셨습니다. 사랑하는 사람들의 사랑으로 열등감이 치료될 수 있도록 우리에게 가정을 허락하신 이 하나님의 축복을 얼마나 누리고 있습니까?

성경에 "너희 자녀를 노엽게 하지 말라"는 말씀이 얼마나 자주 반복됩니까? 자녀들의 자아상은, 스스로 형성하는 것이 아니라 부모들이 자녀를 어떻게 다루었는가에 달려 있습니다. "아이고, 내 못난 자식"이라고 말하면서 자녀를 키운다면, 그들은 점차 정말 자신이 못난 사람이고, 버림받은 사람이라는 생각 속에서 그들의 삶을 키워 가기 시작할 것입니다. 여러분은 최근 여러분의 아들, 딸을 정말 칭찬해 보셨습니까?

아무리 학교에서 무시당하고, 친구들에게 구박을 받아도, "부모님이 나를 알고 있다. 우리 아빠, 엄마가 나를 인정한다"는 사실을 아는 한 우리 자녀들은 굳세게 살 수 있습니다. 언제 이런 인정을 해 보셨습니까?

남편의 자아상은 아내가 만드는 것입니다. 아내가 남편을 어떻게 대했는가에 달려 있습니다. 아내의 자아상은 아내 스스로 만드는 것이 아니라 남편이 어떻게 아내를 대하고 있는가에 달려 있습니다. 그에 따라서 아내의 자아상이 결정됩니다.

유대인의 지혜 가운데 한 가지를 말씀 드리려고 합니다. 예루살렘에 가면 예루살렘 성 바로 바깥에 힌놈의 골짜기라는 아주 기분 나쁜 곳이 있습니다. 여기는 어린 아이들을 우상 신에게 제물로 갖다 바치고, 쓰레기들을 태웠던, 역사적으로 오염된 골짜기입니다.

그런데 이스라엘이 독립한 이후부터 그들은 이스라엘의 가장 중요한 국가적인 행사들을 힌놈의 골짜기에서 거행하였습니다. 위대한 연주회라든지, 놀라운 축제가 있을 때마다 힌놈의 골짜기에서 그 행사를 진행했다고 합니다. 그 이유는 그렇게 추했던 골짜기가 이렇게 아름답게 변할 수 있다는 사실을 보여 주기 위해서라고 합니다.

사람의 단점이라는 것은 보는 이의 관점에 따라서 장점이 될 수도 있습니다. 다른 사람이 보기에는 분명히 약점이지만 내 눈에는 그것이 장점으로 보일 수 있습니다. 그만큼 인간은 상대적인 삶을 살고 있습니다. 문제는 우리가 어떤 안목에서 우리의 약점을 지각하는가입니다.

내 아들과, 내 딸이 가지고 있는 약점도 생각하기에 따라서, 격려하기에 따라서 내 아들과 내 딸의 삶에 놀라운 장점으로 변할 수 있습니다. 문제는 우리가 어떻게 우리 자녀를 키우는가입니다. 내 남편과 내 아내를 어떻게 섬기고 있는가에 따라서 우리의 자아상이 결정된다는 이 사실을 여러분은 아십니까? 열등감, 이 열등감은 오늘도 우리의 가정을 흔드는 중요한 원인이 되는 것입니다.

고독

둘째로, 이 아가서에 나타난 그들의 사랑의 관계를 위협하고 있었던 또 하나의 원인은 고독입니다.

3장을 보십시오. 여인의 이런 고백이 계속됩니다. "내가 밤에 침상에서 마음에 사랑하는 자를 찾았구나 찾아도 발견치 못하였구나"(1절). 이 여인은 어느 날 갑자기 자기가 혼자라는 것을 발견합니다. 물론 상황을 자세히는 알 수 없습니다. 남편이 잠시 외출을 했는지, 아니면 말없이 집을 나갔는지 알 수가 없습니다. 그러나 문제는 이 여인이 어느 날 갑자기 자기가 혼자라는 사실을 발견한 것입니다. 가정 속의 고독입니다.

여러분, 가정이란 고독에 대한 처방으로 하나님께서 우리에게 주신 선물입니다. 그러나 우리는 때때로 가정에서조차 고독을 느껴야 합니다. 이 모순을 아십니까? 시편 기자는 말하기를 "하나님은 고독한 자로 가속 중에 처하게 하시며"(시 68:6)라고 했습니다. 즉, 고독한 사람을 위한 하나님의 처방이 가정이었다는 것입니다.

하나님께서는 창조의 한 단계가 끝날 때마다 뭐라고 말씀하고 계십니까? "보시기에 좋았더라." 제 6일, 창조의 절정에 하나님께서는 하나님의 형상대로 인간 아담을 만드셨습니다. 그는 물론 하나님의 걸작품이었음에도 불구하고, 혼자 있는 아담의 모습이 아름답지 않았습니다. 성경은 "사람이 독처하는 것이 좋지 못하니"라고 기록하고 있습니다. 하나님이 이렇게 느끼셨다고 합니다.

성경에 처음으로 좋지 못하다는 단어가 등장하는 장면입니다. 이 장면을 읽던 실락원의 유명한 저자 존 밀턴(John Milton)은 "그렇다. 고독은 하나님이 보시기에 최초로 좋지 못한 것이었다"라고 말했다고 합니다. 그래서 하나님께서 누구를 지으십니까? 하와를 지으십니다. 이제 아담과 하와의 창조로 창조가 매듭 지어진 후에, 지으신 모든 것을 보시는 하나님의 마음을 성경은 어떻게 기록하고 있습니까? "하나님이 그 지으신 모든 것을 보시니 보시기에 심히 좋았더라"(창 1:31).

가정은 하나님의 처방입니다. 인간이 고독을 극복하고 살아가도록 하나님이 가정을 주신 것입니다. 그런데 인간은 가정에서도 고독을 느낍니다. 내 남편이 내 옆에 있음에도 불구하고, 내 아내가 옆에 있음에도 불구하고, 내 자식이 함께 있음에도 불구하고, 한지붕 밑에 가정을 가지고 있음에도 불구하고, 어느 날 갑자기 이 가정 한복판에서 느끼는 고독이 있습니다.

고독을 극복하려면 누군가와 같이 있는 것 외에는 다른 방법이 없습니다. 그런데 여러분, 같이 있는다, 함께 있는다라는 것이 무슨 의미입니까? 공간적인 뜻만 강조하는 것이 아닙니다.

우리가 다른 사람과 같이 있다고 해서 무조건 우리가 고독을 극복할 수 있는 것은 아닙니다. 내 주변에 사람이 많은데도 고독을 느낄 수가 있습니다. 현대인들은 이것을 군중 속의 고독이라고 말합니다. 사람들이 있는데도 고독한 것입니다. 수많은 사람들이 함께 몰려다니는데도 고독한 것입니다.

우린 같이 있기는 하지만, 육체적으로는 함께 있지만, 마음으로 함께 있지 못하고, 애정으로 함께 있지 못하는 것입니다. 공간을 뛰어 넘어서 삶을 삶답게 누릴 수 있는 이 함께 있음이 부재하는 비극, 이 비극이 현대 가정의 비극인 것을 여러분은 알고 계십니까?

"남편된 자들아 이와 같이 지식을 따라 너희 아내와 동거하라"(벧전 3 : 7). 아니, 아내와 함께 동거하지 않는 남편이 어디 있습니까? 그러나 여기서 동거하라는 말은 그냥 함께 있으라는 말이 아닙니다. 정말 온 마음으로 함께 있으라는 것입니다.

함께 존재는 하지만 함께 살지 못하는 부부들이 너무 많습니다. 한지붕 밑에서 존재는 하지만 나누는 삶이 없습니다. 생명이 없습니다. 애정을 나누는, 진정으로 삶을 누리는, 삶의 나눔이 없습니다. 이런 가정들이 우리 주위에 얼마나 많습니까?

누군가가 지적한 것처럼, 오늘날의 가정은 더 이상 가정이 아닌지도 모릅니다. 여인숙처럼 잠만 자고 나가는 것입니다. 일터요, 숙박소에 불과합니다. 삶이 없습니다. 왜 그렇게 되어 버렸습니까? 대화가 단절되었기 때문입니다. 대화의 단절이 가져온 이 가정 속의 깊은 고독을 보십시오.

오래전에 제가 어느 잡지를 보니까, 아주 건전하고 행복하게 사는 미국의 부부의 경우, 그들이 하루에 나누는 대화 시간이 10분이라고 합니다. 그 얘기는 바꾸어 말하면 오늘날의 대부분의 부부들은 하루에 10분도 대화를 나누지 못한다는 것입니다.

이렇게 얘기하면, "우리가 왜 얘기를 하지 않습니까? 우리는 늘 지겹도록 같이 붙어 다닙니다. 사업장에 같이 다니지요. 늘 자동차 타고 같이 다니지요"라고 할지 모릅니다. 그렇다면 어떤 대화를 나누십니까? "여보, 이번달치 세금 냈어?"라는 것은 진정한 대화가 아닙니다.

진정한 대화는 단순히 정보를 나누는 것이 아니라 우리 마음속 깊은 것이 밖으로 표출되는 것을 말합니다. 얽히고 얽힌 우리의 정서의 밑바닥에 앙금처럼 깔려 있는 고통에 관하여, 가슴앓이에 관하여 나누는 것입니다.

언제 여러분의 남편에게, 여러분의 아내에게 정말 여러분의 좌절과 낙심과 실망에 대해서 이야기해 보셨습니까? 언제 여러분의 자녀들의 그 깊은 고독에 관해서, 그들 특유의 고민에 관해서 귀를 기울여 보셨습니까?

부모는 자녀가 무언가를 이야기하려고 하면, "야, 피곤해, 관둬라! 나를 귀찮게 좀 하지 마라. 나를 혼자 있게 좀 해다오"라고 말합니다. 그러면서 자녀들이 커갑니다. 문제가 있습니다. 이제 아버지가 그들에게 "얘, 무슨 문제니? 얘기 좀 해봐라"고 말합니다. 그러면 아이들이 어떻게 말하는지 아십니까? "나를 혼자 놔두세요!"

이 똑같은 악순환을 보십시오! 대화의 단절이 가져온 가정 속에서의 고독. 그렇습니다. 함께 삶을 나누어야 할 가정에서조차 외따른 섬처럼 서로 만나지 못하는, 이 가정 속의 고독을 보십니

까? 어느 날 갑자기 터진 문제가 아닙니다. 긴 고독의 축적에 불
과한 것입니다.

여기, 우리 가정의 기초를 흔들고 있는 여우를 보십시오. 한 가
지 더, 이 아가서에서 우리는 사람의 또 하나의 위기를 볼 수 있
습니다.

무관심

가정을 허는 셋째 여우는 무관심입니다.

아가 5 : 2에서 이 무관심의 문제가 등장합니다. 아가 5 : 2이하
에 보면 이 두 사람의 관계 속에, 대화 속에 갈등이 있다는 것을
발견하게 됩니다.

신랑이 가정에 도착합니다. 신부가 잠들어 있습니다. 기다리다
가 피곤해서 잠든 것이 아니라 아마도 잠 못 이루는 고통 속에서
잠들어 있는 것을 여기서 볼 수가 있습니다. 자더라도 마음이 깨
어 있는, 마음이 함께 자지 못하는 안타까움 속에 잠들어 있는
신부의 모습을 보게 됩니다.

앞 절에 나타나는 사건들로 봐서 아마도 신랑은 친구들과 파티
하고 나서 늦게 들어온 것 같습니다. 신부는 신랑에게 응답하고
싶지 않았습니다. 나가서 옷을 입고 신랑을 맞이하고 싶지 않은
분노가 이 여인의 마음속에 있었습니다. 계속 문을 두들겨 대서
옷을 입고 나가서 문을 열어 주었더니, 이번에는 남편이 사라지
고 말았습니다. 자세히 읽어 보면 알 수 있습니다.

만나지 않는, 서로 만날 수 없는 외딴 섬처럼 살아가고 있는
이 부부의 모습을, 우리는 어느 날 우리의 가정 속에서 발견하게

됩니다. 어느 날 아내는 남편의 삶 속에서 자기가 가장 중요한 존재가 아니라는 것을 깨닫습니다. 남편에게는 자기보다 더 중요한 것이 있음을 발견합니다. 더 이상 그 가정에서 힘이 될 수 없다는 것을 깨달은 이 여인의 소외감. 그리고 또 자기를 받아 주지 않고, 이해하지 못하는 아내 때문에 집을 뛰쳐나가는 남편.

여기 서로의 만남이 없어 생겨난 삶의 그 고통을 무감각하게 키워 가고 있는 부부의 어두운 모습을 우리는 바라볼 수 있습니다.

여러분, 왜 우리는 이렇게도 바쁠까요? 사업 때문입니까? 무엇 때문에 사업을 하십니까?

수년 전 L.A.의 어느 학교 선생님이 쓴 글을 보고 저는 깜짝 놀랐습니다. 아마도 그 부모님이 장사하느라고 너무 바빴던 모양입니다. 그래서 이 부모는 자식과 함께 있지 못하는 죄책감 때문에 자식이 뭐라고 할 때마다 돈을 쥐어 주었답니다. 어느 날 이 아이가 아빠를 쏘아보면서 이렇게 이야기했습니다. "아빠, 제게 필요한 것은 돈이 아니라 아빠란 말이에요." 우리의 자녀들은 아빠를 필요로 하고, 엄마를 필요로 하고 있습니다. 돈이 아닙니다. 얼마만큼 자기 자신을 우리 자녀들에게 줄 수 있었습니까?

같은 선생님이 한 학생이 쓴 작문 중에 하나를 그 글에 소개했는데 이런 내용이 수록되어 있었습니다. "나는 집에 친구들을 초대하고 싶지 않다. 우리 집은 너무 어둡고 컴컴하다. 우리 집 냉장고는 항상 비어 있다. 우리 집에서는 항상 퀴퀴한 냄새가 난다. 내 친구가 와도 우리 아빠는 절대로 환영하는 법이 없다. 우리 엄마는 언제나 피곤해 있다. 그래도 나의 부모는 우리 집이 부자라고 한다."

왜 이렇게 바쁘십니까? 가정을 향한 책임 앞에 서서 여러분들

은 어떻게 하나님 앞에 대답하실 수 있습니까? "여보, 애들 숙제
좀 도와줘요"라고 말하면 "그거 내가 왜 해?"라고 소리 치는 아
빠들! 그러면 누구의 책임입니까? 당신이 안한다면 그것이 누구
의 책임이라고 생각하십니까?

아버지 여러분, 어머니 여러분, 그것이 당신의 책임이 아니라
면 누구의 책임이란 말입니까? 이런 무관심 속에서 소외되는 우
리 자녀들의 모습을 보십시오. 가정에 대한 얘기가 나오면 우리
의 자녀들이 던지는 이런 일상적인 이야기를 들어 보신 적이 있
습니까? "무슨 상관이야?" 이것이 오늘 우리의 가정의 모습입니
다.

다행스러운 사실은 오늘 본문에 나타난 이 연인들은 그들의 관
계 속에 이 위기를 그대로 허용하지 않기로 결심했다는 것입니
다.

다시 본문을 읽어 보십시오. 본문은 "우리를 위하여"라고 시작
되고 있습니다. "우리를 위하여 여우 곧 포도원을 허는 작은 여우
를 잡으라." 여기는 명령어로 표현되어 있지만 영어 성경에 보면,
"포도원을 허는 작은 여우들을 잡자!"라고 되어 있습니다.

그것은 나를 위해서가 아닙니다. 당신을 위해서만도 아닙니다.
그것은 우리를 위해서입니다. 우리를 위해서, 우리의 공동체를
위해서, 우리의 포도원을 해치는 이 작은 여우들을 잡자는 것입
니다. 이 결심을 해보셨습니까?

한 설교자는 하나님의 불가능이란 말을 했습니다. 스스로 자기
삶의 변화를 결심하지 않는 사람들은 하나님도 어쩔 수가 없다는
것입니다. "우리의 가정이 이대로 살아갈 수는 없다. 우리의 부부
관계가 이대로일 수는 없다. 우리의 부모와 자식 관계가 이대로
일 수는 없다"라는 자각에서부터 시작해야 합니다.

정말 내 가정의 변화에 대한 진지한 결심을 가지고, 내 가정의 문제를 가지고 십자가 앞에 나와 예수님 앞에 내려놓고, 이 가정의 치료를 요구하는 사람들에게만 주님께서는 꽃이 피는 포도원을 지킬 수 있는 축복을 허락하실 것입니다.

오늘 여러분의 가정은 어떻습니까? 방임주의적인 교육, 자식들이 멋대로 해도 그대로 내버려 두는 부모 그리고 자식들 앞에서 너희들을 위해 돈을 번다고 큰소리 치는 부모십니까?

자식들에게 돈을 주려고 하지 마십시오. 여러분의 애정을 주려고 노력하십시오. 물론, 바쁜 것은 압니다. 우리들이 항상 자녀들 곁에 있을 수 없다는 현실도 인정합니다. 그러나 마음으로, 깊은 애정으로 자녀들과 함께하는 시간이 정말 우리의 삶의 장에 있는가를 살펴보아야 합니다. 이런 것도 할 수 없을 정도로 바쁘시다면 그것은 너무 바쁘신 것입니다.

여러분의 부부 관계는 어떻습니까? 가정에서조차 인정받지 못하는 남편, 인정받지 못하는 아내, 내 열등감을 보상받지 못하는 외롭고 외로운 사람들이십니까? 가정에서조차 고독해야 하는 남편, 아내, 자식이 모여 있습니까?

"하나님, 이대로 계속 살아갈 수는 없습니다. 내 가정을 새롭게 해주시옵소서. 우리 식구들 한 사람, 한 사람이 정말 주님을 바라보고 사랑하면서 살아가는 식구들이 될 수 있도록 우리 가정을 새롭게 해주시옵소서."

나에게 이런 결심과 기도가 필요하지 않은가요?

아버지, 하나님!

포도꽃과 석류꽃이 피어나는 참으로 아름다운 인간의 세상에 하나님께서 주신 단 하나의 낙원은 가정이다라고 한 어떤 사람의 말은 전적으로 옳습니다. 그러나 우리의 가정이 지옥으로 바뀌는 날 우리는 삶의 근거를 상실하게 될 것입니다.

하나님, 지켜야 할 모든 것 중에 무엇보다도 우리의 가정을 진리의 말씀 안에서 지킬 수 있도록 긍휼과 자비를 베푸시고, 주의 말씀을 따라 자녀를 양육하며, 주의 사랑으로 서로 사랑하는 우리 식구들이 되도록 도와주옵소서. 예수님의 이름으로 기도합니다. 아멘.

복습과 토의 질문

1. 나의 열등감의 영역은 무엇인지 나누어 봅시다.

2. 가정에서의 나의 의사 소통 기술을 평가해 보십시오.

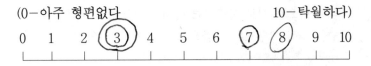

(0−아주 형편없다   10−탁월하다)

0   1   2 ③ 4 5 6 ⑦ ⑧ 9 10

3. 우리의 부부 관계에서 서로의 관심을 보다 증가시키기 위해서 시급하게 해야 할 일이 있다면 무엇일까요?

4

불행했으나 복된 가정

롯기 1 : 11 − 18

"나오미가 가로되 내 딸들아 돌아가라 너희가 어찌 나와 함께 가려느냐
나의 태중에 너희 남편 될 아들들이 오히려 있느냐 내 딸들아 돌이켜 너희
길로 가라 나는 늙었으니 남편을 두지 못할지라 가령 내가 소망이 있다고
말한다든지 오늘 밤에 남편을 두어서 아들들을 생산한다 하자 너희가 어찌
그것을 인하여 그들의 자라기를 기다리겠느냐 어찌 그것을 인하여 남편 두
기를 멈추겠느냐 내 딸들아 그렇지 아니하니라 여호와의 손이 나를 치셨으
므로 나는 너희로 인하여 더욱 마음이 아프도다 그들이 소리를 높여 다시
울더니 오르바는 그 시모에게 입맞추되 룻은 그를 붙좇았더라 나오미가 또
가로되 보라 네 동서는 그 백성과 그 신에게로 돌아가나니 너도 동서를 따
라 돌아가라 룻이 가로되 나로 어머니를 떠나며 어머니를 따르지 말고 돌아
가라 강권하지 마옵소서 어머니께서 가시는 곳에 나도 가고 어머니께서 유
숙하시는 곳에서 나도 유숙하겠나이다 어머니의 백성이 나의 백성이 되고
어머니의 하나님이 나의 하나님이 되시리니 어머니께서 죽으시는 곳에서
나도 죽어 거기 장사될 것이라 만일 내가 죽는 일 외에 어머니와 떠나면 여
호와께서 내게 벌을 내리시고 더 내리시기를 원하나이다 나오미가 룻의 자
기와 함께 가기로 굳게 결심함을 보고 그에게 말하기를 그치니라."

불행했으나 복된 가정

여기 참으로 가난했던 가정 그리고 말로 설명하기 어려운 비극과 슬픔을 경험했던 한 가정의 이야기가 기록되어 있습니다. 가난하고 비극을 겪었지만, 외관상으로는 참 불행해 보였지만 결코 불행하지 않았던 한 가정. 이 가정은 사사 시대라는 어두운 시대를 배경으로 살고 있었습니다.

정치적으로는 이스라엘에 뚜렷한 지도자가 없고, 또 왕이 없으므로 모든 사람들이 각기 자기 소견대로 행하여 문자 그대로 무정부 혼란기였습니다. 이런 암흑 시대 속에서 이 가정은 삶을 영위했습니다. 경제적으로는 흉년이 들어, 먹고 살기 위해 모두가 고향 땅인 유대 베들레헴을 버리고 먼 이방 땅으로 이민을 떠나야만 했던 슬프고 굶주렸던 시대에 살았습니다.

가정적으로는 고향을 떠나 이역 만리 타국에서, 이 어머니는 자기 남편과 자기 두 아들을 먼저 떠나 보내는 슬픔을 경험했습니다. 두 며느리 편에서 보면 남편을 결혼 10년 만에 잃어버리는 끔찍한 경험을 한 것입니다. 그러니까 적어도 세 번씩 이 가정은 사랑하는 식구 중에 누군가를 떠나 보내는 슬픔을 경험했던 것입니다. 그 무엇으로도 치료하기 어려운 커다란 상처가 남은, 인생의 비극이 무엇인가를 알고 있는 가정입니다.

이 가정을 객관적으로 바라보면 행복한 가정이라고 말하기가 참 어려웠습니다. 세 과부, 나오미와 룻 그리고 또 한 여인이 꾸려 가고 있었던 슬프고 외로웠던 가정. 그러나 결코 불행하다고 말할 수 없는 아니, 오히려 아름다운 모습을 지켜보면서 차라리 행복한 가정이라고 말하고 싶은 이 가정의 모습을 소개하려고 합니다.

이 가정은 진정으로 아름다운 인간 관계와 행복한 가정을 가르치는 표본이 되어 왔습니다. 이 가정이 겪었던 그 엄청난 비극과 상처와 불행에도 불구하고 무엇이 이 가정을 행복한 가정이라고 부를 수 있게 만들었을까요? 이것이 우리의 질문입니다.

이해할 줄 아는 가정

첫째로, 그 이유는 이 가정은 이해할 줄 아는 가정이었습니다.

나오미는 이역 만리에서 고향 땅에 흉년이 끝났다는 소식을 들었습니다. 이국 생활에서 남편과 두 아들마저 잃어버리고 지쳐 있었던 나오미는 고향 땅으로 돌아가기로 결심을 합니다. 이때 두 며느리의 거취가 문제가 되었습니다. 그들은 본래 모압 여인이었습니다. 유대 여인이 아닌, 이방에 속한 이방 여인이었습니다.

룻기 1 : 6이하에 기록되어 있는 이 감동적인 장면을 한번 눈여겨 보십시오. 이 어머니는 며느리들의 고독을 이해하고 있었던 어머니였습니다. 내가 혼자 살았으니까 너희도 혼자 살아야 한다고 고집하는 그런 어머니가 아닙니다. 이국의 며느리가 시어머니의 고향에 와서 살자면 또다른 이국 생활에 적응해야 한다는 그 고통과 고독을 이해하고 있었던 어머니였습니다.

오늘 이 메시지를 통해서 우리는, "너는 이제 이 집에 시집을 왔으니 이 집 귀신이 돼야 해!"라는, 많이 들어왔던 낯설지 않은 이야기를 연상하게 됩니다. 그러나 이렇게 말하지 않았다는 것입니다. 내가 이국 생활을 맛보았으니까 너희도 같은 슬픔과, 같은 아픔을 맛보아야 한다고 주장했던 그런 시어머니가 아닙니다.

나오미는 그 스스로 이국 생활이 얼마나 어려운가를 몸으로 겪었던 여인입니다. 그래서 이렇게 말합니다. "너희는 너희 어미의 집으로, 친정으로 돌아가라. 돌아가서 새로운 출발을 하거라."

우리는 여기서 이해할 줄 아는 아주 아름다운 시어머니상을 만납니다. 그는 자기 가정의 불행을 며느리에게 전가시키지 않았습니다. 며느리를 잘못 들여와서 이 집안이 망한 것이라고 소리 치지도 않았습니다. 여기 13절의 말씀을 통해서 우리는 참으로 아름다운 고백을 접합니다. "하나님의 손이 나를 치신 것이다."

지금 이 여인은 무엇이라고 말하고 있습니까? 불행을 당한 이 가정의 사랑하는 두 며느리에게 "아가야, 이게 내 탓이지 어떻게 너희들 탓이냐"라고 말하고 있는 것입니다. 오히려 이 가정의 불행과 상처와 어둠의 원인이 바로 나라고, 하나님이 나를 치셨다고 말합니다.

이 감동적인 어머니의 고백을 들어보십시오. 이때 우리는 슬기로운, 깊은 이해의 심성을 가진, 우리 시대에서 찾아보기 어려운 어머니의 모습에 주목하게 됩니다.

그러나 이 가정은 시어머니만 훌륭한 것이 아닙니다. 며느리들의 아름다운 모습을 보십시오. 8절 이하의 말씀에 나오미가 그들에게 집으로 돌아가라고 말하자 며느리들은 "아닙니다. 우리는

어머니와 함께 어머니의 백성에게로 돌아가겠습니다"라고 대답
합니다. 어머니와 삶을 함께하겠다며 소리 쳐 눈물을 흘리며 고
백하는 이 며느리들의 아름다운 모습을 또한 눈여겨 보십시오.
이 며느리들도 남편과 자기 시어머니에게 지성을 다하여 선대한
여인이었음을 우리는 성경을 통해서 알 수가 있습니다.

과연 우리는 이 가정을 "서로가 서로를 향해서 이해의 창이 활
짝 열려져 있었던 가정"이라고 말할 수 있습니다. 오늘 현대의
가장 큰 비극은 이 대화의 단절, 이해의 단절에 있습니다.

우리가 한지붕 밑에 살고 있으니까, 우리는 서로를 이해하고
있는 것이라고 섣불리 단정해서는 안 됩니다. 같은 지붕 밑에 살
고 있으면서도 이해하지 못하는 고독이 더 큰 고독이라는 사실을
우리는 잘 알고 있습니다. 같은 장소, 같은 삶의 공간 속에 처해
있다는 사실이 이해를 저절로 보장해 주는 것은 아닙니다. 이해
는 긴 아픔의 노력이요, 노동입니다. 서로를 이해하려면 진정한
대화가 필요한 것입니다.

제가 이런 생각을 할 때마다 늘 마음속에서 잊혀지지 않는 한
사건이 있습니다. 제가 학교에서 교목을 하고 있었을 때, 한 학생
이 아버지와 함께 그 학생의 성적 문제와 생활의 문제로 상담하
러 왔던 적이 있었습니다.

그래서 그 학생의 아버지, 담임 선생님 그리고 제가 옆에 앉아
서 대화를 한참 나누다가 저는 그 아버지에게 "아버지, 이제 이
아들과 대화하는 시간을 좀더 많이 가지세요"라고 이야기했습니
다.

제가 이 이야기를 드리자마자 그 아버지는 펄쩍 뛰면서 이런
반응을 보이셨습니다. "제가 대화를 안한다니요. 저는 제 아들 하
고 하루에 적어도 30분 이상씩 이야기를 합니다. 아마도 저 같은

아버지도 드물 것입니다."

이때 옆에 있던 아들이 갑자기 아버지를 쏘아보면서 "아버지가 나 하고 언제 대화를 하셨어요? 밤낮 나한테 설교만 하셨지"라고 말하는 것입니다.

아들에게 있어서는 그 아버지가 잔소리를 하고 있다고밖에 느껴지지 않았던 것입니다. 그것은 대화가 아닙니다. 진정한 대화는 우리의 정적인 수준에서 이루어져야 합니다.

우리는 얼마나 내 가슴의 밑바닥에 깔려 있는 앙금, 고독, 아픔, 눈물, 상처, 내가 가진 모든 외로움과 고통을 적나라하게 서로 털어놓고 이야기하고, 서로가 서로를 향해서 이해하려고 애쓰고 있습니까?

이런 정의의 차원에서 보자면 우리는 얼마만큼 대화하며, 얼마만큼 이해하고 살고 있습니까? 우리는 이해할 수 없다고 종종 말합니다. 그러나 좀더 솔직한 고백은, 차라리 이해하려고 하지 않는다는 것이 아닐까요? 우리는 이해하려고 애씁니까? 이해란 본래 상대방의 입장에서 생각한다는 뜻에서 유추된 단어입니다.

아내는 남편의 입장에서 생각해 보아야 합니다. 남편은 아내의 입장에서 생각해 볼 수 있어야 합니다. 부모는 자식의 입장에서 그 자식의 문제를 생각해 볼 수 있어야 합니다. 자식은 부모의 입장에서 부모의 심정을 이해하려고 애써야 합니다. 그렇다면 우리는 얼마나 서로 피차를 이해하려고 애쓰고 있는지 생각해 봅시다.

행복한 가정은 서로가 서로를 이해하려고 애쓰는 가정입니다. 부모가 자식을 이해하고, 자식이 부모를 이해하려고 애쓰는 가정입니다. 남편이 아내를 이해하고, 아내가 남편을 이해하려고 애쓰는 가정입니다. 시어머니가 며느리를 이해하고, 며느리가 시어머니를 이해하려고 애쓰는 가정입니다. 행복한 교회는 이해할 줄 아는 교회, 행복한 사회는 이해할 줄 아는 사회입니다.

오늘날의 사회 문제는 이해할 줄 모르는 답답한 사람들 때문에 야기되고 있습니다. 내 뜻대로 안 된다고 소리를 고래고래 지르고 있는 이 아름답지 못한 얼굴들 때문에 우리의 가정은 상처를 경험합니다. 우리의 사회는 균열과 분리를 경험합니다. 그래서 우리는 너나 할 것 없이 모두가 아프게, 아프게 삶을 영위하고 있습니다. 그래서 삶이 어두워지고 교회가 어두워지고, 사회가 어두워지는 비극을 우리는 우리 주변에서 다반사로 목격하고 있습니다.

당신은 얼마만큼 이해하는 사람입니까? 불행했던 가정, 그러나 불행하지 않았던, 아니 오히려 아름답고 행복하기만 했던 이 가정은 이해가 있었습니다. 이해가 이 가정을 행복한 가정으로 만들어 놓을 수 있었습니다.

미래를 함께하는 가정

둘째로, 이 가정은 미래를 함께하는 가정이었습니다.

이해할 줄 아는 가정이었을 뿐 아니라 이 가정은 미래를 함께하는 가정이었습니다. 16절에 룻이 그 어머니에게 드리는 고백을 들어보십시오. "어머니께서 가시는 그 방향, 그 목표를 향해서 나도 같이 가기를 원합니다."

나오미의 가정은 미래를 바라보는 시선에 있어서 식구들이 일치하고 있었던 가정입니다.

동상 이몽(同床異夢)이라는 말이 있습니다. 자리는 같이하지만 다른 꿈을 꾸고 있다는 말입니다. 동상이몽의 비극이 일어나고 있는 가정이 얼마나 많습니까? 남편의 꿈과 아내의 꿈이 다릅니다. 자식의 꿈과 부모의 꿈이 다릅니다. 부모의 철학과 자녀의 철학이 일치하지 않습니다. 어머니의 생각과 며느리의 생각이 그처럼 다를 수 없습니다. 그들은 모두가 다 자기의 길로 가기를 원합니다. 아버지가 가는 곳에 어머니가 가기를 거부하며, 부모가 가는 곳에 자녀가 가기를 거부하고 있는 이 가정의 모습을 우리는 얼마든지 볼 수가 있습니다. 여기, 미래를 향해서 함께 나아갈 수 없는 가정의 비극을 봅니다. 다시 말하면, 현재만 있고 미래가 없는 가정입니다.

주님께서 우리에게 가정을 주신 궁극적인 목적이 어디에 있다고 보십니까? 하나님께서 아담을 위하여 하와를 지으시면서 "내가 너를 위해서 돕는 배필을 짓겠다"고 아담에게 말씀하셨습니다. 다시 말하면, 그들이 서로 도와 가면서 하나의 목표, 하나의 목적을 성취하도록 하기 위해서 그들을 하나 되게 하셨다고 성경은 선언하고 있는 것입니다.

진정한 기독교적 가정의 미래와 목표를 위해서, 공동의 목표와 공동의 행복과 공동의 삶을 위해서 우리 온 가족이 그 한가지 목표를 위해서 어깨를 가지런히 하고, 함께 손을 잡고, 함께 땀을 흘리면서, 얼마나 진지하게 앞을 향해서 나아가고 있는가? 이것이 참된 그리스도인의 가정의 이상입니다. 비전입니다. 하나님의 기대입니다.

진실로 기독교적 가정의, 그리고 모든 그리스도인의 가정의 궁극적인 목적은 이러한 삶을 통해서 나의 하나님이신 창조주를 나의 가정을 통해서 영화롭게 할 수 있는 것이어야 합니다.

이 점에 있어서 여러분 가정의 모든 가족들은 뜻을 같이하고 있습니까? 아버지, 어머니가 주를 잘 섬기며 하나님을 영화롭게 하기 위해서 나아가는 그곳에 당신도 함께 나아갈 수 있습니까?
당신의 아내가 가는 곳에 당신도 함께 가며, 당신의 남편이 가는
곳에 당신도 함께 같이 갈 수가 있습니까? "당신은 혼자 가시오,
나는 같이 갈 수가 없소"라는 대화가 오늘 여러분의 가정을 표현
하고 있는 것은 아닙니까?

서양 시에는 이런 말이 있습니다. "우리가 연애 시절에는 서로
가 서로의 눈을 가장 많이 보았지, 그러나 결혼한 이제 우리는
공동의 목표를 함께 바라보고 있다."

여러분, 연애 시절에 우리의 몸에서 가장 많이 활동하던 육체
의 부분은 어디입니까? 결혼하기 전, 잠시 동안 같은 장소에 머
물러 있으면서도 서로가 서로에게 눈길을 주려고 얼마나 우리의
시선들은 움직였습니까? 그러나 결혼한 지금, 소위 연애의 모든
감정과 감상이 다 빠져 나간 지금에 우리를 묶는 것은, 우리에게
공동의 목표가 있는가, 공동의 시선이 있는가, 함께 땀을 흘리며,
함께 우리의 삶을 드리며, 함께 우리의 열정을 드리며, 함께 우리
의 삶을 투자하면서 걸어갈 수 있는 공동의 목표와 공동의 비전
을 가지고 있는가입니다.

목표를 위해서 함께 일하는 가정은 결코 불행할 수가 없습니
다. 여기, 미래를 향해서 같이 걸어가는 행복한 가정이 있습니다.
"어머니가 가는 곳에 나도 가겠습니다", "아버지가 가시는 곳에
저도 가겠습니다", "당신이 가는 곳에 저도 가야지요", "사랑하는
자녀들이여, 너희들이 가는 곳에 내가 함께 갈거야" 라고 말할
수 있는, 공동의 목표를 향해서 나아가고 있는 이 가정의 모습이
오늘 여러분과 저의 가정의 모습입니까?

삶을 함께하는 가정

셋째로, 이 가정은 삶을 함께하는 가정이었습니다.

16절에서 룻은 계속 이렇게 고백합니다. "어머니께서 유숙하시는 곳에 저도 유숙하겠습니다." 여러분, 이 말을 단지 잠자리만 함께하겠다는 말로 좁게 이해하지 마십시오. 함께 유숙한다는 말은 삶의 거처를 함께한다는 말일 뿐만 아니라 한 걸음 더 나아가서 인생의 자리를, 삶의 자리를 함께 나누겠다는 고백이 아니겠습니까?

오늘 많은 남편들에게 있어서 불행한 사실은, 그 가정이 잠시 하룻밤 머물다 가는 여인숙에 불과하다는 것입니다. 잠시 머물다 가는 유숙처에 불과합니다. 삶의 나눔이 없습니다. 진정한 의미에서 우리는 얼마만큼 서로를 향해서 삶을 나누고 있습니까?

다시 말해서 사랑하는 남편 여러분, 여러분은 얼마나 당신의 아내와 함께하고 있습니까? 아내 여러분, 여러분은 얼마나 당신의 남편과 함께하고 있습니까? 부모 여러분, 여러분은 얼마나 여러분의 자녀들과 함께하고 있습니까? 자녀 여러분, 여러분은 여러분의 부모와 얼마나 함께하고 있습니까? 우리는 삶 그 자체를 얼마나 나누면서 살고 있는 것입니까?

오늘 현대의 최대 비극은 좋은 집은 늘어나는데 좋은 가정은 줄어들고 있다는 것입니다. 훌륭한 집은, 보다 좋은 시설을 갖춘 집은 늘지만 복된 가정이 없습니다. 단란한 가정, 축복 받은 가정, 진정한 의미의, 성경에서 하나님이 약속하신 그 가정이 현대에는 없어지고 있습니다.

나오미에게는 훌륭한 집이 없었습니다. 룻에게도 훌륭한 집은 없었습니다. 그러나 그들에게는 아름다운 가정이 있었고, 좋은 가정이 있었습니다. 삶을 나눌 수 있는 장소가 그들에게 있었던 것입니다.

진실로 삶을 나눌 수 있는 사랑하는 이가, 사랑하는 어버이가, 사랑하는 자식들이 내 곁에 머물러 있고, 문자 그대로 삶을 나누면서 사는 곳이 바로 가정입니다.

그런데 오늘, 현대의 가정은 어떻습니까? 아니, 저와 여러분의 가정은 어떻습니까? 우리는 너무 바쁩니다. 삶을 나눌 시간이 없습니다. 진실로 우리의 삶이 내 사랑하는 가족들과 삶을 함께할 수 없을 정도로, 삶을 나눌 수 없을 정도로 바쁘게 쫓기고 있다면, 당신은 지나치게 바쁘신 분인지도 모르겠습니다. 시간을 좀 조정할 필요가 있다고 생각하지 않습니까?

모처럼 식구들이 함께 있는 그 시간조차 내 마음속의 울분, 내 마음속의 한스러움, 내 마음속의 고통, 내 마음속의 외로움을 쏟아 놓고, 서로 말하고, 함께 위로하지 못하고, 그 시간마저 어이없이 바보 상자, TV에게 빼앗겨 버리는 그 비극이 우리의 가정에 있습니다. 가족들이 대화를 나눌 단 10분의 시간도 없이 멍하니 TV 앞에 앉아서 그 TV를 향해 자기 삶의 모든 애정을 던지고, 그 바보 상자 앞에서 입을 벌리면서 "TV는 나의 목자시니 내게 부족함이 없으리로다"라고 고백하고 있는 이 모습들을 지켜 보십시오.

왜 그렇게 살아야 합니까? 모처럼의 토요일 오후, 그 밤 시간에, 식구들이 삶을 나누지 못하고, 빌려 온 비디오 테이프를 틀어 놓고, 그 앞에 앉아서 그 이튿날 아침에 일어나지 못해서 숨을 못 쉬는 그 허덕임. 우리는 언제까지 이런 생활을 지속해야 합니까?

존재만 하지 삶을 나누지 못하는 것이 현대 가정의 비극입니다. 우리는 함께 존재하고 있습니다. 그러나 더 중요한 질문은 "당신들은 함께 살고 계십니까?"입니다. 진정으로 함께 살고 계십니까? 만약 우리가 가족을 위해서 할애할 시간과, 삶을 나눌 시간이 없다면 그것은 지나치게 바쁜 것입니다.

한 유명한 크리스천 경건 학자는 크리스천들에게 큰 감동을 주는 이런 말을 했습니다.

"기도하는 사람이 함께 머물 수 있고, 함께 즐길 줄 아는 사람이 함께 머물 수가 있다."

여러분, 함께 기도하는 시간이 얼마나 있습니까? 여러분, 진정한 의미에서 인생을 위해서 가족들이 함께 즐기는 시간을 얼마나 갖고 있습니까? 무엇 때문에 땀을 흘리십니까? 무엇 때문에 그렇게 애쓰며 몸부림치면서 살아가십니까? 온 가족이 행복하게 살기 위해서일 것입니다. 그렇다면 가족의 행복을 위해서 함께 기도한다는 것, 함께 즐긴다는 것은 얼마나 소중한 일입니까?

나오미와 룻에게는 훌륭한 집은 없었지만, 필요한 삶의 공간은 없었을지 모르지만, 그들에게는 그들이 서로 마음을 줄 수 있는, 진정한 삶의 감동이, 정감이 넘치는, 삶을 나누는 가족이 있었습니다.

한 걸음 더 나아가서 아 복된 가정의 특징을 우리는 본문을 통해서 추적할 수 있습니다.

인간 관계를 조화시킬 줄 아는 가정

넷째로, 이 가정은 인간 관계를 조화시킬 줄 아는 가정이었습니다.

16절에 시어머니를 향한 룻의 고백을 들어보십시오. "어머니의 백성이 나의 백성이 되고." 룻은 인간 관계 조화의 철학과 기술을 터득한 여자였습니다. 룻은 시댁 식구와 친정 식구를 굳이 구별하려고 애쓰지 않았습니다. 룻은 남편의 어머니를 자기의 어머니로 고백하고 있습니다. 거기에 시시한 "시"자가 붙지 않았습니다. 이 여인은 단순히 "어머니"라고 고백합니다.

만약 우리 크리스천만이라도 이 "시"자를 떼어버리고, 내 사랑하는 이의 어머니를, 내 사랑하는 이의 아버지를 나의 어머니, 아버지로 모실 수 있다면 우리들의 삶의 모습은 얼마나 달라질 수 있겠습니까?

오늘 수많은 가정의 비극은 남편의 식구와 아내의 식구를 구별하는 데서부터 시작합니다. "당신 어머니", "당신 아버지"라고 말입니다. 내가 남편을 사랑한다면, 남편이 사랑하는 그 어머니를 나도 사랑할 수 있습니다. 내가 아내를 사랑한다면, 아내가 사랑하는 아내의 어머니를, 아내의 아버지를 동시에 사랑할 수가 있습니다.

행복한 가정에는 이 일상적인 경계선을, 사람들이 만들어 놓은 이 인위적인 경계선을 넘어서서, 당신의 아버지, 당신의 어머니를 내 아버지, 내 어머니로 만들 수 있는 고백이 있어야 합니다.

한 심리학자는 오늘 결혼하는 신부들의 마음속에 있는 가장 위험하기 짝이 없는 생각 중에 하나를 시어머니상이라고 지적합니다.

다시 말하면, 어느 나라, 어느 시대, 어느 문화권이나 시어머니를, 일반적으로, 유보 없이, 선입견이나 편견 없이 받아들일 수 있는 며느리들은 많지 않을 것 같습니다. 그래서 모든 며느리의 마음 속에는 시어머니를 자기의 적으로 규정하는 의식이 있을 수가 있습니다.

그러나 한 심리학자는 "오늘날 많은 며느리들의 불행은 시어머니 때문에 오는 것이 아니라 시어머니에 대한 자기의 생각 때문에 온다"고 지적합니다. 여러분이 불만스럽게 생각하자마자 여러분은 그렇게 행동하기 시작할 것입니다. 그러나 사랑할 수 있는 어머니, 순종할 수 있는 어머니로 생각하자마자 여러분의 행동이 달라질 수가 있는 것입니다. 오늘 본문의 이 감동적인 룻의 고백을 들어보십시오. "어머니, 어머니의 백성이 나의 백성입니다."

신앙을 함께하는 가정

다섯째로, 이 복된 가정은 신앙을 함께하는 가정이었습니다.

계속되는 룻의 고백을 들어보십시오. "어머니의 하나님이 나의 하나님이 되십니다."

한 가정에서 신앙의 불일치는 실로 모든 것의 불일치를 의미합니다. 신앙이라는 것이 내 삶의 많은 조각들 중에서 지극히 작은 한 조각에 불과하다면 신앙은 일치하지 않아도 괜찮을 것입니다. 그러나 여러분들에게 있어서 신앙이 어떤 의미를 가집니까?

이 신앙을 통해서 내가 내 삶을 만들고, 이 신앙을 통해서 나는 죽음의 문제를 해결하고, 이 신앙을 통해서 내가 영원을 소유하며, 이 신앙을 통해서 오늘의 나의 행동을 만들어 가며, 이 신앙은 나의 전부이며, 이 신앙의 대상이신 예수 그리스도는 나의 하나님, 나의 주님이 되신다면, 신앙의 불일치는 모든 것의 불일치를 말하지 않습니까?

제가 잊혀지지 않아서 이 이야기를 자주 소개를 합니다. 제가
학교에서 교목을 하고 있을 때였습니다. 저는 어느 날 학생들의
학적부를 보다가 어이가 없어서 웃어 버릴 수밖에 없었습니다.
본적, 현주소 등의 기록란 가운데서 취미란이 있었습니다. 그런
데 어떤 학생이 취미란에 "기독교"라고 적었습니다.

그 학생에게는 기독교가 취미에 불과했습니다. 오늘 우리 중에
이런 사람이 있을지도 모릅니다. 그저 골프 치는 심정으로, 일주
일에 한번 골프 치는 심정으로, "주일날 아침에는 교회에 나가야
역시 기분이 괜찮아" 하는 심정으로 교회를 나옵니다. 솔직히 말
씀 드려서 그렇게 밖에 신앙을 이해하지 못하시는 분들이 있다면
유감스런 일입니다.

너무 안타까워 견딜 수가 없습니다. 신앙이 그런 의미밖에 주
지 못한다는 말입니까?

여러분, 순교의 장에서 자기의 목숨을 잃어버리면서도 신앙을
부인하기를 거절하고, "그분은 나의 주님이십니다"라고 고백하
고 야수의 밥으로 자기의 목숨을 던진 그들에게 신앙은 어떤 의
미였습니까? 그것은 자신의 전부, 삶의 모든 것, 생명과 바꿀 수
있는 생의 절대의 사건이었습니다. 그들에게 신앙은 그처럼 중요
한, 절대적인 가치를 지니는 놀라운 것이었습니다.

여러분에게 있어서 신앙이 이처럼 중요한, 삶의 전부라면, 우
리 식구들의 신앙이 일치하지 않는다는 것은 모든 것이 불일치한
다는 것입니다. 한 가족 중에서 저는 교회를 달리하는 것도 비극
이라고 생각합니다. 식구들이 함께 나와 나란히 앉아서 예배를
드릴 수 있는 행복, 그것은 참으로 놀라운 행복입니다. 참으로 아
름답습니다. 부부가, 가족이 함께 나란히 앉아 함께 하나님께 예
배하는 모습이 얼마나 아름다운 모습입니까?

오늘 현대인의 가정의 비극은 가정의 정신적, 영적인 분리입니다. 여기서 우리 가정의 비극이 시작되는 것을 볼 수 있습니다. 만약 여러분의 삶 속에서 예수님이 가장 중요한 분이고, 주님이 가장 좋은 분이라면 사람들을 만날 때마다, 예수님이 대화의 중심이 될 것입니다. 여러분, 예수님 얘기를 하면서 밤을 지새워 본 적이 있습니까? 참 답답한 것은 우리 교회 식구들끼리 만나도 얘기할 내용이 쇼핑, 정치, 낚시밖에 없느냐는 것입니다.

물론, 그런 얘기도 해야 합니다. 인생을 살아가면서 그런 얘기도 없이 어떻게 살겠습니까? 그러나 나를 구원하신 그분, 오늘도 나의 삶 속에서 나를 인도하시는 그분, 그분이 내 삶 속에서 어떤 의미, 어떤 감격을 주시는가를 한번 이야기해 보십시오.

초대 교인들은 날마다 모여도 시간이 부족했습니다. 그래서 하루 종일 모였어도 시간이 모자라 밤을 지새며 떡을 떼며 사랑하는 주님 이야기를 나누었습니다. 1세기 크리스천들의 원색적인 사랑의 이야기를 우리는 왜 잊어버리는 것입니까? 그것은 가족의 공통 분모, 공동의 대화가 없으므로 뿔뿔이 흩어지는 것입니다.

롯의 용기는 자신의 가정의 행복을 위해서 신앙적 연합의 결단을 내린 사건 속에 있습니다. 이 여자는 본래 모압의 신을 섬기던 이방 종교를 가진 여인이었습니다. 그러나 새로운 가정에 와서, 새로운 하나님을 경험하면서 어머니의 하나님, 여호와 하나님, 참되고 살아 계신 그 하나님의 영광과 능력을 접하면서 마침내 이 여인은 "어머니의 하나님이 바로 나의 하나님이십니다"라고 고백할 수 있었습니다.

오늘 우리 크리스천들이 사랑하는 가족들에게 줄 수 있는 최대의 기여는 무엇이라고 생각하십니까? 여러분에게 이 벅찬 의미,

이 벅찬 삶의 감동, 죽음 저 건너편에 있는 영생에 대한 분명하고 확실한 소망이 주어졌다면, 그 소망을 여러분의 가족들에게 전달하고 계십니까? 내 사랑하는 자녀들에게 부모가 남겨 줄 수 있는 최대의 유산은 바로 이 신앙이 아니겠습니까? 그래서 온 가족이 이 신앙이라는 공통 분모를 통해서 주님 앞에 삶을 드리고 있는 아름다운 모습을 상상해 보십시오. 자, 룻에게는 바로 이 고백이 있었습니다.

그런데 우리가 성경을 자세히 보면, 오르바와 룻에게는 약간의 행동 차이가 있었음을 알 수 있습니다(14절). 9절에 보면, 두 며느리가 같이 소리 치며 울었습니다. 그러나 조금 후에 오르바는 어머니에게 입을 맞추었습니다. 이 입맞춤은 어떤 의미를 지닙니까? 그것은 이별의 입맞춤이었습니다.

그러나 룻은 어떤 태도를 취했습니까? 어머니의 치맛자락을 붙잡고 주저앉아 버린 룻의 모습을 지켜 보십시오. 얼마나 감동적입니까? 이 중요한 신앙의 결단을 통해서 모든 삶을 함께 나누기를 결심하며, 마침내 그 어머니에게 "어머니의 하나님이 나의 하나님"이라고 고백하기에 이른 이 며느리의 믿음을 생각해 보십시오.

신앙을 함께하는 가족이 되어야 합니다. 여러분이 부모에게 드릴 수 있는 최대의 효도는 예수 그리스도를 소개하는 것이라고 생각하지 않습니까? 여러분의 아버지, 여러분의 어머니를 위해서 눈물을 흘리며 금식하며 기도해 본 적이 있습니까? 내 믿지 않는 아버지, 어머니 때문에 아파하는 심정으로 전도를 해본 기억이 있습니까?

어느 거리에서 전도자가 지나가는 사람을 붙들고 가슴을 태우면서 복음을 전하고 있었을 때, 어떤 한 사람이 손을 뿌리치면서

"남의 프라이버시(privacy)를 침해하지 마십시오"라고 말했습니다. 우리는 그러한 소리를 얼마나 많이 듣습니까?

그때 전도자는 이런 유명한 말을 했습니다. "형제여, 당신이 술취한 사람이 되어 절벽이 있는 벼랑을 향해서 걸어간다면 내가 당신을 그냥 방관하는 것이 당신의 프라이버시를 존중하는 길이라고 생각하십니까? 아니면 저 벼랑을 향해 걸어가고 있는 당신을 가로막고 '멈추시오! 돌아서시오!'라고 외치는 것이 옳습니까? 당신의 생명이 위험합니다. 나는 당신에게 똑같은 일을 하고 있는 것입니다. 당신의 영원한 구원의 문제를 위해서, 아니 당신이 이 땅에서 진정한 의미를 갖기 위해서 하나님 앞에 돌아오셔야 합니다."

여러분, 신앙이 여러분에게 이처럼 의미를 갖는 것이라면 아직도 이 신앙이 없는 가족을 위해서, 내 사랑하는 남편, 내 사랑하는 아내, 내 사랑하는 자식들을 위해서 아파하며 복음을 전하고, 정말 기도하십시오. 신앙을 함께할 수 있는 가정, 이 가정이 인간의 진정한 행복을 하나님 앞에서 성취하는 가정이 될 것입니다.

운명을 함께할 줄 아는 가정

마지막으로, 이 가정은 운명을 함께할 줄 아는 가정이었습니다.

계속되는 고백을 들어보십시오. 17절에서 그녀는 "어머니께서 죽으시는 곳에 나도 죽어 그곳에 장사될 것입니다"라고 고백합니다. 진실로 이것은 가족이 하나의 운명 공동체라는 것을 받아들이고 있었다는 사실입니다.

오늘 현대 가정의 비극은 운명을 함께할 의지가 없다는 것입니다. 그렇다고 이 이야기를 어머니가 죽는 날 온 집안이 집단 자살을 하라는 말로 어이없게 이해하지는 마십시오. 이것은 우리 가정 속에 "운명을 함께 나눌 수 있는 의지"가 있는가라는 말입니다. "남편이 망해도 아내인 나는 살아야 돼", "부모가 어떻게 되든 자식들은 마음대로 갈 길을 걸어가야 해." 그것이 바로 현대 가정의 비극입니다.

최근에 한국의 어느 기업이 망해 가는 과정에서 이런 사건들이 보도되어 국민들에게 큰 충격을 던져 주었고, 이것이 우리 사회의 문제라는 것을 아프게 지적하며 통감했던 기억이 있습니다. 바로 한 기업이 망했는데, 그 재산을 식구들이 따로따로 빼돌린 사건입니다. 남편 따로, 아내 따로, 사위 따로, 자식들 따로, 따로따로 재산을 다 빼돌렸습니다. 그러니 그 기업이 어떻게 망하지 않을 수 있겠습니까? 운명을 함께하려는 의지가 없었던 것입니다.

크리스천 여러분은 되도록 공동 구좌를 만들어야 합니다. 우리는 이런 단순한 사실에서부터 성경 말씀을 실천해야 합니다. "이러므로 남자가 부모를 떠나 그 아내와 연합하여 둘이 한 몸을 이룰지로다"(창 2:24). 이 말씀을 믿으신다면 하나로 행동하십시오.

벌써부터 우리를 분리한다는 것은 분리되는 비극의 잠재성을 만드는 것일 수도 있기 때문입니다. 우리는 삶을 함께할 수 있습니까? 아니 한걸음 더 나아가서 우리는 죽음을 함께 할 수 있습니까? 이 운명을 함께하고자 하는 의지가 우리 가족들의 마음속에 얼마나 있습니까? 슬픈 사실은 현대는, 가정은 운명 공동체라는 이 고백이 사라져 가는 모습을 볼 수 있다는 것입니다.

1788년 5월 8일 로마 제국 쇠망사를 에드워드 기본(Edward

Gibbon)이란 사람이 기록했을 때, 그는 이 거대한 로마 제국이 멸망한 많은 이유를 제시했습니다. 그 중 두 가지가 가장 두드러진 사실로 지적되었습니다. 그 중의 한 가지는 급속한 이혼율의 증가로 인한 가정의 파괴, 그것은 비단 한 가정의 파괴에서 그친 것이 아니라 거대한 로마 제국의 파괴를 몰고 왔습니다.

또 하나는 종교의 부패였습니다. 종교가 부패할 때, 가정이 파괴될 때 우리는 그 사회가 계속 지속될 수 없다는 사실을 예언할 수 있습니다.

우리가 가지고 있는 영원 불멸의 성경은 이렇게 말합니다. "사람이 그 부모를 떠나서 아내에게 합하여 그 둘이 한 몸이 될지니라 하나님이 짝지어 주신 것을 사람이 나누지 못할지니라"(마 19:5-6). 이것을 나누려는 어떠한 행동도 용납될 수 없습니다. 이것이 성경의 선언입니다.

이 말씀에서 떠나기 시작하면서부터 오늘 현대의 가정에 비극과 불안이 시작되었다고 볼 수 있습니다. 성경의 선언을 퇴색한 유물로 받아들이기 시작할 때 그 가정과, 그 사회는 계속 유지될 수 없다는 것입니다.

17절의 감동적인 룻의 고백을 다시 한번 회고하면서 말씀을 마치고자 합니다. 다시 한번 읽어 보십시오. "어머니께서 죽으시는 곳에서 나도 죽어 거기 장사될 것이라 만일 내가 죽는 일 외에 어머니와 떠나면 여호와께서 내게 벌을 내리시고 더 내리시기를 원하나이다."

무슨 고백을 연상시킵니까? "죽음 이외에는 우리를 나눌 수가 없습니다." 죽음 이외에는 결코 아무것도 우리를 나눌 수 없다는 연합의 행진이, 가족의 행진일 수 있어야 합니다. 이 사실을 성경은 얼마나 단호하고 확실하게 우리에게 전파하고 있습니까? 이렇게 할 때에 우리의 가정은 존재만 할 뿐 아니라 함께 살고, 또 운명을 같이하게 될 것입니다.

복된 가정의 열쇠는 진실로 하나님이십니다. 나오미의 가정의 모든 식구들이 그 어머니의 하나님을 자기의 하나님으로 삼은 까닭에 그 가정은 복된 가정이 된 것입니다. 참되고 살아 계신 하나님을 모셨을 때, 이 가정은 불행했지만 그럼에도 불구하고 행복의 드라마를 만들어 갈 수가 있었습니다.

남편을 사랑하십니까? 남편의 하나님을 당신의 하나님으로 삼으십시오. 아내를 사랑하십니까? 아내의 하나님을 당신의 하나님으로 삼으십시오. 자녀를 사랑하십니까? 자녀의 하나님을 당신의 하나님으로 삼으십시오. 아버지와 어머니를 사랑하십니까? 아버지의 하나님, 어머니의 하나님을 당신의 하나님으로 삼으십시오. 그때 우리는 우리의 집을 향해서 이렇게 말할 수 있습니다. "우리의 집은 작은 천국입니다."

제가 늘 되풀이하는 이 말을 다시 한번 강조하고 싶습니다. 어떤 주일학교 학생이 자기 아버지에게 "아빠, 천국은 어떻게 생겼어요?"라고 물었습니다. 경건한 크리스천인 아버지는 그 아들을 향해서 이렇게 고백할 수가 있었습니다. "아들아, 천국은 말이야, 우리 집 같단다."

"천국은 우리 집 같다."

당신 가정의 식구들은 가정에서 지옥을 보고 있지 않습니까? 만약 그러할지라도 그것은 그 누구의 잘못도 아닙니다. 가정이 흔들리기 시작할 때에 비난하지 마십시다. 남편을, 아내를, 자식을 비난하지 마십시다. 우리는 나오미처럼 하나님 앞에 말하는 법을 배웁시다. "내 탓이에요, 나 때문입니다. 내가 못난 시어머니였고, 내가 못난 아버지, 못난 어머니였고, 내가 못난 아들, 못난 딸이었기 때문입니다. 나 때문입니다."

그리고 이제 우리는 내 생명의 주인 되신, 내 가정의 주인 되신 하나님 앞으로 와야 합니다. 우리의 모든 식구들이 겸손하게 살아 계신 창조주 하나님 앞에 무릎을 꿇어야 합니다. 그리고 이렇게 고백해야 합니다. "우리는 피조물입니다. 하나님을 섬김으로, 하나님의 영광과 소망을 바라보고 다시 일어나 땀을 흘리겠습니다. 같이 땀을 흘리겠습니다. 같이 고생을 할 것입니다. 그리고 하나님이 보여주신 그 공동의 목표를 향해서 우리는 함께 걷기를 원합니다."

이런 가정이 되도록 기도하실 필요를 느끼십니까? 기도하십시오. 가족의 구성원으로서 못다한 책임과 아픔을 통렬하게 회개하십시오. 그리고 기도하십시오. 아내를 위해서, 남편을 위해서, 자식을 위해서, 늙으신 부모님을 위해서 기도하십시오. 가정을 위해서 기도하십시오.

아버지, 하나님!

행복한 가정이 더 행복해 지도록 축복해 주옵소서. 또한 이 행복한 가정을 만들기 위해서 애쓰는 가정들을 그들의 바람과 소망대로 그렇게 되게 하여 주옵소서.

상처와 고독 가운데 찬바람과 비바람을 맞으며 이 시대 속에서 불행한 상처를 경험하고 있는 가정들을 도와주시사 하나님, 가정마다 상처 난 부분들을 치유해 주시고 찢어진 부분들을 꿰매어 주십시오. 주께서 본래

의도하신 가정, 그 모습 그대로, 그 영광스러움을, 그 아
름다움을 회복하게 해주옵소서.

　이미 불행의 잿더미에서 아픔을 안고 있는 가정들이
있습니까? 나오미와 룻의 가정처럼 불행을 극복하고,
남아 있는 식구들의 진정한 사랑과 신뢰와 애정 때문에
우리의 가정을 다시 행복할 수가 있게 하옵소서. 또 하
나의 룻의 가정을, 행복한 나오미의 가정을 창조할 수
있는 드라마를, 이 어둠을 경험했던 가정들에게 허락하
여 주옵소서. 예수님의 이름으로 기도합니다. 아멘.

복습과 토의 질문

1. 당신의 배우자의 꿈은 무엇입니까?

2. 당신의 자녀나 부모의 꿈은 무엇입니까? 가족간에 서로 직접 확인해 보십시오.

3. 우리 가족은 하나님께 대한 신앙에 있어서 어느 정도 공통된 헌신을 하고 있을까요?

(0-거의 없다   10-전적인 헌신을 하고 있다)

0   1   2   3   4   5   6   7   8   9   10

제2부

행복한 부부·부모됨을 위하여

5

주를 위하여 예비된 부부

누가복음 1 : 5 - 17

"유대 왕 헤롯 때에 아비야 반열에 제사장 하나가 있으니 이름은 사가
랴요 그 아내는 아론의 자손이니 이름은 엘리사벳이라 이 두 사람이 하나
님 앞에 의인이니 주의 모든 계명과 규례대로 흠이 없이 행하더라 엘리사
벳이 수태를 못하므로 저희가 무자하고 두 사람의 나이 많더라 마침 사가
랴가 그 반열의 차례대로 제사장의 직무를 하나님 앞에 행할새 제사장의
전례를 따라 제비를 뽑아 주의 성소에 들어가 분향하고 모든 백성은 그
분향하는 시간에 밖에서 기도하더니 주의 사자가 저에게 나타나 향단 우
편에 선지라 사가랴가 보고 놀라며 무서워하니 천사가 일러 가로되 사가
랴여 무서워 말라 너의 간구함이 들린지라 네 아내 엘리사벳이 네게 아들
을 낳아 주리니 그 이름을 요한이라 하라 너도 기뻐하고 즐거워할 것이요
많은 사람도 그의 남을 기뻐하리니 이는 저가 주 앞에 큰 자가 되며 포도
주나 소주를 마시지 아니하며 모태로부터 성령의 충만함을 입어 이스라
엘 자손을 주 곧 저희 하나님께로 많이 돌아오게 하겠음이니라 저가 또
엘리야의 심령과 능력으로 주 앞에 앞서 가서 아비의 마음을 자식에게,
거스리는 자를 의인의 슬기에 돌아오게 하고 주를 위하여 세운 백성을 예
비하리라."

주를 위하여 예비된 부부

이 세상에는 종종 원칙이 아닌 예외적인 사건들이 일어날 수가 있습니다. 예를 들어서 좋은 부모에게서 악한 자식이 생길 수 있고, 악한 부모에게서 좋은 자식이 생길 수도 있습니다. 그러나 이런 예외적인 사건들 때문에 우리들의 삶의 보편적인 원칙, 상식을 망각해서는 안 될 것입니다.

자녀 양육에 있어서 보편적인 진리란 좋은 부모에게서 좋은 자녀가 자라날 수 있다는 것입니다. 대부분의 좋은 자녀의 배후에는 좋은 부모의 영향이 있었다는 사실을 우리는 발견하게 됩니다. 그래서 동양에서도 "부전 자전"(父傳子傳)이란 말이 있고 서양에서도 "그 아버지에 그 아들"(Like father, like son)이라는 속담이 있습니다.

이것은 부모의 본보기가 자녀들에게 피할 수 없는 영향을 끼친다는 것입니다. 우리가 다른 집들을 방문해 보면 손님이 왔음에도 불구하고 자녀가 반말을 쓰는 경우가 종종 있습니다. 그러면 부모가 당황해서 그것을 교정해 주기 위해서 존대말을 써야 한다고 말하지만 그때 갑자기 됩니까? 평소에 해야 합니다. 그리고 부모가 존대말을 쓰지 않는 이상 자녀들이 존대말을 배운다는 것은 아주 어려운 일입니다.

　부모도 늘 반말을 쓰고, 이런 부모를 본받아 반말을 쓰고 있던 자녀가 있었습니다. 그런데 어느 날 이 자녀가 갑자기 자기 아빠에게 오더니 "아빠, 진지 드셨어요?"라고 아주 고상한 말을 하더랍니다. 이 말을 듣고 아버지가 너무 좋아서 "야, 너 어떻게 존대말을 다 배웠니?"라고 물었습니다. 그러자 이 꼬마가 아버지를 쳐다보면서 "야! 나는 농담도 못하니?"라고 말했답니다. 피할 수 없이 자녀들은 부모를 닮습니다.

　예수께서 친히 여자가 낳은 인간 가운데서 가장 위대한 사람이라고 평가했던 사람은 바로 세례(침례) 요한이었습니다. 우리는 그를 가리켜 빈들의 소리라고 말합니다. 주의 오실 길을 예비했던, 마지막 예언자―우리는 이 위대한 예언자는 알아도 그 부모를 기억하지는 못합니다.

　오늘 본문에는 요한의 부모, 사가랴와 엘리사벳의 이야기가 기록되어 있습니다. 사가랴란 말은 "하나님께서 기억하신다"는 뜻이며, 엘리사벳이란 말은 "하나님이 나의 보증이 되신다", 하나님은 그만큼 믿을 수 있다는 뜻입니다. 오늘 본문에는 이 부부의 이야기가 기록되어 있습니다. 하나님이 요한을 예비하기에 앞서서, 이 부부를 예비하셨다는 사실을 우리는 잊지 말아야 합니다.

　이 부부의 삶을 관찰하면서, "무엇이 그들로 하여금 주를 위하여 예비된 부부가 되게 하였는가? 주를 위해서 예비된 아들, 요한을 키우기 위해서 주를 위해서 예비된 부모가 되도록 이 부부를 사용하신 그 이유는 어디에 있었는가?"를 살펴보고자 합니다. 우리는 성경에 나타난, 요한이라는 훌륭한 아들을 키운 배경에 존재하고 있었던 부모된 이들의 경건한 부부상을 추적하기를 원합니다.

의로운 삶을 추구하는 부부

첫째로, 본문은 그들이 의로운 삶을 추구했던 부부임을 이야기하고 있습니다(6절).

남편만 의인이 아닙니다. 아내만 의인이 아닙니다. 이 본문에서 우리의 시선을 주목케 하는 것은 바로 "이 두 사람"이라는 단어입니다. "부부가 함께"라는 말입니다. 계명이라는 것은 일반적으로 도덕법을 말합니다. 규례라는 것은 의식법에 해당합니다.

그들은 하나님의 도덕법을 지켰을 뿐 아니라 하나님께서 요구하시는 모든 의식을 그대로 준수했던 사람들입니다. 흠이 없이 행했다는 말은 이 부부가 완전했다는 말이 아닙니다. 실수가 전혀 없었다는 말이 아닙니다. 다만 결정적인 흠이 없었다는 말입니다. 거룩한 삶을 추구하고 있었고, 누가 보더라도 그만 하면 흠이 없는 온전한 삶을 추구하고 있었습니다.

오늘 본문은 "유대 왕 헤롯 때에"라고 시작합니다. 이 부부가 살고 있었던 시대상을 보여줍니다.

여기서 헤롯은 헤롯 대왕을 말합니다. 주전 37년부터 주후 4년까지 살았던 왕이고, 아기 예수님이 태어났을 때의 왕이었습니다. 이 왕은 아주 간교하고도 지혜롭고도 잔인했던 왕이었습니다. 아기 예수가, 메시아가 탄생했다는 말을 듣고, 유대 지경에 있는 2살 미만의 아기들을 모두 죽이라고 명령했던 그 유명한 왕입니다.

이 사람은 자기의 정치적인 인기를 위해서 예루살렘 성전을 다시 개축하는 작업을 했습니다. 이때에 아직 46년째 건축은 계속되고 있었습니다. 성전을 짓고 싶어서가 아니라 일종의 정치적인 인기를 위한 작업이었습니다. 그러므로 그는 다른 한편으로 우상의 신전을 짓고 있었고, 또 로마의 황제에게 아첨하기 위해서 로마 황제 숭배를 강요하고 있었습니다.

요한의 부모가 살던 시대는 문자 그대로 불의한 시대였습니다. 이 불의한 시대에 살고 있었던 의로운 사람들, 이 불의한 시대에 살고 있었던 의로운 부부, 사가랴와 엘리사벳, 이 부부를 보십시오.

세례(침례) 요한이 광야에 등장했을 때, 그는 회개를 외쳤습니다. 백성들에게 죄악을 준열히 꾸짖고 회개를 외쳤습니다. 또 헤롯 왕실의 죄악을 담대하게 지적하는 그의 의협심, 의를 향한 담대한 그의 목소리, 그의 삶, 그의 인격, 이 의로운 삶이 의로운 삶을 추구했던 그의 부모의 삶과 무관하다고 말할 수 있겠습니까?

세례(침례) 요한의 의로운 인격, 의로운 인생의 행진, 그 의로운 삶의 불빛은 그의 부모의 의로운 삶과 결코 무관하지 않았다는 사실을 생각할 때에, 오늘 여러분 또한 여러분의 도덕적 삶의 질을 자녀들에게 물려주고 있다는 사실을 증거할 수 있습니까?

여러분이 엉망인 삶, 부도덕한 삶, 부정직한 삶, 적당한 출세와 적당한 사업의 이득을 위해서 쉽게 거짓말하는 삶을 살고 있다면 이 삶의 습성이 그대로 내 자녀들에게 계승되고 있다는 사실 앞에 놀라야 하지 않겠습니까? 여기 의로운 삶을 추구했던 이 부부상을 주목해 보십시오.

기도하는 부부

둘째로, 이 부부는 기도하는 부부였습니다.

그들은 의로운 부부였을 뿐 아니라 기도하는 부부였습니다. 여러분, 의로운 사람이라고 해서 그의 삶의 모든 조건이 평탄하게 풀려 가는 것만은 아닙니다. 이 세상에는 의인이 받는 고난이 있습니다. 이것은 신비에 속합니다.

우리에게는 "의롭게 살려고 하는 사람들이 왜 저렇게 삶의 어두움을 겪어야 할까?"라는 질문을 던지게 되는 순간들이 많습니다. 나쁜 사람이 나쁜 일을 당하면 당연하다고 생각되지만, 의롭게 살고, 경건하게 살고, 깨끗하게 살고, 지혜롭게 살고, 덕스럽게 살아가는 사람들의 삶 속에 불가사의한 고난이, 수수께끼 같은 삶의 고난이 찾아올 때, 암이나 혹은 사업이 파산하는 등등의 어려움이 찾아올 때 우리는 피할 수 없이 "왜?"라는 질문을 던집니다. "왜 주님?", "그들이 삶 속에서 이러한 어려움을 당하는 이유가 어디에 있습니까?"라고 말입니다.

이 사가랴와 엘리사벳 부부에게도 문제가 있었습니다. 그 문제는 바로 자식이 없는 것이었습니다(7절). 이미 자식을 낳을 수 있는 연령을 지났습니다. 우리 시대에는 그것이 별로 문제가 안 되지만 성경이 기록되던 시기만 해도 자식이 없다는 것은 문자 그대로 저주였습니다. 여인에게 그것만큼 부끄러운 것이 없었습니다. 그 시대에는 이런 경우에 이혼은 정당한 것이었습니다. 자식을 낳지 못하는 여인과 이혼하는 것은 조금도 잘못된 일이 아닌 것으로 간주되던 시대였습니다. 그러나 이 사가랴 부부는 이혼하지도 않았고, 자식이 없다는 사실 때문에 가슴이 아팠겠지만 그것 때문에 하나님을 원망하거나 불평하지도 않았습니다.

그러면 어떻게 했습니까? 기도했습니다. 간구했습니다. 13절에 보면 스가랴 제사장이 제사를 드리는 순간 천사가 등장했습니다. 그리고 "사가랴여 무서워 말라 너의 간구함이 들린지라"는 메시지를 전해 줍니다. 여기서 간구라는 말은 특정한 문제를 가지고 계속적으로 기도하는 것을 말합니다. 그것은 보통 기도가 아니라 간구입니다.

무슨 문제를 가지고 간구했을까요? 어떤 학자들은 아마도 이스라엘 민족의 구원을 위해서, 메시아의 강림을 위해서 기도했을 것이라고 말합니다. 물론 그것을 위해서도 기도했겠지만 그것은 조금 비약된 해석처럼 느껴집니다. 왜냐하면 13절에는 "너의 간구함이 들린지라"는 말 뒤에 "네 아내 엘리사벳이 네게 아들을 낳아 주리니 그 이름을 요한이라 하라"는 구절이 나옵니다. 이러한 문맥으로 봐서 이것은 틀림없이 아들이 없는 자기 삶의 안타까움을 인해서 주님 앞에 부르짖어 간구한 것으로 해석할 수 있습니다. 마침내 이 기도는 응답됩니다.

자연적인 방법으로는 이미 아들을 낳을 수 없는 나이였음에도 불구하고 하나님의 초자연적인 방법으로 이 기도는 응답되었습니다. 그래서 아들을 낳게 되었습니다. 천사는 그 아들의 이름을 요한이라 하라고 했습니다. 요한이란 이름의 뜻은 무엇입니까? "하나님은 은혜로우시다"라는 뜻입니다.

"엘리사벳이 해산할 기한이 차서 아들을 낳으니 이웃과 친족이 주께서 저를 크게 긍휼히 여기심을 듣고 함께 즐거워하더라 팔일이 되매 아이를 할례하러 와서 그 부친의 이름을 따라 사가랴라 하고자 하더니 그 모친이 대답하여 가로되 아니라 요한이라 할 것이라 하매 저희가 가로되 네 친족 중에 이 이름으로 이름한 이가 없다 하고 그 부친께 형용하여 무엇으로 이름하려 하는가 물으니 저가 서판을 달라 하여 그 이름을 요한이라 쓰매 다 기이히 여기더라"(눅 1:57-63).

이웃 사람들, 어르신네들이 다 와서 이름을 사가랴라고 짓자고 말하자, 이 여인은 "아닙니다. 내 아들의 이름은 요한이어야 합니다"라고 주장합니다. 그래서 아이의 아버지에게 물었습니다. 어머니한테 이야기해도 통하지 않자 친족들이 아버지에게 물었던 것입니다. 그런데 아버지도 역시 요한이라고 서판에 썼습니다.

부부의 뜻이 일치했다는 것은 무엇을 의미합니까? 아버지도 어머니도 똑같이 아들의 이름을 하나님이 계시하신 대로 요한이라고 짓고 싶어했다는 것은 하나님이 말씀하시니까 그대로 순종한다는 의미도 있었지만 그보다 더 깊은 의미가 있는 것입니다.

정말 이 자녀는 그 이름의 뜻대로 은혜로 얻은 자식이었습니다. 그러므로 자식을 주신 하나님의 은혜를 증거하고 싶은 마음 때문에, 그 이름을 통해서 "이 아이는 하나님의 은총입니다. 이 아이를 통해서 그 하나님의 은혜를 증거하고, 은총의 하나님을 증거하기를 원합니다" 하는 부모의 마음을 우리는 이 본문으로 알 수 있습니다.

이 부부는 기도하는 부부였고, 그 기도 속에는 살아 계신 하나님을 향한 증거의 열망이 숨어 있었던 사실을 볼 수가 있습니다.

사가랴 부부가 그들의 삶에서 직면해 있었던 일상적인 난관, 불가능에 가까운 난관은 자식이 없다는 것이었습니다. 같은 문제가 아니라도 저와 여러분의 삶 속에, 각 가정마다 각 부분마다 우리만이 경험하고 있는 아니 그들만이 부딪히고 있는 불가능의 문제들이 있을 수가 있습니다.

오늘 여러분의 불가능은 무엇입니까? 그것 때문에 울어야 하고, 그것 때문에 아파야 하고, 그것 때문에 낙심하고, 그것 때문에 고독해지는, 여러분 자신만이 부딪혀야 하는 삶의 문제는 도대체 무엇입니까? 아니, 그 문제에 여러분은 어떻게 접근하십니까? 원망하십니까? 아니면 불신앙적인 방법으로 해결을 시도하십니까?

크리스천다운 성실함을 상실하지 아니하고 타협하지도 않으면서 하나님의 자녀다운 방법으로 불가능의 문제 앞에 접근했던 부부상을 보십시오. 원망함대신, 불평함대신 이 부부는 엎드렸습니다. "하나님, 이 문제를 해결해 주십시오." 마침내 하나님은 인간의 자연적인 이성을 뛰어넘어서 초자연적인 그리고 초이성적인 방법으로 그들의 기도에 응답하셨습니다.

하나님께서 자식을 주자마자 기도의 응답인 줄 알았기에, 이것이 하나님의 은총인 줄 알았기에, 그 은총의 하나님을 증거하기를 원했던 사가랴 부부의 삶의 모습을 지켜 보십시오. 그들은 기도하는 부부였습니다. 여러분의 모습은 어떻습니까?

이웃을 축복할 줄 아는 부부

셋째로, 그들은 이웃을 축복할 줄 아는 부부였습니다.

누가복음 1 : 39 이하를 보십시오. 예수님의 어머니였던 마리아가 예수님을 잉태한 후에 이 사가랴 부부의 집을 방문합니다. 엘리사벳과 마리아의 관계는 아마도 사촌지간이었을 것입니다. 친척인 것은 확실하지만 정확하게는 모릅니다. 그런데 마리아도 임신했고, 엘리사벳도 임신한 지 한 6개월 정도가 지났습니다.

두 여인이 모두 임신중이었습니다. 아마도 마리아는 천사를 통해서 자신이 메시아를 잉태했다는 사실을 이미 알고 있었기 때문에 그 사실을 엘리사벳에게 그대로 말했을 것입니다.

만약 여러분이 엘리사벳이었다면 어떻게 했겠습니까? 마리아가 와서 "하나님이 나를 쓰셔서 나를 복된 여자라고 말하시고 나에게서 구세주가 나오고……"라고 떠들어댈 때 여러분이 엘리사벳이라면 어떻게 행동했겠습니까?

이 시대의 여성들 같으면 어떤 반응을 보였을까요? "그래, 너만 잘났다"라고 말할 수도 있는 상황입니다. 아니면 좀더 신앙적인 야심이 있었던 여인이라면 "왜, 메시아를 낳기 위해서 하필이면 저 여자를 필요로 한 것입니까? 왜 나는 아닙니까?"라는 반응을 보였을 수도 있을 것입니다.

그러나 이 엘리사벳은 어떤 반응을 보입니까? 41절 이하를 읽어 보십시오. 성령에 충만하여 그 사실을 그대로 받아들이면서, 자기의 친구요, 친척이었던 이 여인을 주의 모친이라고 부르며, 환대하고 "하나님이 그대를 선택했으니 그대여, 복이 있도다!"라고 외칩니다.

사심을 뛰어넘어, 질투와 시기를 뛰어넘어 하나님의 역사 앞에 초점을 맞추고, 하나님이 행하시는 그 역사를, 하나님의 위대한 손길을, 사역을 찬양하며 칭송할 수 있었던 엘리사벳의 이 겸손, 이 겸허함이 인상적이지 않습니까?

여러분, 나중에 엘리사벳의 아들인 세례(침례) 요한에게 어떤 사건이 일어납니까? 요한이 한참 사역을 하고 있을 당시에 예수님이 사람들 앞에 나타나십니다. 요한이 사역을 했을 때, 요단 강가에 구름떼같이 수많은 사람들이 모여들어 그 앞에 와서 회개하고, 세례(침례)를 받고 삶이 새로워지는 놀라운 역사를 경험했습니다.

그런데 예수님이 등장하자 자기를 따라왔던 그 많은 군중들이 이제 예수님을 향해서 다 가 버리고 자기를 따르는 무리가 없어졌습니다. "선생님, 이럴 수가 있습니까?"라고 제자의 무리가 항의했을 때, 요한은 어떤 반응을 보입니까? 세례(침례) 요한은 "그 (예수님)는 흥하여야 하겠고 나는 쇠하여야 하리라"고 말합니다.

오늘 본문의 엘리사벳의 사건과 요한의 겸손과는 전혀 무관한 것입니까? (요한의 겸손, 요한의 미덕, 요한의 주제 파악) 자신이 메시아가 아니기에 메시아 되신 그 주님 앞에 초점을 맞추고, 하나님이 행하시는 그 사건—그 일을 그대로 수용하면서 다만 하나님의 이름이 흥왕하도록, 다만 주의 나라가 번창하도록, 하나님의 권세가 나타나도록 했던 요한의 겸손은 그 어머니의 겸손과 무관하지 않다는 것을 확인해야 합니다.

여러분이 자녀를 신앙적으로 기르기를 원하십니까? 자녀들 앞에서 신앙이나 교회에 관한 한 절대로 부정적인 이야기를 하지 마십시오. "아, 그 아무개 집사가……쯧쯧"라든지 특별히 사역자를 비방하는 모습을 보여 주지 않도록 조심하십시오.

자녀들 앞에서 할 말 못할 말 다해 놓고 나중에 자녀들이 교회 나가지 않으면 교회 안 나간다고 걱정합니다. 누가 그렇게 하도록 가르친 줄 아십니까? 실컷 목사 욕해 놓고, 교회 욕해 놓고 자녀들이 교회 나가서 신앙 생활하기를 바라십니까? 부모의 일거수 일투족, 부모의 삶의 태도, 그 자세는 그대로 자식들에게 나타나서 자식들의 삶과 인격과 신앙을 만들고 있다는, 이 엄격한 사실 앞에 오늘 여러분의 삶을 점검해 보시기 바랍니다.

자녀들 앞에서 여러분은 여러분의 이웃을 어떻게 말합니까? 그리하여 여러분의 자녀들은 여러분에게서 비난을 배우고 있습니까, 아니면 축복을 배우고 있습니까? 여러분의 자식들은 부정을 배우고 있습니까, 아니면 긍정을 배우고 있습니까? 여러분의 자식들은 거짓을 배우고 있습니까, 아니면 정직을 배우고 있습니까? 여러분의 자녀들은 부모에게서 불신을 배우고 있습니까, 아니면 신뢰와 신앙과 찬양을 배우고 있습니까?

불의한 시대에 살았던 의로운 부모, 기도할 줄 알았던 부부, 그리고 이웃을 축복하며 살 줄 알았던 이 부부에게서, 의로운 자식 요한, 기도하는 사람이었던 요한 그리고 이웃들을 축복하며 하나님의 나라가 번영하기만을 기대하며, 자기는 낮추어져도 다만 하나님의 이름이 번영하고 흥왕하기를 기도하고 축복하며 살았던 요한이 자라났습니다.

요한의 삶의 정신, 요한의 삶의 감동, 요한의 삶의 이 놀라움은 그의 부모에게서 받았던 삶이었다는 것을 기억하면서 "나는 어떤 아버지인가, 어떤 어머니인가, 어떤 남편, 아내인가?"라는 질문을 던져 보십시오.

오늘 이 본문, "이 두 사람이, 남편과 아내가, 엄마와 아빠가 하나님 앞에 의인이니 주의 모든 계명과 규례대로 흠이 없이 행하더라"를 읽으실 때 여러분의 소감은 어떻습니까?

여러분의 자녀들은 단순히 말을 배우는 것이 아닙니다. 여러분, 부모에게서 행동을 배웁니다. 인격을 배우는 것입니다. 여러분이 어떤 아버지, 어떤 어머니이냐는 사실이 자식이 어떤 아들, 어떤 딸이 되느냐를 결정합니다. 부모가 되는 일은 참으로 어려운 일입니다. 가장 위대한 숙제입니다. 진실로 우리가 하나님 말씀대로 살아가며, 기도하며, 축복하며 살아가는 아버지, 어머니가 될 수 있기를 원합니다. 내 자녀 앞에서 책임 지는 삶을 살 수 있도록 사가랴, 엘리사벳 부부처럼 성령으로 충만한 부부 됨을 구합시다.

아버지, 하나님!

우리는 한 시대를 위하여 예비되었으며, 존귀하며 영
광스럽게 쓰임을 받았던 요한, 그 요한의 배후에는 겸
손하게 살았고, 축복하면서 살았고, 기도하면서 살았고,
불의한 시대에 의롭게 살았던 아버지와 어머니가 있었
음을 보았습니다.

하나님, 격동하는 이 시대를 살아가며, 우리의 자식들
이 어떤 시대, 어떤 상황 속에서 살아갈 것인가에 관해
서 우리가 관심을 갖지 않을 수 없습니다. 그러나 자녀
들의 삶의 토양은 가정에서 부모된 나를 통해 만들어지
고 있다는 사실 앞에 무거워지는 책임감을 느낍니다.
내 지혜, 내 삶만 가지고 감당할 수 없는 숙제이기에 하
나님의 도우심을 구합니다.

주여, 성령으로 충만케 하옵소서. 하나님의 거룩한 지
배 속에서, 이 자녀를 주의 뜻 안에서 키워 갈 수 있는
우리가 되게 하옵소서. 주 예수님의 이름으로 기도합니
다. 아멘.

복습과 토의 질문

1. 사가랴 부부는 그들의 삶의 난관을 어떻게 해결했습니까? 우리 가정에서 어려움을 해결하는 방식과 어떻게 다른지 비교해 보십시오.

2. 우리 가정에서 부모와 자녀들 사이에 긍정적으로 닮은 점과 부정적으로 닮은점들을 나열해 보십시오.

긍정적	부정적
①	①
②	②
③	③

3. 나의 자녀들에 대한 부모로서의 기대를 요약해 보십시오.
   ①
   ②
   ③

6

원초적 낙원의 부부

창세기 2 : 18-25

"여호와 하나님이 가라사대 사람의 독처하는 것이 좋지 못하니
내가 그를 위하여 돕는 배필을 지으리라 하시니라 여호와 하나님이
흙으로 각종 들짐승과 공중의 각종 새를 지으시고 아담이 어떻게 이
름을 짓나 보시려고 그것들을 그에게로 이끌어 이르시니 아담이 각
생물을 일컫는 바가 곧 그 이름이라 아담이 모든 육축과 공중의 새
와 들의 모든 짐승에게 이름을 주니라 아담이 돕는 배필이 없으므로
여호와 하나님이 아담을 깊이 잠들게 하시니 잠들매 그가 그 갈빗대
하나를 취하고 살로 대신 채우시고 여호와 하나님이 아담에게서 취
하신 그 갈빗대로 여자를 만드시고 그를 아담에게로 이끌어 오시니
아담이 가로되 이는 내 뼈 중의 뼈요 살 중의 살이라 이것을 남자에
게서 취하였은즉 여자라 칭하리라 하니라 이러므로 남자가 부모를
떠나 그 아내와 연합하여 둘이 한 몸을 이룰지로다 아담과 그 아내
두 사람이 벌거벗었으나 부끄러워 아니하니라."

원초적 낙원의 부부

우 리 하나님께서 참으로 하나님이실 수 있었던 하나님의 특성 가운데 하나는 창조의 사건에서 찾을 수 있습니다. 창세기의 "태초에 하나님이 천지를 창조하시니라"(창 1 : 1)는 구절에는 창조라는 대단히 독특한 단어가 쓰여졌습니다. 히브리어에서 "바라"라는 단어입니다.

이것은 창조의 사건 외에 다른 일에는 절대로 사용될 수 없는 굉장히 독특한 단어입니다. 이것은 아무것도 없는 절대의 무에서 유를 창조하는 그러한 사건을 말할 때 쓰여지는 단어입니다. 사실 아무것도 없는 무에서 유를 창조하는 이 창조의 사건은 하나님만이 하실 수 있는 일이며, 하나님의 고유한 사역입니다.

그러한 의미에서 인간은 결코 창조자가 될 수 없습니다. 그러나 창세기에서 계속 강조되는 진리 중 하나는 인간은 하나님의 형상대로 지음을 받았다는 것입니다. 인간이 창조자는 될 수 없고, 아무것도 없는 무의 상태에서 무엇인가를 창조해 내는 하나님과 같은 절대적인 창조는 가능하지 않다고 하더라도, 인간은 하나님을 닮았기에 창조적 지능을 가지고 있다는 것도 사실입니다.

인간이 가진 이런 창조성, 이미 있는 것들을 가지고 또 다른 새로운 것을 만들어 내는 것에 불과하지만, 어쨌든 인간이 가진 이런 창조성이야말로 과학을 발달시키고, 문학을 발달시키고, 예술을 발달시킨 가장 근본적인 원인이라고 할 수 있습니다. 그런 의미에서 인간을 창조적인 동물이라고 말할 수 있을 것입니다.

여러분, 창조된 인간에게 하나님께서 처음으로 맡기신 창조적 과제가 무엇인지 알고 계십니까? 이름 짓는 것입니다. 그것은 매우 창조적인 일입니다. 새로운 것을 만들어 내는 것이기 때문입니다. 오늘 본문 19절에 보면, 하나님께서 각종 동물과 새들을 지으시고, 아담이 어떻게 이름을 짓는가 보시려고 그것들을 아담에게 이끌어오셨으며, 아담이 그 생물을 일컫는 바가 곧 그 이름이 되었더라고 말합니다.

여러분, 이것이 얼마나 힘든 창조적인 과정이었을까요? 작명한다는 것이 얼마나 어려운 일인 줄 여러분은 아십니까? 제가 목회 생활을 하면서 가장 당혹감을 느끼는 때가 자녀를 낳으신 우리 교우들이 이따금씩 저에게 와서 이름을 지어 달라고 부탁하시는 경우입니다. 그것은 매우 어렵습니다. 그래서 요즘 저의 사무실에는 이름 짓는 책이 여러 권 있습니다. 그것을 가지고 제가 연구를 하는데도 어려워하는 이유는, 제가 제 자식들 이름을 짓는 데에도 성공하지 못했는데 어떻게 남의 자식의 이름을 짓겠는가 하는 생각에서입니다.

하나님께서 제게 첫 아들을 주셨을 때 어떻게 이름을 잘 지어 보려고 했습니다. 아버지께서 네 마음대로 지으라고 자유를 주셨기에 더 어려웠습니다. 그래서 한문 옥편 사전을 갖다 놓고, 남들이 다 갖는 그런 시시한 이름을 지어 주기는 싫고 좀 독특한 이름을 지어 주고 싶고 한문도 좀 특별한 한문을 쓰고 싶어서 쭉

훑어 보았습니다. 그러던 중에 괴상한 한자 하나를 발견했는데 "황"(晃)이란 것이었습니다. 날 일(日)자 아래 빛 광(光)자였습니다. "날마다 빛을 향하여"란 뜻이고 또 밝을 황자여서, 날마다 빛 가운데 살았으면 좋겠다라는 기독교적 의미도 있는 것 같고 해서 참 좋게 생각되었습니다. 그리고 복잡한 세상에 이름을 길게 지을 필요도 없을 것 같아 그냥 이 황이라고 지어 버렸습니다.

그런데 미국에 오고 나니까 이것이 문제가 돼 버렸습니다. 미국 올 때 그 이름을 영문자로 Whang(황)이라고 표기를 했습니다. 그러니까 황이가 학교에 갔다 올 때면 언제나 불평을 합니다. "아빠, 왜 내 이름은 하필 웽이야? 웽이 뭐예요?"(whang의 미국식 발음은 웽임.)

둘째 아들은 더합니다. 둘째 아들 이름도 멋있게 짓고 싶어서 옥편 사전을 보니, "범"(釩)자가 있는데, 쇠 금(金)자 옆에 무릇 범(凡)자였습니다. 황금을 우습게 알라는 뜻에서, 또 그렇게 살기를 바라는 마음에서 그렇게 지어줬더니, 요즘 제 둘째 아들이 정말 황금을 우습게 알고 돈을 얼마나 잘 쓰는지 모릅니다. 거기다 미국에 오면서 표기를 한다는 것이, 제가 영어에 무식한 바람에, Bum(범)이라고 표기를 했습니다. 저는 그게 무슨 뜻인지도 몰랐습니다.

그런데 미국에 오니까 "bum"(범)이라는 말이 거지도 되고 바보도 되지 뭡니까? "아빠, 하필 그 많은 이름 중에서 왜 내 이름을 바보라고 지었어?"라고 아들이 그럽니다. 그래서 저는 "애, 범이야, 바보라는 것이 항상 나쁜 뜻은 아니란다. 바보란 바라볼수록 보고 싶다는 뜻이란다"라고 말했습니다. 저는 제 자식들 작명에 그렇게 성공한 사람이라는 생각은 들지 않습니다.

여러분도 이름을 지어 보면 이름 짓는 것이 얼마나 어려운 작

업인지 알게 될 것입니다. 아담이 얼마나 힘들었을까요? 아마 그
때 하나님께서 아담 앞에 동물을 하나하나 지나가게 하셨을 것입
니다. 그리고 하나님께서 지으신 동물들의 특성을 하나하나 설명
하셨을 것입니다. 그러고서 "자, 네가 그 이름을 지어봐라" 하셨
을 것입니다. 그래서 아담이 이것은 코끼리, 이것은 사자, 이것은
여우, 고슴도치……동물의 이름을 지었습니다. 그리고 공중에 나
는 새를 아담 앞으로 지나시게 하시니 아담은 독수리, 참새, 제
비……이렇게 이름을 계속 지었을 것입니다.

  얼마나 오랫동안 이름을 지었는지 이제는 피곤해졌습니다. 잠
깐 동안 휴식 시간을 가졌습니다. 엄격하게 말하면 이것은 휴식
이 아니라 하나님이 아담을 잠들게 하신 것이었습니다. 어렴풋이
그는 자기 속에 무엇인가 일어나고 있다는 것을 알았을지도 모릅
니다. 그러나 어쨌든 그 휴식 시간이 지나고 아담이 다시 일어나
또 이름을 짓는 일을 계속하려고 할 때, 자기 앞을 지나가는 한
이상한 동물을 보았습니다. 지금까지의 동물과는 전혀 다른 동물
이었습니다. 아담은 가슴이 뛰기 시작하고, 눈이 빛나기 시작하
고, 온 몸에 이상한 무엇인가를 느끼기 시작합니다. 누굴까요, 이
동물이? 바로 여자입니다.

  어떤 주일학교 교실에서 주일학교 선생님이 아이들에게 "애들
아, 이 세상에 태어난 최초의 남자, 최초의 인간의 이름이 무엇이
지?" 하고 물었습니다. 그들 중 한 아이가 손을 번쩍 들고 "아담
입니다"라고 대답했습니다. "맞았다. 그러면 그 남자의 아내 이름
은 무엇인줄 아니?"라고 선생님이 되물었습니다. 그러자 그 아
이는 "알죠, 마담(madam)이에요"라고 대답했답니다.

  이 최초의 여인을 보았을 때, 아담의 느낌이 어땠을까요? 하나

님이 지으신, 자기와 비슷하지만 전혀 다른 감각으로 자기에게 다가오는 이 신기한 하나님의 창조물 앞에서 아담이 가졌던 그 감격을 생각해 봅니다. 참 놀라운 여인이었을 것입니다. 인간이라는 하나님의 창조물은 얼마나 신비합니까? 남자도 신기하지만 이 여인은 또 얼마나 신비합니까? 한마디로 원더 우먼입니다.

오늘 본문의 23절에 보면 이 최초의 여인을 향한 아담의 놀라운 선언을 볼 수 있습니다. "이는 내 뼈 중의 뼈요, 살 중의 살이라." 이 고백, 이 선언 다음에 24절에 보면 하나님께서는 이 두 사람의 결합을 말씀하시면서 기독교적 이상에 근거한 위대한 선언을 하셨습니다. "이러므로 남자가 부모를 떠나 그 아내와 연합하여 둘이 한 몸을 이룰지로다."

이것은 일종의 결혼에 대한 선언입니다. 그래서 이 성경 본문을 엄격하게 말하면 이것은 한 남자와 한 여자의 창조만이 아니라 부부의 창조, 혹은 가정의 창조를 선언하는 것입니다.

이 본문에서 하나님이 본래 의도하신 부부상은 어떤 것입니까? 우리는 에덴의 부부상을 찾아 볼 수가 있습니다. 진실로 오늘의 부부가, 하나님이 우리를 창조하셨을 때 기대하셨던 그 부부가 되려면, 다시 말해 낙원의 부부가 되려면, 우리는 어떤 삶을 우리 가정에서 추구해야 할까요?

서로를 도울 수 있는 부부

첫째로, 서로가 서로를 정말 도울 수 있는 자가 되어야 합니다. "여호와 하나님이 가라사대 사람이 독처하는 것이 좋지 못하니 내가 그를 위하여 돕는 배필을 지으리라"(18절). 영어 성경으

로 보면 "helper(돕는 자)를 지으시겠다"로 표현됩니다. 물론 이
것은 하와에 대한 언급입니다. 하와에 대한, 여인에 대한 말입니
다. 여인이 돕는 자가 되겠다는 것입니다.

그런데 재미있는 것은 이 돕는 배필이란 말은 히브리어에서
"에제르"라는 단어인데, 이것은 남성 명사입니다. 그러니 이 "돕
는다", "돕는 자"라는 말이 꼭 하와에게만 해당되는 말은 아니라
는 것입니다. 이것은 사실 아담에게도 해당될 수 있습니다.

다시 말해서 이것은 일방적인 단어가 아닙니다. 물론 본문의
의도는 하나님께서 여인에게 보다 돕는 자로서의 역할을 강조한
것이지만 이것은 일방적인 단어는 아닙니다. 부부가 피차에 어떻
게 서로를 도울 수 있는 자가 될 수 있는가를 생각해 보아야 합니
다.

하나님이 우리를 남자와 여자로, 그리고 우리를 부부 되게 하
신 것은 하나님의 창조적인 디자인입니다. 흔히 돕는 자라는 단
어를 사용할 때 그 말을 그리 좋게 생각하지 않을 수가 있습니다.
그래서 열등한 개념처럼 이해할 수도 있습니다. 그러나 강력한
사람만이 돕는 자가 될 수 있습니다. 성경에도 하나님을 "하나님
은 나의 돕는 자"시라고 묘사하고 있습니다.

"하나님은 우리의 피난처시요, 힘이시니 환란 중에 만날 큰 도
움이시라"고 말하고 있습니다. 그런데 여기에도 똑같이 "에제르"
라는 단어가 쓰이고 있습니다. 하나님이 약한 자입니까? "돕는
자"라는 것이 꼭 약한 사람을 말하는 것이 아닙니다. 진실로 강한
사람만이 돕는 자의 자리에 설 수 있는 것입니다.

무엇을 위해서 도와야 하는 것입니까? 왜 우리는 도와야 합니
까? 본문 중에 보면 "내가 그를 위하여 돕는 배필을"이라고 말씀

하고 계십니다. 우리가 진실로 상대방을 위해서 존재할 때 우리
는 하나님이 기대하시는 부부의 자리에 서게 되는 것입니다. 나
를 위해서가 아니라 그를 위하여, 그녀를 위하여 존재할 때입니
다.

부부의 비극은 어디에서부터 시작됩니까? 나만을 위하여 존
재하려고 할 때 시작됩니다. 이기심이야말로 가정의 불행의 시작
이고 비극의 씨앗임을 우리는 얼마든지 볼 수가 있습니다. 어떻
게 우리가 하나님이 기대하시는 부부가 될 수 있습니까? 우리가
자신을 위해서가 아니라 상대방을 위해서 존재할 때, 상대방을
위해서 자신이 섬기는 자로 존재하기를 원할 때, 아내도 남편도
그런 위치와 그런 자리에 서기를 원할 때, 우리 부부는 하나님이
기대하시는 부부가 되는 것입니다. 또한 서로에게 필요한 존재가
될 수 있는 것입니다. 우리는 없어서는 안 될 함께 존재해야 할
부부가 되는 것입니다. 부부의 최대의 불행, 최대의 저주가 있다
면 "나는 더 이상 당신이 필요없다"는 선언일 것입니다.

제가 아는 한 여자분이 어느 날 남편이 부부 싸움을 하다가 던
진 한마디 말, "넌 필요없어. 가!"라는 말에 쇼크를 받았습니다.
충격받은 것입니다. 굉장히 행복하게 잘 살던 부부였는데, 어느
날 사소한 언쟁 끝에 남편이 던진 이 한마디의 말을 듣고 정신적
으로 무너져 버린 것입니다. 이것은 무서운 저주입니다.

성경이 기대하고 있는 진정한 부부상은 나의 이기심을 고집함
이 아니라 내가 상대방을 위해서 존재하려고 할 때 비로소 가능
한 것이며, 그때 우리는 없어서는 안 될, 서로가 서로를 요구하는
진정한 부부의 자리에 설 수 있습니다. 그러나 이러한 성경의 이
상과는 달리 오늘날 현대를 살아가는 가정들이 얼마나 깊은 이기

심 속에 빠져 있는가를 보십시오.

천국과 지옥의 가장 고전적인 차이는 바로 이기심의 차이라고 생각합니다. 이 이기심을 버리느냐 못 버리느냐에 따라서 가정은 천국이 될 수도 있고, 지옥이 될 수도 있습니다. 이타심이 가정의 행복의 기초라는 것입니다. 그렇습니다. 하나님이 우리를 남성 되게 하시고 여성 되게 하시고 부부 되게 하시는 가장 중요한 이유는 돕는 자가 될 수 있도록 하기 위해서입니다.

함께하는 친구로서의 부부

둘째로, 낙원 동산의 부부, 하나님이 기대하시는 그 창조적인 부부상은 함께하는 친구가 될 수 있어야 합니다.

18절에는 단순히 "돕는 배필"이라고만 했지만, 이것은 한글 개역 성경이 원어의 의미를 좀더 충분히 살리지 못한 것입니다. 영어 성경에는 helper(돕는 자)라는 단어가 나오고 그 다음으로 "suitable for him"(그에게 적합한)이라고 말합니다. 곧 "그에게 적합한 돕는 자"라는 뜻입니다. 그에게 적합한, 아담에게 적합한, 짝이 될 수 있는, 진정으로 어울리는 돕는 배필이란 말입니다.

본문 말씀을 읽던 아놀드 토인비(Arnold Toynbee) 교수는 "아담이 동물의 이름을 짓는 동안 그는 동물의 특성을 알게 되고 동물과 즐기게 되었을 것이다. 그러나 그 교제는 아담이 동물의 수준에 내려가서 교제하던 것이지 아담이 서 있었던 그 수준에서 하던 교제는 결코 아니다"라고 흥미있는 말을 했습니다.

사실 인간이 동물과 어느 정도 친밀감을 나눌 수 있다는 것은 저도 인정합니다. 주위에 애완 동물을 기르시는 분들을 보면 그분들이 얼마나 그것들과 친근감을 느끼는가를 알게 됩니다.

114 향유 내음 가득한 집

저는 미국에 살 때 방문하시는 분들을 빠지지 않고 꼭 모시고 가는 곳이 있었는데, 그곳이 바로 강아지들의 묘지입니다. 그 개들의 무덤이 있는 곳에 가면 대부분이 쇼크를 받습니다. 인간이 동물과 어느 정도 교제를 할 수 있다는 것은 사실입니다. 그러나 그것은 불완전한 교제입니다.

할아버지가 손자와 교제하기 위해서는 손자의 수준까지 내려가서 같이 이야기할 때, 그 차원에서 교제가 가능한 것입니다. 그러나 나와 같은 수준의 교제는 아닙니다. 저는 애완 동물을 기르시는 분들이 그것들과의 교제를 즐기시는 것도 좋지만 그것만으로 인간의 고독의 문제가 근본적으로 해결되거나 치료될 수 있다고 생각하지는 않습니다.

남성은 여성을 필요로 합니다. 그리고 여성은 남성을 필요로 합니다. 그래서 하나님은 아담을 위하여 아담에게 적합한 반려자로, 그에게 아주 적합한 돕는 자로, 이 귀한 여성을 선물로 주신 것을 볼 수가 있습니다. 지음받은 아담을 보시면서 "사람이 독처하는 것이 좋지 못하니"라고 하나님은 말씀하셨습니다. "좋지 못하다"는 단어가 성경에서 처음 등장하는 장면입니다.

이 구절을 읽던 실락원의 저자 밀턴은 "그렇다. 고독은 하나님이 보시기에 최초로 좋지 못한 것이었다"라고 말했다고 합니다. 그러나 하나님이 선물로 하와를 그에게 허락하시고 부부의 창조와 함께 그 모든 창조가 끝이 나자 하나님은 이제 보시기에 "심히 좋았더라"고 말씀하십니다. 그것으로 창조가 진정한 절정에 도달한 것을 볼 수 있습니다.

어떻게 하와가 창조되었습니까? 본문에 보면 아담의 갈빗대 하나를 떼서 만들었다(21절)고 나옵니다. 오늘날 많은 성경학자들은 여기서 갈빗대라는 표현은 원문에 충실한 번역이 아니라고

말합니다. 이 단어밖에는 달리 설명할 말이 없어서, 이것을 번역
하던 그 시점에서 갈빗대라는 단어를 썼을지 모르지만 히브리어
의 "셀라"라는 단어를 문자 그대로 번역하면 그것은 바로 "side"
(옆)라는 단어입니다. 옆에서 빼냈다는 것입니다.

한 성경학자는 주경하기를 "그래서 아담은 그 옆에 끊임없이
누군가를 필요로 한다"고 했습니다. 내 곁에 누군가가 있지 않고
는, 반려자가 있지 않고는 그 고독이 치료될 수 없는 인간의 모습
을 그리고 있는 것입니다.

어떤 성경학자는 이 "적합한"(suitable)이란 단어는 사실 원어
의 의미를 그대로 드러낸 것은 아니라고 말합니다. 그래서 여러
분이 가지고 계시는 어떤 영어 성경에 보시면 suitable, 곧 "적합
한"이라는 단어 대신에 "그와 교통하는"(corresponding to him)이
라는 말을 쓰고 있습니다.

우리가 어떤 사람에게 편지로 연락한다고 할 때에 이런 표현을
쓰지 않습니까? 서로 통할 수 있는, 교감할 수 있는, 정서가 통하
고, 마음이 통하고, 가슴이 통하고, 생각이 통할 수가 있다는 말입
니다.

여기 진정한 부부상이 있습니다. 서로 통할 수 있는 부부가 진
정한 부부입니다. 통할 수 있다는 것은 대화가 가능하다는 것입
니다. 진정한 대화의 교감이 없는 부부는 하나님이 기대하시는
진정한 부부가 될 수 없다는 사실입니다.

히브리어에는 "적합한"이나 혹은 "돕는", 혹은 "통하는"이라는
단어가 "크네그도"라는 단어로 쓰여져 있는데 , 이 단어는 매우
재미있는 단어입니다. 옆에 있거나 앞에 있거나 곁에 있어서 말
하고 듣는 사람을 의미합니다. 정말 들어 주고, 정말 이야기할 수
있는 상대를 말합니다.

여러분, 하나님께서 우리에게 남편과 아내를 주시고, 우리를 부부 되게 하셨다면 우리는 얼마나 상대방의 이야기를 듣고 있습니까? 또 상대방에게 얼마나 하고 싶은 이야기를 말하고 있습니까?

진정한 대화는 단순한 정보의 교환이 아닙니다. 내 마음속의 깊은 이야기, 우리의 한, 우리의 슬픔, 우리의 상처, 우리의 절망, 이런 것들을 얼마나 부부 사이에 정말 스스럼 없이 이야기하면서 진정으로 교제하며 인생의 길을 걷고 있습니까? 이런 교제를 위해 하나님은 우리를 부부 되게 하셨습니다. 부부는 특별한 친구입니다.

사랑하는 여러분, 우리가 얼마나 하나님이 기대하시는 부부가 되어가고 있습니까? 얼마나 우리는 진정 두려움 없이, 가면이 없이 진정한 생각과 느낌의 교환을 통해서 서로가 서로를 용납하고, 서로가 서로에게 자기를 말할 수 있는 진정한 교제를 이루어가고 있습니까? 여러분들은 정말 친구입니까?

하나된 부부

마지막으로, 부부는 삶의 그 모든 영역에 있어서 하나가 되어야 합니다.

"이러므로 남자가 부모를 떠나 그 아내와 연합하여 둘이 한 몸을 이룰지로다"(24절). 아내와 연합하여 한 몸을 이룬다고 하면 우리는 얼른 육체적인 연합을 생각합니다. 사실입니다. 부부 사이의 성적인 교제라는 것은 부부가 하나됨을 상징하는 하나님의 창조적인 사건이라고 생각됩니다.

그러나 사랑하는 여러분, 이 하나됨을 단지 육체적인 결합에만 국한해서 생각하지는 마십시오. 인간은 육체적인 존재 그 이상의 존재입니다.

인간은 하나님의 형상대로 지음을 받았습니다. 하나님이 하나님 되시는 특성 가운데 하나로서 하나님은 영이십니다. 따라서 인간도 영적인 존재로 지음을 받았습니다. 따라서 영과 영의 합일, 영적인 하나됨이 없이, 육체적인 결합만으로는 결코 하나될 수 없다는 사실입니다. 영적인 결합 없이 육체적인 결합으로서만 부부 관계를 유지하려는 부부는 결코 그 관계를 유지할 수도 없을 뿐만 아니라 그 부부됨이 하나님이 기대하시는 충족성을 제공하기는 더 어려울 것입니다.

한편은 신앙인이지만 한편은 신앙인이 아닌, 한편은 주님 앞에 헌신했지만 또 한편은 전혀 헌신되지 않은 신앙적으로 짝짝이인 부부들을 가만히 보십시오. 그들은 갈등과 고통을 면하지 못합니다.

우리 교회 안에서도 정말 충족성을 누리는 아름다운 부부들을 보시면 그들에게는 영적인 하나됨, 함께 예수님을 섬기고, 함께 주님을 따르며, 함께 헌신하며, 함께 복음을 인하여 감격하고, 함께 살아 계신 하나님을 높이는 일이 있습니다.

이렇게 이루어진 하나됨에 대해서 본문은 마지막으로 이렇게 말씀하고 있습니다. "아담과 그 아내 두 사람이 벌거벗었으나 부끄러워 아니하니라"(25절).

여러분, 언제부터 부끄러움이 들어온 줄 아십니까? 우리가 창세기 3장을 보면 죄가 들어오자마자 인간들은 부끄러워하기 시작합니다. 죄가 인간들에게 부끄러움을 가져왔습니다. 그리고 그 순간부터 하나님과 인간 사이뿐만 아니라 사람과 사람 사이에도 의심이 생깁니다. 공격이 시작됩니다. 비난이 시작됩니다. 여기서부터 부부 사이의 단절, 부부 사이의 소외, 부부 사이의 갈등이 시작되는 것을 볼 수가 있습니다.

그러면 언제 이러한 부부는 하나님이 기대하시는 진정한 하나 됨의 자리로 돌아갈 수 있을까요? 죄문제를 해결할 때입니다. 바로, 이 죄 문제를 해결하고, 부부 관계를 다시 원래의 아름다운 모습으로 돌려주기 위해서 하나님은 예수 그리스도를 이 땅에 보내신 것입니다. 그러므로 예수 그리스도를 주님으로 영접하고, 죄사함받고, 부부가 함께 십자가 아래에 서서, 살아 계신 주님을 섬기기 시작할 때, 부부 사이에 진정한 하나됨이 시작되는 것입니다.

얼마 전에 저는 뉴욕에서 어느 분에게 전화를 한 통 받았습니다. 제가 전혀 모르는 분입니다. 그분이 신앙 상담을 하고 싶다고 해서 제가 "어느 교회에 나가십니까?"라고 묻자, 그는 "저는 교회에 나가지 않습니다. 교회에 가 본 일도 없습니다"라고 대답하는 것입니다. 그래서 제가 "그럼 어떻게 저를 아셨습니까?"라고 하자, 그는 "L.A.에 있는 친척 되는 분을 통해서 목사님을 알게 됐습니다. 꼭 만나 주셔야겠습니다"라고 하면서 수요일 만나기를 원했습니다.

그런데 수요일 저녁은 저에게 아주 바쁜 저녁입니다. 그래서 제가 "수요일 저녁은 수요 예배가 있어 시간을 내기가 어렵습니다"라고 대답했습니다.

"밤늦게는 안 되겠습니까?"

"저는 수요 예배가 끝나면 목자 훈련이 있고, 그것이 끝나면 저녁 11시나 됩니다."

제가 이렇게 대답하자, 그는 "11시라도 좋습니다"라고 대답하는 것이었습니다.

"내일 만나면 안 될까요?"라고 제가 다시 묻자, 그는 "목사님 저희 부부의 생사가 걸려 있습니다. 오늘 만나 주십시오"라고 간절히 부탁했습니다.

저는 느낌이 너무 이상하고, 아무래도 꼭 만나야 될 것 같은 부부이고, 그것이 하나님의 뜻이라는 생각이 들었습니다. 그래서 "그러면, 그때 오십시오" 하고 전화를 끊었습니다.

아닌게아니라 이 부부가 밤 11시에 제 사무실에 도착을 했습니다. 제 아내는 옆 사무실에서 기도하고 있었고, 저는 사무실 안에서 이 부부와 밤 11시부터 이야기하기 시작했습니다.

이 부부와의 상담 내용은 여러분에게 말할 수 없습니다. 물론, 말해서도 안 될 것입니다. 한마디로 말하면 도저히 어쩔 수 없는 부부였습니다. 그분들이 경험하고 있었던 그 내용은 말할 수 없는, 인간적으로 해결이 가능하지 않은, 내일까지 삶을 연장하기 어려운 그런 심각한 삶의 갈등이었습니다.

많은 이야기를 나누었습니다. 그러나 우리가 함께 나누었던 그 많은 이야기 그리고 제가 그 부부에게 해준 그 많은 이야기들이 그들에게 전혀 도움이 되지 못한다는 사실을 알고 저는 얼마나 안타까웠는지 모릅니다.

오랜 이야기 끝에 남편이 지나가는 말처럼 "다시 한번 출발할 수만 있다면 좋을텐데"란 말을 했습니다. 저는 그 말을 붙잡았습니다.

제가 "선생님 다시 출발할 수 있습니다. 인간적으로는 다시 출발한다는 것이 가능하지 않지만 주 안에서 다시 삶을 출발하는 것은 가능합니다. 새 삶이 시작되면 두 분도 다시 출발할 수 있지 않을까요?"라고 말했습니다. 그는 그럴 수 있느냐고 물었고, 저는 그렇다고 대답했습니다.

저는 그때에 "누구든지 그리스도 안에 있으면 새로운 피조물이라 이전 것은 지나갔으니 보라 새 것이 되었도다"(고후 5:17)라는 성경 구절을 그분들에게 읽어 드렸습니다. 저는 두 분에게 복음을 전했습니다.

긴 가정 이야기 끝에 이제는 함께 복음을 이야기하기 시작하고, 예수님을 두 분에게 전했습니다. 두 분이 다함께 주님을 영접하겠다고 하였습니다. 제 사무실에서 두 분이 함께 무릎을 꿇고 예수님을 주님으로 영접하는 기도를 드렸습니다. 기도가 끝나자 두 분이 모두 걷잡을 수 없는 눈물을 흘리면서 남편은 "괜찮아요, 괜찮을 것 같아요"라고 말했습니다. 그리고 부인은 "목사님, 제가 정말 오길 잘했습니다. 이제 다시 출발할 수 있을 것 같습니다"라고 말했습니다.

제가 처음 그분들의 이야기를 듣는 동안에 한마디로 이 부부 생활을 표현하라고 하면 이 부부는 지옥을 향해서 걷고 있는 부부라고 했을 것입니다. 새벽 2시가 넘어서 상담이 끝났습니다. 기도를 마치고 제 사무실을 나와서 두 분이 손을 잡고 교회 문을 떠나는 모습을 바라보며 참 하나님 앞에 감사하면서 "이제는 낙원을 향해서 걷는 부부로구나"라는 생각을 하게 되었습니다. 천국을 향해서 걷고 있는 새로운 부부의 모습을 볼 수가 있었습니다. 무엇이 이 차이를 만든 것입니까? 그리스도입니다.

지금까지 부부에 관한 많은 이야기를 했습니다. 여러분 중에 독신으로 사는 많은 분들은 "그러면 나는 행복할 수 없단 말인가?"라는 질문을 던지게 될 것입니다.

바울 사도는 신약성경에서 꼭 결혼 생활만이 우리의 삶에서 의미를 부여하지는 않는다고 말하고 있습니다. 만약 어떤 연유로 혼자 되었거든 그것을 그리스도를 위해서 살아가는 기회로 삼으라고 말합니다. 그러면 그것은 어쩌면 더 나은 삶을 줄 수도 있다고 우리에게 격려하고 있습니다.

주님이 내 신랑이 되시고, 주님이 내 신부가 되시고, 그리스도를 향한 진정한 헌신을 드리는 삶을 살 수 있다면 독신으로서의 삶이 결코 불행한 것만은 아니라고 성경은 말합니다. 왜냐하면 인간은 육체적인 존재 이상의 존재요, 그의 영적인 충만은 그의 육적인 다소간의 고독을 극복하고 그에게 진정한 의미와 삶에 대한 참된 창조적인 의미를 제공할 수 있다고 믿기 때문입니다.

열쇠는 그리스도입니다. 문제는 그리스도입니다. 그리스도가 여러분의 가정에서 어떤 자리를 차지하고 계십니까? 참으로 예수님이 여러분의 가정의 주인이 되셨습니까? 그러면 우리는 에덴을 향해서 걷는 부부가 될 수 있습니다.

여러분의 가정 생활, 삶의 자리를 주님 앞에서 살펴보면서, 무엇이 여러분의 가정의 행복을 앗아 가고 있는지 생각해 보십시오. 그리고 이제 이렇게 기도해 보십시오. 하나님이 기대하시던 진정한 돕는 자가 될 수 없었던 부부된 모습을 성찰하면서 "아버지, 남은 세월만이라도 주께서 기대하시는 낙원의 원초적 부부로서 인생의 길을 함께 걸어갈 수 있도록 축복해 주시옵소서"라고 기도해 보십시오.

아버지, 하나님!
주께서 인간을 남녀로 지으시고 부부 되게 하신 그

처음 이상을 기억하게 하옵소서. 원초적 낙원의 부부상
을 다시 기억하게 하옵소서. 우리를 참으로 서로 돕는
부부가 되게 하시고, 통할 수 있는 친구가 되게 하시고,
무엇보다 참으로 하나되는 부부가 되게 하옵소서. 예수
님 이름으로 기도합니다. 아멘.

복습과 토의 질문

1. 우리 가정에서 내가 배우자를 도와야 할 일이 있다면 어떤 일이 있을까요?

2. 내가 나의 배우자에게 도움을 기대하고 싶은 일은 어떤 일인지 기록한 후 함께 나누어 보십시오.

3. 우리 부부의 하나됨의 만족도를 평가해 보십시오.

(0-아주 형편없다   10-아주 만족한다)

성적인 만족

0	1	2	3	4	5	6	7	8	9	10

영적인 만족

0	1	2	3	4	5	6	7	8	9	10

4. 질문 3의 평가에서 낮은 만족도가 나왔다면 이 만족도를 높이기 위해 해야 할 일을 토의해 보십시오.

7

아버지 엘리

사무엘상 2 : 12—17

"엘리의 아들들은 불량자라 여호와를 알지 아니하더라 그 제사장
들이 백성에게 행하는 습관은 이러하니 곧 아무 사람이 제사를 드리
고 그 고기를 삶을 때에 제사장의 사환이 손에 세살 갈고리를 가지
고 와서 그것으로 남비에나 솥에나 큰 솥에나 가마에 찔러 넣어서
갈고리에 걸려 나오는 것은 제사장이 자기 것으로 취하되 실로에서
무릇 그곳에 온 이스라엘 사람에게 이같이 할 뿐 아니라 기름을 태
우기 전에도 제사장의 사환이 와서 제사 드리는 사람에게 이르기를
제사장에게 구워 드릴 고기를 내라 그가 네게 삶은 고기를 원치 아
니하고 날 것을 원하신다 하다가 그 사람이 이르기를 반드시 먼저
기름을 태운 후에 네 마음에 원하는 대로 취하라 하면 그가 말하기
를 아니라 지금 내게 내라 그렇지 아니하면 내가 억지로 빼앗으리라
하였으니 이 소년들의 죄가 여호와 앞에 심히 큰 것 그들이 여호와의
제사를 멸시함이었더라."

아버지 엘리

여러 해 전에 서독 최대의 부자 가운데 한 사람이었던 프리드리히 플리크(Friedrich Fliek)라는 사람이 죽었습니다. 그가 죽을 때에 현금으로 유용할 수 있는 재산만 1억 5천만 달러를 남겼다는 것이 세간에 큰 화제가 되었습니다. 이 사람은 망해 가던 회사를 인수해 놀라운 경영 능력을 발휘해서 매년 3억 달러의 판매 수익을 올렸습니다.

이 분이 경영했던 회사들의 경영 자문을 지냈던 피터 드러커(Peter Drucker)라는 사람은 이 부호에 대해서, 아마도 오늘 이 시대 최대의 기업 관리자라고 평가하고 있습니다. 이 사람은 뛰어나게 지혜로울 뿐 아니라 무섭도록 일하던 일 중독자였다고 합니다. 1966년에 자기 부인이 죽었을 때, 자기 부인의 장례식이 끝난 후 꼭 2시간 만에 그는 회사에 나타나서 다시 일을 처리해서 회사 사람들을 깜짝 놀라게 만들었다고 합니다. 이만하면 대단한 일 중독자 아닙니까?

이 사람에 대한 기사를 썼던 뉴스위크(Newsweek)지는 기사의 마지막 줄에서 이런 인상 깊은 글을 남겼습니다. "이 늙은 부자는 단 하나의 인간적인 약점을 가지고 있었는데, 그것은 그의 가정을 다스리지 못한 것이었다."

수년 전 신문에 한국의 대표적인 재벌의 아들이 우울증으로 인해 호텔에서 투신 자살한 사건이 보도되었습니다. 이 플리크라는 사람이나 한국의 재벌 회장이나 이 시대가 나은 탁월한 기업 경영인이었음에는 틀림이 없었지만 그들이 아버지로서는 실패했음에 틀림이 없습니다. 실패한 아버지였던 것입니다.

오늘 본문에도 유사한 기사가 기록됩니다. 엘리라는 사람은 이스라엘의 대표적인 종교 지도자요 제사장이었습니다. 뿐만 아니라 그는 그 시대에 많은 젊은이들을 키웠습니다. 그가 키운 인물 중에는 유명한 사무엘 선지자 같은 사람도 있었습니다. 그럼에도 불구하고 그는 남의 자녀들 교육은 잘 시켰으면서도 자기 아들들의 교육에 관한 한 실패한 아버지였습니다.

그러나 우리는 인생의 길에서 때로는 실패의 이야기 그리고 실패의 역사를 통해서 더 커다란 교훈을 받을 수 있습니다. 우리모두 실패하지 않는 아버지가 되기 위하여, 실패한 아버지 이야기를 통해 교훈 받고 싶은 것입니다.

아버지 엘리의 실패는 자기 자신만의 실패가 아니라 자녀들의 실패였고, 가정의 실패였으며 그리고 한 걸음 더 나아가서 민족의 실패와도 통하는 길을 마련했습니다. 그는 가정을 망치고, 민족의 역사를 어둡게 했던 것입니다. 무엇이 그를 실패하게 만들었습니까? 아버지로서 그를 실패하게 만든 요소들은 무엇입니까?

오늘 본문을 포함해서 사무엘상 2장과 3장을 보다 폭넓게 관찰하면서 저는 세 가지, 이 엘리를 아버지로서 실패하게 만든 그의 결정적인 실수들을 발견할 수가 있었습니다.

믿음을 계승시키지 못한 아버지

첫째로, 엘리는 믿음을 자기 자녀들에게 계승시키지 못한 아버지였습니다.

본문의 12절 말씀을 보시기 바랍니다. "엘리의 아들들은 불량자라 여호와를 알지 아니하더라."

여기서 중요한 구절은 불량자가 아닙니다. 문제는 하나님을 알지 아니하는 것입니다. 하나님에 대한 불신이 결국 이 아들들의 생애에 있어서 그들의 도덕적 불량성을 초래할 수밖에 없었습니다. 하나님 없는 이 세상, 이 사회는 부도덕을 더 커다란 하나의 삶의 문제로 지적할지 모르지만, 부도덕보다도 더 위험하고 근본적인 인간의 문제가 있다고 성경은 지적합니다. 그것은 불신앙입니다.

22, 23절에 보면 엘리가 자기 아들들을 책망하는 구절이 나오는데 무엇을 책망하고 있는가를 잘 보십시오. 이 아들들이 제사를 드릴 때, 제사 그 자체의 의미보다도 제물을 탐해서 제사가 끝나기도 전에 제물을 취했다든지, 뿐만 아니라 회막 문에서 수종 드는 여인과 동침하여 도덕적인 타락 속에 빠졌다든지 하는 것을 책망했습니다. 당연한 책망입니다.

그럼에도 불구하고 자녀들을 향한 이 책망의 장면에서 결정적으로 생략되고 있는 책망 하나가 있습니다. 엘리는 자녀들의 불신앙을 책망하지 않습니다. 하나님 없이 살고 있는 모습을 책망하지 않습니다. 하나님을 신뢰하지 못하고 살아가는 그 문제를 지적하지 않습니다.

자식들과 하나님의 관계에 대해서는 일말의 언급도 없는 이 모습을 주목해서 보셔야 합니다. 왜 그랬을까요?

결국 우리는 아버지였던 엘리 제사장의 신앙적 가치관을 의심하지 않을 수 없습니다. 아버지인 나의 생애에 있어서 하나님과 나 사이의 관계가 가장 소중한 것이고, 무엇보다 믿음이 중요한 것이라면, 그토록 중요하고, 소중한 가치관인 믿음에 관해서 어떻게 자녀들과 이야기하지 않겠습니까? 어떻게 내 자녀들에게 내 생애에서 가장 소중한 가치관인, 이 믿음의 문제를 애기하지 아니하고 침묵하고 지나가 버리는 것이 가능할 수가 있겠습니까? 이 사람이 제사장이기는 했지만 결국 믿음이 없었던 제사장이었다고 지적할 수밖에 없습니다.

우리가 계속 2장을 읽어 내려가 보면, 엘리 제사장의 사생활을 볼 수가 있습니다. 29절을 봅시다. "너희는 어찌하여 내가 나의 처소에서 명한 나의 제물과 예물을 밟으며 네 아들들을 나보다 더 중히 여겨 내 백성 이스라엘의 드리는 가장 좋은 것으로 스스로 살찌게 하느냐."

29절은 하나님이 엘리에게 하시는 말씀입니다. 자녀들이 재물을 탐하여 취하는 장면을 본문에서 보았지만 이 문제는 실상 아버지에게도 있었던 것 같습니다. 29절에서 정확하게 그것을 지적하기는 어렵지만 이것이 엘리에게 하신 말씀이라는 것을 생각할 때, 엘리 제사장에게도 이런 문제가 있었다는 것을 짐작하게 됩니다.

하나님은 엘리에게 "너희는 어찌하여 내가 나의 처소에서 명한 나의 제물과 예물을 밟으며"라고 말씀하고 있습니다. 뿐만 아니라 "네 아들들을 나보다 더 중히 여겨"라고 말씀하십니다. 아들을 사랑하는 것, 이것은 누구나 할 수 있는 것입니다. 이 사랑은 매우 본능적인 사랑입니다. 우리가 자녀를 사랑하는 것은 자신을 사랑한다는 의미에서 자신의 연장인 자녀를 사랑하는 것에 불과합니다.

그러나 이 말씀 속에서 성경이 지적하는 결정적인 이 한 가지를 간과하지 마십시오. "네 아들들을 나보다 중히 여겼다." 엘리는 하나님에게 관심이 없었습니다. 그가 제사장이면서도 자녀들에 대한 본능적인 애정은 있지만 하나님은 중히 여기지 않았다는 말입니다. 하나님을 예배하는 일을 집행하는 제사장이면서 그의 마음속에는 하나님을 향한 신뢰가 결핍되어 있었음을 볼 수 있습니다.

엘리 제사장에게 있어서 하나님은 가장 중요한 분이 아니었습니다. 그러니 자기 자녀들에게 하나님 애기를 하겠습니까? 나에게 있어서 하나님이 중요하지 않은데, 나에게 있어서 하나님이 의미가 없는 존재인데 내 자녀들에게 "하나님을 바라봐야 해, 하나님을 신뢰해야 해, 하나님을 따라야 해"라고 왜 강조하겠습니까? 아버지인 자신에게 하나님이 중요하지 않은데 말입니다.

결국 아버지인 엘리 제사장도 제물과 예물을 밟으면서, 제사를 빙자해서 부당하게 치부를 하고 있었던 별 수 없는 아버지였습니다. 이런 아버지의 도덕적인 이중의 표준을 그 아들이 별 수 없이 닮아 가고 있었던 것입니다. 그래서 아버지가 바늘 도둑이라면 결국 자녀들은 소 도둑이 된 것입니다. 아버지에게서 시작된 이 근원적인 문제점이 결국 아들들에게 있어서 결정적인 문제로 부각되고 드러났을 뿐입니다. 누구를 원망하겠습니까?

제가 잊을 수 없는 짤막한 일화 하나가 있습니다. 저의 큰 아들 황이가 아주 어렸을 때, 비가 오고 난 직후였던 것 같습니다. 진흙탕 위를 걸어가고 있었는데, 옆으로 데리고 가면 진흙탕이 자꾸 묻으니까 제 뒤를 따라오라고 했습니다.

그리고 "내가 잘 살펴서 갈테니까, 너도 빠지지 말고 아빠를 따라서 잘 와야 돼"라고 말했습니다. 그런데 뒤에서 꼬마가 "아빠가 흙탕에 빠지지 않으면, 나도 흙탕에 안 빠지지" 하는 것입니다. 순간적으로 지나가는 그 말이 나의 가슴 속에 깊이 남았습니다. "아빠가 흙탕에 빠지지 않으면 나도 안 빠지지."

결국 우리 자녀들의 도덕적인 타락, 또는 신앙적인 타락은 부모의 삶을 그대로 자녀들이 거울처럼 반영하고 있는 것에 불과합니다. 왜 여러분의 자녀가 신앙이 없습니까? 여러분 어떻습니까?

교회에 나오느냐, 안 나오느냐 하는 사실보다 더 중요한 것이 있습니다. 엘리 제사장이 종교적 의례를 집행하는 사람이었음에도 불구하고 자기와 하나님 사이의 관계에서 하나님은 여전히 중요한 분이 아니었습니다. 자기의 몫에 대한 관심은 가졌지만 하나님께는 관심이 없었습니다.

최고의 가치관, 찬양과 경배를 받으시기에 합당하신 하나님, 그분에 의해서 만들어져야 할 나의 모습, 나를 변화시키고, 나를 새롭게 해주시는 나의 하나님, 그 하나님이 나의 하나님이 되지 못했을 때, 자녀의 하나님도 되지 못했던 비극을 발견합니다. 따라서 이 아버지는 그 믿음을 계승시킬 수 없었다는 사실입니다. 믿음을, 무엇보다도 소중한, 내 생애의 어떤 유산보다도, 기업보다도 소중한 그것을 자녀들에게 계승시키지 못한 아버지, 이 아버지의 비극을 보십시오.

순종을 가르치지 못한 아버지

둘째로, 아들에게 순종을 가르치지 못한 아버지였습니다.

엘리는 자녀들에게 믿음을 계승시키지 못했을 뿐만 아니라 순종을 가르치지 못했습니다. 25절을 보십시오.

이제 아버지 엘리가 자녀들을 책망합니다. 그들의 잘못된 제사에 대해서 그리고 여인들과의 불량한 행위에 관해서 자녀들을 책망할 때 자녀들의 반응을 성경은 이렇게 기록합니다. "그들이 그 아비의 말을 듣지 아니하니 하였으니." 여러분, 이 구절을 그냥 지나치지 마십시오. 순종이라는 말의 원뜻은 듣는다는 말입니다. 그러면 불순종은 무엇입니까? 불순종은 안 듣는 것입니다.

우리가 자녀들에게 순종을 가르치는 두 가지 비결이 있습니다. 첫번째는 어렸을 때부터 시작하는 것입니다. 불순종이 체질화된 사람을 나중에 가서 바꾸기는 어렵습니다. 어릴 때부터 순종을 가르쳐야 합니다. 두번째는 부모가 먼저 자녀의 이야기를 잘 들어야 합니다. 그렇지 않으면 자녀도 부모의 이야기를 듣지 않습니다. 어려서부터 시작해야 하고, 부모가 먼저 자녀의 이야기를 잘 들어주어야 합니다.

이 엘리의 실책은 어느 날 갑자기 꾸중을 시작한 것입니다. 자녀들이 결정적으로 잘못되어 간다는 징조를 보자마자, 십대가 되어서 문제를 일으키는 것이 보이기 시작하자 그때야 비로소 관심을 가지기 시작합니다. 얘기를 하자고 합니다. "무슨 일이 일어났니? 너한테 어떤 일이 생겼니?"라고 묻습니다.

그러나 자녀는 듣지 않습니다. 아버지 얘기를 듣지 않습니다. 우리는 너무나 늦게 시작했는지도 모릅니다. 뿐만 아니라 좀더 어렸을 때, 그 자녀들의 이야기를 부모가 먼저 들어주는 습관을 길러 주지 않았습니다. 이제 와서 자녀가 부모 얘기를 듣겠습니까?

로버트 레인스라는 작가의 글을 읽다가 "돌아오지 않는 어떤 아들의 편지"라는 대목을 읽게 되었습니다. 집을 떠나간 아들을 그 아버지가 가까스로 추적해서 찾았습니다. 그가 있는 곳을 알았습니다. 그리고 돌아오라고 사정했습니다. 그때 그 아들이 쓴 편지가 그 책에 수록되어 있었는데 대충 이러한 내용이었습니다.

"아버지 감사합니다. 저를 이렇게 찾아 주신 것 감사합니다. 지금까지 길러 주신 것도 감사합니다. 크리스마스에, 부활절에 저에게 선물을 사 주신 것도 감사합니다. 그러나 저는 집에 돌아가지 않을 것입니다. 왜냐하면 아버지는 저를 인격으로 대하지 않으셨으니까요. 아버지를 대할 때마다 제 속에서는 늘 세 마디의 문장만이 떠오르게 됩니다. "난 피곤해", "난 바쁘다구", "조용히 해", 그리고 때때로는 "입다물어"라는 말까지. (중략) 아버지, 나도 지금은 너무나 피곤합니다. 나도 지금은 너무나 바쁩니다. 저를 찾으실 생각 마십시오. 아버지는 조용히 아버지의 길을 가십시오."

아버지를 생각할 때마다 이 세 가지 단어만이 그 아들의 머리에 맴돌고 있었다는 사실입니다. 자녀들이 그들의 고민을 이야기할 때에 진지하게 그들의 이야기를 들어준 적이 없었다는 것입니다.

자녀 나름대로의 고민, 나름대로의 좌절, 나름대로의 눈물이 있다는 것을 모르십니까? 정체성의 위기를 겪으면서 그들 나름대로 문화 속에 적응하기 위한 고통, 좌절, 아픔과 눈물이 있다는 사실을 모르십니까?

언제 여러분의 자녀들의 이야기를 듣기 위해서 진지하게 그들의 눈동자를 지켜보며, 관심을 가지고 들어주었습니까? 자녀들의 이야기를 관심 갖고 들어주는 부모의 자녀가 또한 부모의 이야기를 잘 듣는 법입니다. 그것이 순종을 가르치는 법입니다. 여러분의 자녀들이 여러분의 이야기에 귀를 기울여 듣기를 원하십

니까? 순종을 원하십니까? 먼저 자녀들의 이야기를 들어보십시
오. 그들의 안타까운 이야기를, 그들의 시시하지만 심각한 이야
기에 귀를 기울여 들어보시기 바랍니다.

성경을 읽다가 저에게 굉장히 도전이 되는 부분이 있었습니다.
그것은 에스더를 기른 그의 양부모 모르드개의 이야기입니다. 우
리는 에스더를 영웅적인 여인으로 추대합니다. "죽으면 죽으리
라"는 각오로써 민족의 운명을 지고, 왕 앞에 나아가서 자기의
목숨을 걸고, 사랑하는 민족의 목숨을 구하기 위해 탄원했던 구
국 여성 에스더.

그러나 사랑하는 여러분, 에스더가 에스더가 될 수 있었던 것
이 누구의 영향인 줄 아십니까? 이 여인의 양아버지였던, 모르드
개의 영향이라는 사실을 에스더서는 분명히 우리에게 보여 줍니
다. "이때에 네가 만일 잠잠하여 말이 없으면 유다인은 다른 데로
말미암아 놓임과 구원을 얻으려니와 너와 네 아비 집은 멸망하리
라 네가 왕후의 위를 얻은 것이 이때를 위함이 아닌지 누가 아느
냐"(에 4:14).

에스더로 하여금 그 왕 앞에 나가 목숨을 걸고 사랑하는 민족
의 구명을 탄원해야 한다고 가르친 사람이 누구였습니까? 모르
드개입니다. 그렇지만 여러분, 이 구절과 함께 동시에 보아야 할
대단히 중요한 구절이 있습니다.

"에스더가 모르드개의 명한 대로 그 종족과 민족을 고하지 아
니하니 저가 모르드개의 명을 양육받을 때와 같이 좇음이더라"
(에 2:20).

커서, 에스더가 성장한 여인이 되었어도 모르드개의 명령에 순
종합니다. 어렸을 때, 양육받을 때 언제나 그 부모의 명령에 순종
했던 것처럼 커서도 순종했다는 것입니다.

어렸을 때 순종을 배우지 못한 자녀에게는 커서도 순종을 기대하기 어렵습니다. 자녀들이 어렸을 때, 그 자녀의 이야기를 귀기울여 들어주는 부모들, 이 부모들의 자녀들도 또한 그 부모의 이야기를 듣고 따를 줄 아는 자녀가 됩니다. 그리고 그들은 커서도 부모의 이야기를 듣게 될 것입니다.

여러분의 자녀가 불순종하고 있습니까? 부모의 이야기를 듣지 않고, 자기의 갈 길로 가고 있다구요? 왜 그렇습니까? 스스로를 살펴봅시다. 여러분은 자녀의 이야기를 들어보셨습니까? 엘리의 비극은 당신의 비극일 수도 있습니다. 그것은 자녀에게 순종을 가르치지 못한 아버지의 비극인 것입니다.

자녀를 징계하지 못한 아버지

마지막으로, 그는 자녀를 징계하지 못한 아버지였습니다.

첫째는 자녀에게 믿음을 가르치지 못했고, 둘째는 자녀에게 순종을 가르치지 못했고, 셋째로는 자녀를 징계하지 못했던 아버지였습니다.

이 엘리와 엘리의 가문을 향한 비극적인 마지막 선언을 읽어보십시오. "네가 그 집을 영영토록 심판하겠다고 그에게 이른 것은 그의 아는 죄악을 인함이니 이는 그가 자기 아들들이 저주를 자청하되 금하지 아니하였음이라"(삼상 3:13). 징계하지 않았다는 말입니다. 훈련하지 않았다는 말입니다.

사랑하는 여러분, 성경은 아버지의 특별한, 고유한 책임을 강조할 때마다 이 훈련의 책임, 징계의 책임, 교정의 책임을 강조하고 있습니다. 어쩌면 오늘날의 가정에서 아버지의 책임에 있어서

망각되어 가고 있는, 포기되어지고 있는 영역인지 모릅니다. 성
경은 아버지에게만 맡겨진 고유한 책임 중에 하나로서 자녀의 잘
못된 삶을 교정하는 것을 말씀하셨습니다.

예를 들어서 지혜의 책인 잠언 13장을 보십시오. 자녀 양육의
최대의 교과서인 잠언 13장은 이렇게 시작합니다. "지혜로운 아
들은 아비의 훈계를 들으나 거만한 자는 꾸지람을 즐겨 듣지 아
니하느니라"(잠 13 : 1). 이 잠언 13장의 마지막 부분은 어떻게 끝
납니까? "초달을 차마 못하는 자는 그 자식을 미워함이라 자식
을 사랑하는 자는 근실히 징계하느니라"(잠 13 : 24). 오늘 현대의
가정 가운데서 포기되어지는 미덕 가운데 하나입니다.

어느 크리스천 심리학자가 이런 이야기를 했습니다. 세상에는
세 가지 종류의 아버지가 있다고 합니다. 모든 아버지를 세 가지
의 아버지로 구분할 수가 있는데, 하나는 게으른 아버지, 둘째로
는 바쁜 아버지, 셋째는 현명한 아버지입니다.

자녀가 잘못했습니다. 사고를 저질렀습니다. 게으른 아버지는
그냥 지나갑니다. 자녀의 잘못된 모습을 보면서 그냥 지나갑니
다. 그것은 게으른 까닭입니다. 자녀의 훈련과 양육에 있어서 게
으르다는 이야기입니다. 관심이 없다는 이야기입니다. 자식의 도
덕적인 불량성의 징조를 바라보면서도, 자녀와 함께 이것을 심각
하게 이야기할 만한 여유가, 생각이 없습니다. 침묵해 버립니다.
자녀 양육에서 게으른 것입니다. 도피입니다. 책임을 회피하는
것입니다.

바쁜 아버지는 자녀들이 문제를 일으키면, 충분히 시간을 가질
수 없으니 한번 꽥 소리를 지르고 지나갑니다. 교육일 수가 없죠.
그것은 교육이 아닙니다. 게으른 아버지나 바쁜 아버지에게 자녀
의 양육은 기대할 수 없습니다.

지혜로운 아버지는 자녀들과 시간을 갖습니다. 그리고 그 문제를 가지고 같이 대화합니다. 대화를 통해서 교훈을 나누어 줍니다. 더더군다나 자녀를 대화를 통해서 가르치기 위해서는 아버지가 자녀들에게 최소한도의 인격적인 신임을 얻을 필요가 있습니다.

왜 자녀들이 부모들에게 궁극적인 신뢰를 두지 않습니까? 부모들이 인격적인 신뢰를 얻지 못했기 때문입니다. 자녀들에게 존경받을 수 없는 아버지, 최소한의 존경도, 신뢰도 얻을 수 없는 아버지라면 문제는 심각한 것입니다.

미국에 있었던 이야기라고 합니다만 어떤 아버지가 자녀를 야단 치면서 링컨의 예를 들었다고 합니다. "야, 너 빈둥빈둥 놀기만 하면 안 돼. 링컨은 너만 했을 때 저 철도에서 뙤약볕 아래 열심히 일을 했단 말이야." 그러자 아들이 아버지를 쳐다보면서 "아버지, 링컨은 아버지만한 나이였을 때 대통령을 했습니다"라고 말했답니다.

우리는 우리의 자녀들이 어렸을 때부터 얼마나 일관성 있게 그들을 양육할 수 있습니까? 우리 자녀들의 삶 속에 소 도둑의 징조가 나타나기 전에 그 문제를 심각하게 다룰 수 있는 부모가 되어야 합니다. 어렸을 때부터 이 훈련이 이루어지지 않으면 결국 그 어느 날의 결정적인 징계나 교정은 불가능하게 되는 것입니다. 그래서 교육은 가장 사소한 일에서부터 시작되는 것 같습니다.

제가 얼마 전 조금 위기를 느꼈습니다. 점심 시간이었는데, 점심을 먹으라고 애들을 불렀습니다. 예전에는 잘되었는데 요즘 우리 집 기강이 좀 해이해져서 "밥먹어라!"고 소리를 쳐도 소식이 없습니다. 그렇게 되면 그 다음에는 소리가 더 높아져야 합니다. "밥먹어라!!" 별수없지 않습니까?

여러분, 이것이 습관이 되면 어떻게 됩니까? 나중에 아이들은 "악을 쓸 때 가면 된다"고 생각합니다. 그리고 더 나중에는 악을 써도 듣지 않습니다. 제가 좀 심각한 위기를 느꼈습니다.

그래서 아이들을 불러 모아 놓고, 아주 심각하게 이야기를 했습니다.

"자, 아빠가 세 번, 네 번 악을 쓰니까 너희들이 겨우 내려왔지. 어때 기분이 좋으니? '밥먹어라!!'라고 소리를 쳐야만 겨우 내려오는 것을 너희는 어떻게 생각하니? 단 한번의 '밥먹어라'는 말에 우리가 집합할 수 있다면 그리고 같이 즐겁게 엄마가 준비해 놓은 식탁에 앉아 식사할 수 있다면 얼마나 좋겠니? 너희들도 좋고, 나도 좋고, 엄마도 좋고 말이야.

"물론, 너희들이 어떤 것에 열중하고 있었을 때 부르면 '아버지, 저희가 좀 중요한 일을 하고 있으니까 조금만 기다려 주세요'라고 말해 주면 얼마나 좋겠니? 내가 이제 다시는 두 번, 세 번, 네 번 부르는, 이런 일은 하고 싶지 않다. 어떻게 생각하니?"

그러니까 둘째가 웃으며 "알았어요. 뭘 말씀하시려는지 알겠어요"라고 대답했습니다. 그래서 우리는 함께 손을 잡고 기도하면서 이 문제를 하나님 앞에 올려 드렸습니다. 저녁에는 "집합" 하니까 한번에 다 모였습니다.

우리가 사소한 것을 그냥 놓치지 않고 그것을 교육의 기회로 삼는다는 것이 얼마나 중요한지 모릅니다.

아이들에게 좀 위험한 취미라고 생각되는데, 얼마전 제 아이들이 무슨 운동 선수가 그려진 카드를 수집하는 데 미쳐 있었습니다. 한번은 사 달라고 졸라대서 사 줬습니다. 사 준 것은 좋았는데, 그걸 가지고 집에 들어오자 온 방안을 그것으로 어지럽혀 놓았습니다. 속으로 화가 치밀었습니다.

그런데 제가 거기서 "아이고, 사 준 내가 바보지. 이게 뭐니!"라고 소리를 쳤으면 어떻게 됐겠습니까? 그래서 저는 "야, 참 흥미롭구나. 너는 여기서 어떤 선수를 제일 좋아하니?"라고 물었습니다. 그러자 그렇게 어지럽혀 놓고도 이 선수가 좋고, 저 선수가 좋고 막 떠들어댔습니다. "그래, 그 선수의 무엇이 그렇게 좋으니?"라고 물으면서 한참 대화를 했습니다.

그러다가 나중에 "그런데 말이야, 네가 이렇게 어지럽혀 놓으면 나중에 네가 좋아하는 그 선수를 어떻게 탁 뽑을 수가 있겠니? 이것을 차곡차곡 모으는 습관을 기르면 좋겠구나. 아빠가 보는 앞에서 한번 정리해 봐라"고 말했습니다.

이렇게 해서 대화가 되었지만 그때 제가 한순간 이성을 잃어버리고 소리를 질러 버렸다고 생각해 보십시오. 아이들에게 아무것도 가르쳐 주지 못했을 것입니다.

우리의 부모들이 자녀 양육에 있어서 그 중요한 교육의 기회를 상실하는 대부분의 이유는 우리의 게으름 때문입니다. 그 문제를 중요하게 다루고자 하는 의지가 없습니다. 그냥 지나가 버리거나, 묵인해 버리든가, 아니면 소리를 질러 버립니다. 그것은 교육이 아닙니다.

교육할 만한 기회가 하나님으로부터 우리에게 주어질 때, 그 기회를 적절하게 붙들어 기도하면서 우리 자녀를 키울 수 있다면 자녀의 내일을 통해서 거둬질 그 수확이 눈에 보이지 않습니까? 우리의 가정에 왜 홉니와 비느하스가 있어야 합니까? 엘리의 불량자들이 우리의 가정에서 자라나는 비극과 안타까움과 이 아픈 상처가 왜 생깁니까?

결국은 아버지의 문제입니다. 여러분은 어떤 아버지이십니까? 여러분은 하나님 앞에서 어떤 아버지로 하나님이 여러분에게 맡겨 주신 자녀를 양육하며 오늘을 살고 있습니까? 하나님의 나라를 위하여, 그의 영광을 위하여……

아버님들, 자녀들을 기르기 위해서 수고 많이 하셨습니다. 여러분들은 그것만으로도 존경을 받아야 할 분입니다. 그렇지만 또한 우리는 자녀들에게서 존경과 사랑과 인정을 받기에 합당한 자가 되기 위해서 더욱 우리의 인격과 신앙을 책임 져야 할 필요가 있습니다. 내 사랑하는 그 자녀들을 위해서도 말입니다.

그들이 믿음의 사람이 되기를 원하십니까? 당신이 먼저 믿음의 아버지가 되어 주십시오. 당신의 자녀들이 순종하며 자라나기를 원하십니까? 당신이 먼저 자녀들의 이야기를 귀담아 들어줄 줄 아는 아버지가 되어 주십시오. 자녀들이 책임 질 줄 아는 인격으로 자라나기를 원하십니까? 자녀들의 삶의 현장을 놓치지 마시고 적절히 권고하여 그들을 책임 있게 교육하는 아버지가 되어 주십시오.

그리하여 하나님 앞에 서는 날, 주 앞에 부끄럽지 않은 부모의 책임을 다했다고 보고할 수 있는 그 날을 위하여, "하나님 내가 나에게 맡겨진 자식들을 향해서 더욱 책임을 다하는 아버지, 어머니가 되게 하여 주시옵소서"라고 기도하십시오.

아버지, 하나님!
주님! 자녀들을 주님 앞에 부탁합니다. 또한 저희가

맡겨 주신 자녀들을 주의 교양과 훈계로 양육할 줄 아는 아버지, 어머니가 되게 하여 주옵소서. 그들이 가진 인간적인 연약함에도 불구하고 우리를 올바로 키우기 위해서 갈등하며, 몸부림치면서 애써 왔던 우리의 아버지들을 기억하게 하옵소서.

살아 계신 하나님, 우리도 하나님 아버지를 닮은 아버지가 될 수 있도록, 우리들의 삶 속에 새로운 각성과 자녀들의 교육에 대한 진정한 믿음의 의지를 허락해 주옵소서. 예수님의 이름으로 기도합니다. 아멘.

복습과 토의 질문

1. 아버지로서의 엘리 제사장의 죄악은 구체적으로 무엇이었습니까?

2. 나의 자녀들의 믿음을 격려하기 위해서 아버지로서 할 일은 무엇입니까?

3. 나의 자녀들의 잘못을 징계하는 나의 방식에 대하여 부부가 함께 토의해 보십시오.

8

어머니 한나

사무엘상 1 : 1-11

"에브라임 산지 라마다임소빔에 에브라임 사람 엘가나라 하는 자가 있으니 그는 여로함의 아들이요 엘리후의 손자요 도후의 증손이요 숩의 현손이더·라 그에게 두 아내가 있으니 하나의 이름은 한나요 하나의 이름은 브닌나라 브닌나는 자식이 있고 한나는 무자하더라 이 사람이 매년에 자기 성읍에서 나와서 실로에 올라가서 만군의 여호와께 경배하며 제사를 드렸는데 엘리의 두 아들 홉니와 비느하스가 여호와의 제사장으로 거기 있었더라 엘가나가 제사를 드리는 날에는 제물의 분깃을 그 아내 브닌나와 그 모든 자녀에게 주고 한나에게는 갑절을 주니 이는 그를 사랑함이라 그러나 여호와께서 그로 성태치 못하게 하시니 여호와께서 그로 성태치 못하게 하시므로 그 대적 브닌나가 그를 심히 격동하여 번민케 하더라 매년에 한나가 여호와의 집에 올라갈 때마다 남편이 그같이 하매 브닌나가 그를 격동시키므로 그가 울고 먹지 아니하니 그 남편 엘가나가 그에게 이르되 한나여 어찌하여 울며 어찌하여 먹지 아니하며 어찌하여 그대의 마음이 슬프뇨 내가 그대에게 열 아들보다 낫지 아니하뇨 그들이 실로에서 먹고 마신 후에 한나가 일어나니 때에 제사장 엘리는 여호와의 전 문설주 곁 그 의자에 앉았더라 한나가 마음이 괴로와서 여호와께 기도하고 통곡하며 서원하여 가로되 만군의 여호와여 만일 주의 여종의 고통을 돌아보시고 나를 생각하시고 주의 여종을 잊지 아니하사 아들을 주시면 내가 그의 평생에 그를 여호와께 드리고 삭도를 그 머리에 대지 아니하겠나이다."

성경에 나타난 한 위대한 어머니, 어머니 한나를 생각하고자 합니다.

이 한나를 통해서 오늘 우리 세대가 요구하고 있는 어머니상과 각 어머니들이 다시 한번 어머니 됨의 의미를 깨우칠 수 있도록 사무엘상의 이 메시지 앞에 주의를 집중해 주시기 바랍니다.

여러 해 전에 미국의 미시간(Michigan) 대학의 한 교수가 11살에서 18살까지의 여학생들을 대상으로 그들의 개인적·사회적 관심도를 조사한 통계치를 읽은 적이 있습니다.

그 중에서 그들에게 성장해서 장차 어떤 사람이 되고 싶으냐는 질문을 던진 항목이 있었는데, 놀랍게도 이 설문지를 받고 대답한 십대들 가운데서 80%이상이 어머니같이 되고 싶다고 대답했다고 합니다. 우리 교회의 십대들을 대상으로 이런 똑같은 질문을 던진다면 어떤 대답을 얻을 수 있는지 궁금합니다.

인간의 역사 가운데서 어머니처럼 커다란 영향을 끼치는 존재는 다시 없을 것입니다. 루즈벨트(Roosevelt) 대통령은 "어머니는 민족의 혼을 만드는 최고의 주역이다. 어머니는 어떤 성공적인 정치가보다도, 성공적인 예술가보다도, 성공적인 사업가보다도, 성공적인 과학자보다도 우리의 사회에서 더욱 필요한 존재이다" 라는 말을 했습니다.

나폴레옹은 "프랑스로 하여금 좋은 어머니를 갖게 하라. 그리하면 프랑스는 좋은 아들들을 갖게 될 것이다"라고 말했습니다. 어머니는 한 사회의, 미래의 운명과 역사의 방향을 만드는 주역들입니다. 이 사실 앞에 아무도 이의를 제기할 사람은 없을 것입니다. 어머니가 없는 세상을 상상해 보십시오. 어머니의 애정이 사라진 이 세계를 상상해 보십시오.

93년(*Ninety-three*)이라는 빅토르 위고(Victor Hugo)의 소설이 있습니다. 프랑스 혁명 직후의 그 혼란한 사회와 식량이 없어서 기갈에 허덕이고 있는 사회상을 그린 소설입니다. 그 소설에는 이런 장면이 나옵니다.

어머니와 두 아들이 함께 길을 걷다가 어머니가 땅에 떨어진 빵 한 조각을 줍습니다. 이 어머니와 아들들은 며칠씩 끼니를 굶던, 기아에 허덕이던 사람이었습니다. 어머니는 이 빵 한 조각을 줍자마자 본능적으로 그것을 둘로 나눠서 자신의 두 아들에게 주었습니다.

그때 그 곁을 지나고 있던 군인 두 사람이 그 광경을 보았습니다. 그리고 그 중 사병 하나가, 빵 한 조각도 자기를 위해서 취하지 않고 두 아들에게 주는 어머니를 보면서 자기 옆에 있던 상사에게 "저 여자는 배고프지 않은 모양이죠"라고 말합니다. 이 소리를 듣자마자 상사는 그 사병의 어깨를 치면서 이렇게 말합니다. "자네 그렇게 속이 없나. 그건 배고프지 않기 때문이 아니라 저 여자가 어머니이기 때문이야."

이것은 어머니의 자녀들에 대한 애정을 다시 한번 일깨워 줄 수 있는 좋은 일화입니다.

유태인들에게는 이런 습관이 있습니다. 어떻게 보면 이상할지 모르지만, 유태인들이 국제 결혼을 하게 되는 경우에 어머니가 유태인이고 아버지가 유태인이 아닌 경우에 자식들은 유태인으로 취급을 받습니다. 그러나 그 반대의 경우, 아버지가 유태인이라도 그 어머니가 이방 여자인 경우에는 그 자식들을 유태인으로 간주하지 않습니다.

이것은 어머니가 아이들에게 끼치는 영향이 얼마나 결정적인가를 단적으로 보여 주고 있습니다. 물론 아버지도 소중합니다. 그러나 이것은 더 많은 시간을 자녀들과 보내면서, 호흡과 애정을 불어넣고 있는 어머니가 자녀들의 가치관과 삶에 얼마나 큰 영향을 주고 있는가에 대한 좋은 일깨움을 우리에게 주고 있습니다.

어머니 한나, 성경에 나타난 이 어머니 한나가 살고 있었던 때는 어려운 시기였습니다. 국가적인 위기의 시기였습니다. 도덕적인 타락기였습니다. 종교는 극도로 부패하였고 그래서 가치관이 부재하던 시기였습니다.

사람들의 마음속에서는 애국심이 사라졌습니다. 이상주의의 깃발은 내려졌습니다. 영웅들은 죽었습니다. 지도자는, 통치자는 있어도 참된 의미의 존경할 만한 지도자는 부재했습니다. 예언자의 외침도 사라졌습니다. 이 어두운 때에 사회적으로뿐만 아니라 가정적으로도 고통을 당하고 있었던 이 여인 한나. 그녀는 가정적으로 불행한 여자였습니다. 자신의 임신 못함을 인하여 남편 엘가나가 브닌나라는 첩을 두었고, 그래서 삼각 관계 속에서 고민하고 있었습니다.

이 여인, 한나는 누구입니까? 본문은 이렇게 시작되고 있습니다. "에브라임 산지 라마다임소빔에 에브라임 사람 엘가나라 하는 자가 있으니 그는 여로함의 아들이요 엘리후의 손자요 도후의 증손이요 숩의 현손이더라 그에게 두 아내가 있으니 하나의 이름은 한나요 하나의 이름은 브닌나라"(1-2절).

한나, 그녀는 누구입니까? 우리가 성경에서 알아낼 수 있는 그녀에 대한 정보는 그녀의 이름이 한나라는 것과 하나님께서 그녀를 조그마한 시골-이 마을은 마을 이름이 괴상하다는 것을 제외하고는 유명한 것이 하나도 없었습니다-의 조그마한 산간 마을에 두셨다는 것뿐입니다. 다시 말해서 본문은 이렇게 시작되고 있습니다. "이 무명의 마을, 사람들이 아무도 돌아보지 않는 이 산간 마을에 하나님께서는 참으로 아름다운 여인, 참으로 좋은 어머니 하나를 숨겨 두고 계셨습니다. 그 여인이 한나입니다."

이 어머니 한나는 우리 어머니들이 가질 수 있는 온갖 약점을 다 가지고 있었던 여인입니다. 우리 어머니들이 가질 수 있는 그리고 저지를 수 있는 모든 실수와 모든 연약함과 모든 약점을 다 가지고 있었던 여인이었습니다.

그럼에도 불구하고 이 여인이 성경에 나타난 대로 아름다운 여인이 된 데에는 몇 가지 이유가 있습니다. 성경에 나타난 모든 어머니들 가운데서 이 여인을 두드러지게 등장시키게 만들었던, 그래서 오고 오는 모든 시대에 교훈 삼을 한 어머니상으로서 깊은 영감을 남길 수 있었던 몇 가지 중요한 원인이 있습니다.

우리는 어버이로서, 혹은 어머니로서 한나에게서 배워야 합니다.

기도하는 어머니

첫째로, 한나는 기도하는 어머니였습니다.

한나는 슬픔의 여인이었습니다. 그 시대에 여인으로서 자식을 갖지 못한다는 것만큼 가슴 아픈 일은 없었습니다. 오늘 이 시대에도 마찬가지입니다만 그 시대에는 더욱 그러했습니다. 해마다 명절이 되면, 자녀들을 데리고 성전으로 예배하러 가는 다른 어머니들을 볼 때마다 미어져 가는 한나의 슬픔을 우리는 공감할 수 있을 것입니다. 남편이 더 자식을 기다리지 못하고 브닌나라는 첩을 얻었을 때, 한나의 마음속에 가득했던 슬픔과 고독과 소외감을 넉넉히 짐작할 수가 있습니다.

6절을 보십시오. "여호와께서 그로 성태치 못하게 하시므로 그 대적 브닌나가 그를 심히 격동하여 번민케 하더라." 더욱이 브닌나는 예절 없는 여인으로 인해서 설움을 받고, 괄시를 받는다는 것은 이 여인의 가슴을 더욱 멍들게 했을 것입니다. 그러나 그녀에게는 소중한 무기 하나가 있었습니다. 이 무기는 질투가 아니었습니다. 질시가 아니었습니다.

그 무기는 기도였습니다. 이 무기, 기도가 이 여인을 위대하게 만들었습니다. 한나는 많은 교육을 받은 여인이 아닙니다. 또, 한나는 돈이 많은 여인도 아닙니다. 좋은 배경 속에서 자라난 여인도 아닙니다. 반드시 미모가 뛰어났다고 할 수도 없을 것입니다. 그럼에도 불구하고 오늘 우리가 이 어머니를 기억하게 되는 이유, 아니, 오고 오는 모든 기독교 역사를 통해서 이 어머니가 특별히 우리의 관심을 끄는 그 이유, 그것은 바로 이 여인의 기도 때문입니다.

10절에서 우리는 이 여인의 통곡의 기도를 볼 수 있습니다. "한

나가 마음이 괴로와서 여호와께 기도하고 통곡하며." 이 여인의 기도는 차라리 소리도 내지 못하고 안으로 흐느끼는 통곡의 기도였습니다.

12절을 보십시오. "그가 여호와 앞에 오래 기도하는 동안에 엘리가 그의 입을 주목한즉 한나가 속으로 말하매 입술만 동하고 음성은 들리지 아니한지라."

얼마나 설움이 많은 여인이었습니까? 그러나 개인적인, 사회적인, 가정적인 억울함과 어려움과 고독함과 소외를 경험했을 때 그것을 밖으로 폭발시킨 것이 아니라 이 여인은 자기의 모든 한과 아픔과 고통을 가지고 자신의 모든 아픔을 아시는 하나님 앞에 나아와 그 아픔을 소화시킬 줄 알았습니다.

기도를 통해서 자기의 모든 문제를 내려 놓고, 살아 계신 하나님 앞에 호소하며, 사람들 앞에 자기의 모든 감정을 노출하기보다 하나님 앞에 자신의 감정을 내놓을 수 있었던 한나는 기도의 무기를 가진 여인이었습니다.

17, 18절을 보십시오. "평안히 가라 이스라엘의 하나님이 너의 기도하여 구한 것을 허락하시기를 원하노라"(17절)는, 하나님이 당신의 기도를 들을 것이라는 엘리의 선언이 있자마자 한나는 바로 이렇게 반응합니다. "당신의 여종이 당신께 은혜 입기를 원하나이다 하고 가서 먹고 얼굴에 다시는 수색이 없으니라(18절)."

아직 아들이 주어지지 않았지만 하나님이 내 기도를 응답하실 것이라는 확신이 있자마자 즉각적으로 염려를 거두고, 걱정을 거두고 이제는 다시 얼굴에 기쁨을 회복하면서 정상적인 삶의 모습으로 돌아오고 있는 여인을 보십시오. 그녀는 막연히 기도만 한 것이 아니라, 기도를 통해서 설움만 토한 것이 아니라, 하나님이 내 기도를 들으신다 그리고 내 기도를 들으셨다는 확신의 근거

위에서 행동할 줄 알았던 진실한 기도의 사람이었습니다.

많은 사람이 기도하기는 하지만 기도를 확신하지 못합니다. 그리고 때로는 기도의 응답을 확신해도 그 확신 위에서 행동하지 못하기도 합니다. 이런 의미에서 이 여인은 완벽한 기도의 모범을 보였습니다. 그녀는 하나님 앞에서 자기의 마음을 토하며 기도했고, 또 하나님께서 자신의 기도를 들으실 것을 확신했고, 또 확신했기 때문에 자신의 모든 설움을 떨치고, 자신의 모든 염려와 걱정과 불안을 떨쳐 버리고 당당하게 다시 삶의 무대 위에서 즐거워하고 기뻐하면서 걸어갔습니다. 이제 이 여인을 주목하십시오. 기도의 사람, 기도의 여인이었습니다.

19절과 20절에 보면 바로 기도의 응답을 받습니다. 자식을 갖게 된 것입니다. 누구입니까? 사무엘입니다. 이 여인이 기도의 응답으로 받은 아들이었습니다. 사무엘의 이름의 뜻은 무엇입니까? 내가 여호와께 이 아들을 구하였다(20절)는 것이 사무엘이라는 이름의 뜻입니다.

그렇습니다. 아들을 얻었다는 것이 중요한 것이 아닙니다. 하나님이 어떤 사람에게 아들을 주실 수도, 주지 않으실 수도 있습니다. 그보다 더 중요한 것은 하나님께 기도했다는 것입니다. 그리고 기도하는 동안에 이 여인의 인격과 삶이 변화되었다는 사실입니다. 하나님께서 이 여인을 기도의 모범으로 쓰셨다는 사실이 더 소중합니다.

한 걸음 더 나아가서 생각해 보십시오. 이 아들 사무엘은 어떤 사람이었습니까? 사무엘의 삶의 행적을 더듬어 가면서 우리는 사무엘에 관해서 많은 것을 이야기할 수 있습니다. 그러나 이 아들 사무엘의 생애 가운데서 가장 두드러진 삶의 특성을 우리가 꼬집어서 말한다면 그것은 무엇이겠습니까? 사무엘은 기도의 사람이었다는 것입니다. 어떻게 그것이 가능했습니까? 그것은 그의 어머니 때문입니다. 기도의 어머니에게서 기도의 아들이 자라나는 것은 결코 우연일 수가 없습니다.

여러분, 사무엘이 후에 국가가 어려움에 직면했을 때 했던 이 고백을 기억하십니까? "나는 너희를 위하여 기도하기를 쉬는 죄를 여호와 앞에 결단코 범치 아니하리라." 사무엘은 어려움에 처해 있는 사랑하는 조국을 위해서 그리고 사랑하는 가정을 위해서, 사랑하는 사회와 이웃을 위하여 내가 기도하기를 쉬는 죄를 범치 않겠다고 고백한 것입니다.

사무엘은 기도를 중단하는 것을 죄로 알았습니다. 이 심각한 기도의 삶, 이 숙연한 기도의 삶을 지배했던 기도에 대한 이러한 정신을 그는 어디에서 배웠단 말입니까? 이 기도의 삶, 이 기도의 정신은 어디에서 온 것입니까? 그의 어머니에게서였습니다.

우리는 다시 어거스틴(Augustine)의 어머니 모니카(Monica)의 고백을 기억하게 됩니다. "눈물로 기도하는 어머니의 자식은 결코 망할 수 없다." 동의하십니까?

조셉 파커(Joseph Parker)라는 훌륭한 청교도 설교가이자 위대한 지도자 한 사람이 있었습니다. 그분은 자신이 금혼식을 하게 되었을 때, 많은 사람들의 축하를 받으면서, 그의 삶이 그토록 감동적이었고, 주위의 많은 사람들에게 인상깊은 영향을 남기며, 사회에 업적을 남길 수 있었던 이유를 묻는 질문에 이런 유명한 대답을 했습니다.

"나에게는 지금도 잊을 수 없는 사건이 하나 있습니다. 제가 고등학교를 마치고 대학 공부를 위해 집을 떠나던 날, 어머니께서는 나를 부르셨습니다. '조이, 내 아들 조이야, 너 나에게 한 가지 약속을 할 수 있겠니?' 그래서 저는 '말씀하세요 어머니. 그 약속이 무엇입니까?'라고 대답했습니다. '아니, 네가 약속한다고 말하면 내가 말을 할게'라고 어머니는 대답하셨습니다. 제가 어머니께 '그 약속의 내용이 무엇인 줄 알아야 제가 약속을 할 수 있지 않습니까' 하고 묻자 어머니는 '어렵지 않단다. 결심만 하면 되는거니까. 네가 그렇게 한다고 약속하면 얘기하마'라고 똑같은 대답을 하셨습니다. 저는 한참 동안 생각을 하다가 '어머니, 얘기 하세요'라고 말했습니다.

"그러자 어머니는 말씀을 하기 시작하셨습니다. '나는 너를 지금까지 기도하면서 길렀다. 이제 집을 떠나는 이 날 너에게 한 가지만 부탁한다. 하루를 기도로 시작하고 기도로 마쳐다오.'

"내가 집을 떠난 그날부터 이 어머니와의 약속이 나의 삶을 지배했습니다. 그리고 기도 없이 살고 싶은 유혹이 내 맘에 있을 때마다 어머니의 음성은 하나님의 음성이 되어 내 마음속에 역사했습니다. 나는 무릎을 꿇었습니다. 기도했습니다. 오늘까지 그 기도로 살아왔습니다. 그 기도가 나의 삶을 만들었습니다. 이것이 인생의 석양을 맞이하는 저의 고백입니다."

당신이 그냥 어머니, 아버지가 아니고 오늘 교회에서 신앙의 언약을 받고, 하나님의 말씀을 받으며, 예수 그리스도를 구주와 주님으로 영접한, 그래서 마땅이 성경의 말씀에 비추어 자신을 그리스도인이라고 말할 수가 있다면 저는 오늘 사랑하는 부모들에게 이러한 도전을 던지고 싶습니다. "당신은 기도하는 어머니 이십니까? 혹은 기도하는 아버지이십니까?"

영적 야망을 가진 어머니

둘째로, 한나는 영적인 야망을 가진 어머니였습니다.

오늘 본문이 보여 주고 있는 또 하나의 어머니상입니다. 11절의 말씀을 보십시오. 한나가 하나님 앞에 바치고 있는 소원입니다. "이 여종을 불쌍히 여기시고 저를 긍휼히 여기셔서 아들을 주시면 제가 그 아들을 다시 하나님께 드리겠습니다." 다음 장에 보시면 이 어머니 한나가 자신의 남편과 함께 이 아들을 하나님께 드리는 장면이 나옵니다.

1 : 27, 28에도 이러한 약속을 실행하는 장면이 나옵니다. "이 아이를 위하여 내가 기도하였더니 여호와께서 나의 구하여 기도한 바를 허락하신지라 그러므로 나도 그를 여호와께 드리되 그의 평생을 여호와께 드리나이다."

자녀를 뜻있는 사업에 바치는 어머니가 있습니다. 자녀를 국가에 바쳤다고 말하는 어머니들도 종종 있습니다. 자녀를 인류를 위해서 바쳤다고 공언할 수 있었던 어머니들도 역사 속에 있었습니다. 그러나 그보다 더 위대한 비전을 말씀드리겠습니다. 그보다 더 위대한 도전을 말씀드리겠습니다.

당신의 자녀를 만군의 여호와, 창조주 하나님 앞에 드릴 수가 있습니까? 성경에서 이 드린다는 단어처럼 엄숙하고, 아름답고, 흥미로운 것은 없습니다. 사실상 드린다는 것은 되돌려 드린다는 것입니다. 왜입니까? 하나님께 받은 것이기 때문입니다.

인간이 이 세상에 사는 동안에 가장 가지기 쉬운 착각 가운데 하나는 소위 "내 것"이라는 소유 의식의 착각입니다. 내 것이 어디 있습니까? 모두 하나님이 주셨습니다. 누가 당신에게 생명을 주었습니까? 누가 나의 출생 날짜를 정했습니까? 누가 나에게

호흡을 시작할 수 있게 했습니까? 아무도 나의 마지막 날을 정할 수 없습니다.

나에게 생명을 주시고, 내 생존을 가능하게 하신 분이 바로 하나님이신 것을 인정하십니까? 그 하나님이 내게 생명을 주시고, 그 하나님이 내게 자녀를 주시고, 그 하나님이 내게 건강도 주시고, 그 하나님이 내게 성격도 주시고, 그 하나님이 내 삶의 환경과 기질도 주셨습니다.

그래서 내가 삶에 있어서 가지고 있는 모든 것은 실상은 하나님의 선물에 불과합니다. 그것은 하나님의 은총입니다. 이 모든 것은 하나님의 것입니다. 따라서 이 모든 것을 하나님을 위하여 사용하십시오. 우리는 이것을 바로 청지기 의식이라고 부릅니다.

청지기에게는 자기의 것이 없습니다. 주님의 것을 맡아서 관리하는 것뿐입니다. 그래서 선한 청지기, 충실한 청지기가 되기 위해서 계속해서 이 질문을 던져야 합니다. "이것을 어떻게 사용하는 것이 이것의 주인이신 하나님의 뜻에 합당할 것인가?"

여러분에게 주어진 그 자녀가 단지 내 자식이 아니라 하나님의 자녀라고 생각한다면 여러분은 어떤 시각에서 그 자녀를 기르시겠습니까? 이 자녀를 하나님께로부터 받았다는 사실을 시인하십니까? 그렇다면 하나님께 되돌려 드리십시오. 그리고 하나님의 영광을 위하여 자녀를 키우십시오.

한나는 기도를 통해서 아들을 얻었기에 이 아들은 하나님께서 주셨다는 확신이 더욱 강했습니다. 그것이 분명하니까 하나님의 영광을 위해서 이 아들을 바치겠다고 선언한 것입니다. 이것이 이 여인이 가지고 있었던 일종의 영적인 야심입니다. 하나님의 영광을 위하여 내 자녀를 위대하게, 내 자녀를 깨끗하게, 내 자녀를 신실하게 길러보겠다는 영적인 야심입니다.

여러분이 지상에서 모든 일을 잘한다고 할지라도 여러분의 자녀가 여러분의 가슴을 찢는다면 여러분의 삶의 성공이 무슨 의미가 있겠습니까? 여러분이 정치에 성공하고, 사업에 성공하고, 약간의 돈을 수중에 쥐고, 여러분이 세상에서 세속적인 꿈을 성취했다고 합시다. 그러나 당신이 사랑했던 아들, 당신이 눈물을 흘렸던 아들, 당신이 희생했던 그 아들, 당신의 기대를 걸었던 그 아들, 그 딸이 당신의 가슴을 찢는다면 당신의 성공과 당신의 삶의 풍요는 도대체 무슨 의미가 있단 말입니까?

인간이 많은 야망을 가질 수 있지만 이 야망보다 더 위대한 야망은 있을 수 없습니다. 하나님의 영광을 위하여 자녀를 기르겠습니다라는 영적인 야망을 가지고 자녀를 기르기 원하는 이 시대의 부모들은 도대체 어디에 있습니까?

여러분, 성경은 선한 의미의 야심이란 말을 나쁘게 판단하지 않습니다. "미쁘다 이 말이여, 사람이 감독의 직분을 얻으려 하면 선한 일을 사모한다 함이로다"(딤전 3:1). 감독의 직분, 양무리를 먹이는 지도자가 되기를 원하는 것은 선한 일을 사모하는 것입니다. 좋은 의미의 지도자가 되기를 꿈꾸는 것은 선한 야망입니다. 영적인 의미에서 성실하고, 아름답고, 위대하고, 모범이 될 수 있도록, 좋은 지도자가 되도록 내 자녀를 기른다는 것은 선한 야망입니다. 성경은 이 선한 야망을 정죄하지 않습니다. 여러분은 이 야심을 가지고 있습니까?

저는 이 한국의 부모들이 자녀에게 남다른 교육의 야망을 가진 것에 대해 감사합니다. 그것은 칭찬할 만한 좋은 야망입니다. 그러나 한 걸음 더 나아가서 거기에 조금 더 야망의 수준을 높여 영적인 야망을 가질 수는 없습니까?

나를 창조하신 하나님, 나의 생존을 가능하게 하시는 하나님,

내 삶의 주인 되신 하나님을 위해서 내 자녀가 자라나며 하나님
안에서 삶을 살고, 그 믿음의 영향을 이 땅에 미치게 하는 위대한
영적인 지도자가 되기를 꿈꾸는 이 영적인 야망을 가진 어머니와
아버지들은 어디에 있습니까?

예수님의 제자 가운데서 야고보와 요한이라는 형제가 있었습
니다. 그들의 어머니는 야심이 많은 어머니였습니다. 그러나 그
것은 다분히 세속적인 야망이었습니다. 그래서 주님께 이렇게 간
구했습니다. "주님, 주님께서 이 땅에서 정권을 잡으시면 내 한
아들은 당신의 오른쪽에 또 다른 아들은 당신의 왼쪽에 앉게 해
주십시오." 우리는 이런 야망을 세속적인 야망이라고 할 수 있습
니다. 물론 이 야망도 그렇게 나쁜 야망이라고 할 수는 없습니다.

그러나 예수께서는 이 사건을 통해서 보다 위대한 지도자의 야
망을 그들에게 도전하셨습니다. "남을 지배하는 지도자보다도 섬
기는 지도자, 희생을 통해서 위대한 영향을 남길 줄 아는 지도자,
고난의 잔을 마시면서도 이 땅에 아름다운 삶의 발자취를 남길
수 있는 지도자, 아들을 그러한 지도자로 기를 수 있는, 그런 선
한 의미의, 보다 고상하고, 질이 높은 야망을 가지는 그런 어머니
가 너는 될 수 없는가?" 그것이 주님의 도전이었습니다.

바른 인격, 바른 양심, 귀한 존재, 귀한 영향을 남기고 가는 내
아들, 내 딸로 그렇게 자녀를 기르기 원하는 영적인 야심을 가진
어머니는 어디에 있습니까?

여기 한 어머니를 소개하겠습니다. 자녀들을 무려 19명이나 두
었던 어머니, 그랬기에 달리 자신의 시간을 가질 수 없었던 어머
니였습니다. 그런데 이 어머니에게 이런 야심이 있었습니다. "나
는 이 19명의 자녀 전부를 이 시대를 흔드는 하나님의 사람으로
만들겠다. 어렸을 때부터 하나님의 말씀을 분명히 알고 이 말씀

을 실천하는 자녀로 기르겠다. 그리고 이들은 모두가 다 그들에게 주어진 삶의 자리에서 하나님께 영광을 돌리며 살아가도록 기를 것이다." 매주 한 시간씩 자녀들에게 성경을 가르쳤습니다. 그리고 어렸을 때부터 그들의 마음속에 위대한 야망을 심었습니다.

하나님을 위해서 살고자 하는 이 위대한 야망을 심었습니다. 그녀는 언제나 가정은 위대한 학교라고 생각했습니다. "나는 내 자녀의 교육을 학교에만 맡길 수 없다. 나는 내 눈물과 내 기도와 손때 묻은 내 성경을 가지고 내 자녀를 가르치겠다." 이러한 어머니를 통해서 자란 19명의 자녀 가운데서 위대한 지도자가 되지 않은 자녀들이 하나도 없었습니다. 영국의 한 시대를 도덕적으로 일깨웠던 존 웨슬리(John Wesley), 찬송가의 수많은 곡들을 작사하여서 찬송의 영감을 남겼던 찰스 웨슬리(Charles Wesley) 이 두 웨슬리 형제를 포함해 모두가 아름답고 모두가 신실했던 자녀들을 길러냈던 수잔나(Susannah), 우리는 이 어머니를 기억하기를 바랍니다.

그런데 오늘 우리 가운데서 이런 영적인 야망을 가지고 자녀들을 위해서 눈물 어린 기도를 드리면서 자녀를 길러내는 한국의 어머니들은 어디에 있습니까?

자녀를 주께 드린 어머니

셋째로, 그녀는 자녀를 하나님께 맡길 수 있었던 어머니였습니다. 다시 24절부터 28절의 말씀을 보십시오. 한나는 자기 사랑하는 아들을 데리고 성전에 올라갑니다. 그리고 성전에 놔두고 돌아오는 장면입니다.

우리 부모님들이 아이가 대학에 들어가게 되면 그들을 데리고 대학교 기숙사에 가서 그들을 그곳에 두고 돌아오는 장면과 비슷합니다. 장소가 학교가 아니라 성전입니다만 "이제 너는 이곳에서 하나님의 말씀을 배우고 자라라"고 자녀를 부모의 품에서 떼어 보내는 장면입니다.

이것의 마지막 클라이맥스가 28절입니다. 이 장면이 매우 인상적입니다. "그러므로 나도 그를 여호와께 드리되 그의 평생을 여호와께 드리나이다 하고 그 아이는 거기서 여호와께 경배하니라." 아이를 그곳에 놓아두고 부모는 돌아오는 것입니다. 왜 걱정이 안 되었겠습니까? 자녀를 지방이나 외국에 처음으로 데려다 주고 돌아올 때 여러분의 심정은 어떠했습니까? 얘들이 엄마를 그리워하지는 않을는지, 어떤 실수를 저지르지는 않을지, 식사는 제대로 할지……얼마나 많은 걱정, 얼마나 많은 심려가 부모의 마음속에 있습니까?

더욱이 한나가 사무엘을 맡기고 온 엘리 제사장이 훌륭한 사람이 못 되었습니다. 그 학교의 교장이 훌륭하지 못한 것과 같습니다. 그리고 그 교장의 자녀들이 엉망이었습니다. 홉니와 비느하스. "저 아이들과 어울리면 내 아들이 나쁜 영향을 받지는 않을는지……." 얼마나 많은 심려, 얼마나 많은 불안이 있었겠습니까?

그런데 이 고백을 들어 보십시오. 염려와 불안이 중첩한 이 와중에 드리는 고백을 들어 보십시오. "오 하나님이여, 이 아들을 하나님 앞에 드리나이다. 바치나이다." 다시 말하면 하나님께 맡기는 것입니다.

어머니 한나 못지않게 오늘 이 시대를 살아가고 있는 어머니들, 아버지들에게도 얼마나 많은 걱정이 있습니까? 하나님 앞에 자녀들을 드리지 않고는, 맡기지 않고는 미칠 수밖에 없는 세상입니다. 오늘의 우리 학교들은 무신론적인 교육을 시키고 있습니

다. 학교에 가자마자 잘못된 학생들의 영향을 받습니다. "내 자녀
가 잘못된 아이들의 영향을 받지는 않을는지, 마약에 연관되지는
않을지, 잘못된 성적인 유혹과 어려움에 휩쓸리지는 않을지……."
여러분, 부모의 걱정에는 늘 한계가 있습니다. 실제로 도울 수 있
는 능력이 당신에게 없기 때문입니다. 어떻게 하시겠습니까? 이
시점에서 당신의 자녀를 하나님께 온전히 맡기는 결단이 계십니
까?

우리는 또한 이 어머니 한나에게서 자녀를 떼어놓을 줄 아는
훈련도 받아야 합니다. 떼어놓아야 할 시기가 되었을 때, 떼어놓
을 줄 알았습니까? 오늘 이 시대의 얼마나 많은 어머니들이 자식
을 올바로 붙들지도 못하면서 붙들려고만 하는지 모릅니다. 그래
서 성경은 결혼을 정의할 때에 "이러므로 사람이 그 부모를 떠
나"(엡 5:31)라고 말합니다.

결혼은 부모를 떠나는 것입니다. 떠나 보내 주어야 합니다. 떠
나려고 할 때, 아니 떠날 시기가 되었을 때 떠나 보낼 줄 알아야
합니다. 그러나 떠나 보내기 전에 교육을 시켜야 합니다. 하나님
과 바른 관계를 맺도록 해야 합니다.

그리고 떠나보낼 때에 그 자녀를 맡길 대상이 필요합니다. 하
나님께 맡길 수 있습니까? 또 그 하나님을 붙들도록 권면할 수
있습니까? "너에게는 하나님이 있단다. 그래서 나는 염려하지
않는다. 네 배후에는 나의 기도가 있단다. 나는 너를 위해서 늘
기도할거야"라는 고백이 가능할 수가 있습니까? 뱃속에서 내 모
태 속에서 자라나고 있는 아기가, 생명이 너무나 귀해도, 세상에
나오려고 할 때에 그 탯줄을 끊어 주지 않고는, 그 생명이 한 독
립적인 개체의 사람이 될 수 없습니다. "가라, 너는 이제 한 사내
대장부로서, 성숙한 여인으로서 이 세상에서 삶을 살아야 한다.

그러나 잊지 말아라. 나는 너를 하나님께 드렸다. 그리고 네 배후에는 하나님이 계시니 하나님이 너를 인도하실거야"라고 하나님께 맡기고 하나님께 드릴 줄 아는 어머니, 아버지가 되어야 합니다.

하나님 앞에 드린다는 것은 손해가 아닙니다. 그것은 축복입니다. 그래서 사무엘은 사무엘이 될 수가 있었습니다. 사무엘이 떠나간 뒤에 하나님은 한나에게 또 다른 아이들을 주셨습니다. 세 아들과 두 딸을 보상으로 주시는 장면을 우리는 2장에서 볼 수가 있습니다.

기도하는 어머니, 영적인 야심에 불타는 어머니, 하나님 앞에 사랑하는 자녀들과 자기를 온전히 바쳤던 어머니. 이런 어머니가 그리워집니다. 이런 아버지가 그리워집니다. "당신은 오늘 하나님 앞에서, 어떤 아버지이고, 어떤 어머니입니까?"

당신은 기도하는 어머니입니까? 아니면 졸고만 있는 어머니입니까? 도덕적인 잠이 들어 졸고만 있다가 어느 날 깨어나 보니까 내 자녀들이 잘못되기 시작합니다. 너무 늦었습니다. 지금부터 기도하십시오. 영적인 야망을 가지고 자녀를 키우면서 하나님의 영광을 위하여, 하나님을 기쁘시게 하기 위하여 자녀를 하나님의 뜻에 맞도록 길러 보기를 원하십시오. 주 앞에 이 아이를 맡기나이다라고 결단하십시오. 가슴에 내 자녀들이 내미는 카네이션을 받기 전에 받으실 만한 어머니인지, 아버지인지를 다시 한번 생각해 보십시오. 이 시간 여러분 자신을 위해서 기도하십시오. 자녀들을 위해서 기도하기 전에 하나님 앞에서 내가 이 자녀들의 사랑과 존경을 받을 만한 아버지, 어머니가 못 되었던 것이 안타깝거든 주 앞에 기도하십시오. 그리고 자신의 사랑하는 아들, 딸들의 이름을 불러가면서 기도하십시오.

아버지, 하나님!

우리가 주 앞에서 못난 아버지, 못난 어머니인 것을 용서해 주십시오. 그러나 오늘 우리는 주의 말씀의 도전 앞에서 새롭게 결심하며 우리 자신을 주 앞에 바치나이다. 우리는 한 소박했던 여인, 한나에게서 새로운 도전을 받습니다. 우리로 하여금 기도하게 하옵소서. 그리고 자녀를 제대로 기르고 싶은 영적인 야망을 가질 수 있도록 도와주옵소서. 부모된 한계를 겸손히 깨닫고 인정하면서 주 앞에 이 자녀를 맡기고 바칠 수 있는 어버이가 될 수 있도록 도와주옵소서.

그리하여 자랑스럽게 자라나고 있는 우리의 자녀들, 그들이야말로 내 인생의 가장 위대한 훈장이 될 수 있도록 도와주옵소서.

주님, 오늘 우리의 가정, 우리의 사랑하는 자녀들의 마음속에 그리고 부모들의 마음속에 한결같이 하나님의 뜻을 따라 살고자 하는 거룩한 열망이 새겨지게 도와주옵소서. 예수님의 이름으로 기도합니다. 아멘.

복습과 토의 질문

1. 어머니로서 나를 평가할 때 가장 좋은 장점과 가장 시정되어야 할 단점은 무엇입니까?

장점 :

단점 :

2. 어머니로서 나의 자녀들을 위한 기도 생활을 평가해 보십시오.

(0-아주 형편없다   10-아주 만족한다)

0   1   2   3   4   5   6   7   8   9   10

3. 나의 자녀에 대한 영적 야망(기대)을 기술해 보십시오.

제3부

행복한 자녀 양육을 위하여

9

성경적인 자녀 양육의 원리

에베소서 6 : 4 ; 디도서 2 : 4 - 5

"또 아비들아 너희 자녀를 노엽게 하지 말고 오직 주의 교양과 훈계로 양육하라."

"저들로 젊은 여자들을 교훈하되 그 남편과 자녀를 사랑하며 근신하며 순전하며 집안 일을 하며 선하며 자기 남편에게 복종하게 하라 이는 하나님의 말씀이 훼방을 받지 않게 하려 함이니라."

성경적인 자녀 양육의 원리

꽃을 가꾸는 일에 아주 열중하는 분을 옆에서 관찰해 본 적이 있습니까? 화초 가꾸기에 열심인 사람들을 보면 아주 굉장합니다. 책을 보고 연구하고, 시간을 내서 규칙적으로 물을 주고, 태양을 쬐어 주기도 하고, 좋은 공기를 흡입하게 하고, 심지어는 꽃하고 대화를 해야 그 꽃이 잘 자랄 수 있다고 해서 꽃에게 혼자서 막 이야기하는 사람을 본 적도 있습니다. 또, 어디 여행이라도 가게 되면 그 동안 꽃이 어떻게 될까봐 제일 먼저 꽃에 대한 세심한 배려와 준비를 다해 놓고 나서야 여행을 떠나는 분들도 보게 됩니다.

애완용 동물을 키우는 분들을 옆에서 관찰해 보신 적이 있습니까? 애완용 동물에 빠져 있는 분들도 역시 책을 보고 연구를 하고, 동물들의 기호를 파악해 두고, 주인의 기대에 부응하도록 하기 위해 철저한 훈련을 시키고, 또 돈을 들여서 특별한 훈련을 시키기도 하고, 또 향수를 뿌려 주고, 정성껏 목욕을 시켜 주고, 함께 산책을 가기도 하는 등 세심한 사랑을 베풀면서 그들을 기릅니다.

자신의 건강을 돌보기 위해서 특별한 노력을 기울이고 계신 분들을 보십니까? 규칙적으로 조깅을 하고, 헬스 클럽에도 다니고, 몸무게를 재보고, 도표를 만들어서 자기의 건강 상태를 지속적으로 점검을 하고, 다이어트를 하고, 음식을 가려먹고, 보약을 먹기도 해서 몸을 잘 돌봅니다.

그런 노력들에 비해서 여러분은, 자녀들을 위해서 얼마만큼 노력하십니까? 자녀 양육을 위해서 책을 읽어 보신 적이 있습니까? 어떤 일정한 규칙을 정하고 그 규칙에 따라서 자녀를 훈련시키는 양육에 대한 분명한 철학이 여러분들에게는 있습니까? 또 함께 시간을 가지면서 자녀들과 함께 깊은 생의 문제를 의논하며, 그들의 장래를 함께 이야기하기 위해서 그의 이야기에 진지하게 귀를 기울여 보신 적이 있습니까? 자녀들이 여러분의 삶 속에서 중요하다는 사실은 알고 있지만 여러분의 삶에서 구체적으로 얼마만큼의 위치를 차지하고 있습니까?

이런 말씀을 드리는 이유는 본문 에베소서 6:4 말씀 가운데 "주의 교양과 훈계로 양육하라"에서 "양육한다"는 말은 희랍어에 에크트레포(ektrepho)로서 "꽃을 기른다", "애완 동물을 기른다", "몸을 돌본다"는 말을 할 때 사용되던 단어입니다.

그런데 여러분은 꽃을 기르는 사랑만큼, 애완용 동물을 기르는 정성만큼, 내 건강을 돌보기 위하는 노력만큼, 그만큼이라도 정성과 지속적인 관심을 참으로 여러분의 자녀들에게 가지고 계십니까? 그런 노력이 없이도 여러분의 자녀들이 크게 비뚤어지지 않고 자라나고 있다면 그것은 하나님의 은혜요 기적인 것을 알아야 합니다.

우리의 자녀들 속에 어려움이 생기고, 문제가 있는 것은 어쩌면 당연한 일일지도 모릅니다. 성경은 자녀들을 하나님의 기업이라고 말합니다. 하나님의 상급이라고 말합니다. 하나님의 선물이라고 말합니다. 그보다 더 중요한 기업이 없고, 그보다 더 놀라운 상급이 없고, 그보다 더 중요한 숙제가 없으며, 그보다 더 감격스러운 선물이 없을 것입니다. 당신이 세상을 떠나갈 때 남길 수 있는 유일한 기업은 자녀밖에 없습니다.

그 자녀를 어떻게 양육하고 계십니까? 오늘 우리는 본문 말씀을 통해서, 자녀 양육의 몇 가지 원리를 찾아 보도록 합시다.

아버지가 책임을 져야 함

첫째로, 아버지가 자녀 양육에 궁극적인 책임을 져야 합니다.
본문은 "아비들아"라는 말로 시작하고 있습니다. 이 말이 어머니가 자녀 양육의 책임에서 제외된다는 말은 아닙니다. 어머니도 포함됩니다. 마치 성경에서 "형제들아"라고 말하면 자매들도 포함되어 있는 것처럼 말입니다.

그런데도 불구하고 성경은 자녀 양육의 궁극적인 책임을 아버지에게 묻고 있습니다. 다시 말해 하나님이 아버지를 가정의 머리로 삼은 이상, 그 가정에서 일어나는 모든 일, 자녀들의 삶의 모든 상태에 대한 마지막 궁극적인 결산의 책임은 아버지들이 져야 한다는 것입니다.

여러분, 에덴 동산에서, 이 에덴이라는 가정에서 일어난 범죄의 책임을 하나님은 누구에게 묻고 계십니까? 신약성경에 보면 "한 사람으로 말미암아 죄가 세상에 들어오고"라는 말씀이 있습니다. 여기서 한 사람이란 누구를 말합니까? 바로 아담입니다. 비록 죄의 시작은 하와였지만 그럼에도 불구하고 그 책임을 남자에게 묻습니다. 아버지에게 묻습니다. 아담에게 묻습니다. "아담으로 말미암아"라고 성경은 기록하고 있는 것입니다.

오늘날의 문제아, 오늘날 청소년 탈선의 원인들 가운데 가장 중요한 요소는 어디에 있습니까? 심리학자들이 가장 중요한 요소로 지적한 것이 무엇인지 아십니까? 아버지의 역할이 부재하고 있는 가정에서 온갖 불량 청소년들과, 청소년 문제들이 발생하고 있다는 사실입니다. 아버지의 역할이 부재한 가정, 아버지가 있으나마나 한 가정에서 청소년 문제가 발생되었습니다. 특히 동성 연애자 같은 경우에는 아버지의 사랑을 받지 못한, 아버지와의 접촉이 없었던 사람들이 아버지를 그리워하는 마음에서 동성 연애에 빠지게 된다는 것입니다.

부모는 최초의 교사입니다. 자녀들에게 있어서 부모는 최초의, 아니 궁극적인 교사입니다. 자녀 양육의 가장 중요한 자리는 학교나 교회가 아닙니다. 물론 훌륭한 교회, 훌륭한 학교에서 좋은 교육을 받는 것은 필요한 일이지만 자녀 양육에서 가장 중요한 시간이, 그리고 가장 많은 활동이 이루어지고 있는 현장이 바로 가정입니다.

부모 여러분, 어머니 여러분, 아버지 여러분, 여러분은 여러분의 자녀를 향해서 어떤 유형의 교사로서 살고 계십니까? 아버지 여러분, 여러분은 여러분의 자녀 양육에 얼마만큼 책임을 지고 계십니까? 전통적인 우리 한국의 교육 방식은 어머니에게 맡기는 것입니다. 그래서 기독교인도 예외가 아닙니다. 그러나 오늘 당신과 내가 믿고 있는 이 성경은 "아버지들이여! 주의 교양과 훈계로 자녀를 양육하라"고 말씀하고 계십니다.

주의 교훈으로 양육해야 함

둘째로, 주님의 교훈으로 양육해야 합니다.

"주님의 교양과 훈계"로 양육하라고 말씀합니다. 불신앙의 가정에서 겪어야 할 최고의 딜레마가 무엇인지 아십니까? 그들에게 있어서 삶의 최고의 권위가 없다는 것입니다. 무엇을 가지고 자녀를 교육하겠는가 하는 것입니다.

심리학적인 원칙에 의해서 자녀를 양육합니까? 오늘날의 심리학의 원칙이라는 것은 쉴 새 없이 변화되고 있고, 비틀거리고 있습니다. 그 다양한 이론들은 심리학의 동향을 분간할 수 없을 정도로 난립되어 있습니다. 최근 한 유명한 심리학자는 심리학의 파산이라는 책을 썼습니다. 제가 아는 한 분은 심리학을 연구하며 "이 심리학이 과연 인간 문제의 해답일 수가 있는가?"라는 심리학에 대한 깊은 회의에 빠졌습니다. 이 분은 성경을 읽다가 말씀 속에서 대답을 발견하고, 그가 7, 8년 동안에 걸쳐서 받은 박사 학위를 던져 버리고 복음을 전하는 복음 전도자가 되었습니다. 심리학이 인간 양육의 절대적 교과서가 되지 못한다는 사실을 기억하셔야 합니다.

그렇다면 무엇을 가지고 자녀를 교육합니까? 별수없이 일정한 원리와 교과서가 없는 사람들은, 자신의 뜻대로 자녀를 양육할 수밖에 없습니다. 부모의 주장, 부모의 욕심, 부모의 큰소리로 가르칠 수밖에 없습니다.

그러나 여러분, 우리의 자녀들이 성장해 가면서 부모가 누구인가를 알아채기 시작하자마자, 부모의 모순이나, 실수를 발견하기 시작하자마자, 부모는 더 이상 자녀들의 진정한 권위의 모범이 될 수 없다는 사실을 여러분은 아십니까?

자녀들에게 명령을 할 때, 어떤 교훈을 베풀 때, 우리는 무엇보다 순종해야 할 그 이유를 가르쳐 주어야 할 필요가 있습니다. 왜 순종해야 하는가를 가르쳐야 합니다. "내 말대로 따라와"라는

사실보다도 왜 그 말을 따라야 하는가가 설명되지 않으면, 납득
되지 않으면, 자녀는 마음속에서부터 나오는, 부모를 향한 깊은
저항감을 감출 수가 없습니다.

설명이 없이 우리는 그냥 부모의 권위를 가지고 누르려고 하곤
합니다. "내가 말했잖아. 잔소리 마"라고 말입니다. 자녀들은 마
음속으로 무엇이라고 말하고 있는 줄 아십니까? 부모가 누구인
지를 알아채기 시작한 자녀들은 마음속으로 '당신이 누군데?'라
고 말합니다.

그러나 그리스도인 부모들은 이렇게 말할 수 있습니다. "맞았
어. 아빠도 많은 약점을 가지고 있고 엄마도 많은 약점을 가지고
있어. 그러기에 우리는 하나님을 바라보고, 하나님 앞에서 하나
님의 말씀대로 살아가려고 노력하고 있잖아. 너도 하나님을 본받
아야 돼. 주님을 바라봐야 돼. 주님의 말씀대로 살아야 돼."

우리의 초점은 부모가 아니라 하나님이어야 합니다. 그래서 영
광스러운 하나님의 말씀을 가지고 자녀를 양육해야 합니다.

오늘 본문 말씀을 위한 중요한 전제가 있습니다. 자녀의 교훈
을 포함한 본문의 맥락 가운데, 에베소서 5:18 말씀이 있습니다.
"술 취하지 말라 이는 방탕한 것이니 오직 성령의 충만을 받으
라."

성령의 충만이란 무엇입니까? 주님으로 충만하다는 말입니다.
성령의 지배를 받으면 주님의 지배를 받습니다. 주님의 지배를
받으면 내게서 주님이 나타납니다. 그리고 주님을 보여 줄 수가
있습니다. 주님을 가르쳐 줄 수가 있습니다. 성령 충만한 부모는,
자녀들이 끊임없이 주님을 향할 수 있도록 도울 수 있습니다. 주
님의 교훈으로 양육하십시오. 당신의 신념이나 당신의 생각으로
가르치려고 하지 마십시오.

일관성 있는 교육을 해야 함

셋째로, 규범을 설정하고 일관성 있는 교육을 해야 합니다.

"주님의 교양"이라고 본문 말씀에 나오는 교양이라는 단어는 희랍어로 파이데이아(*paideia*)로서, 이 뜻은 "규범을 가지고 훈련을 한다", 혹은 "골격을 가지고 훈련을 한다", 혹은 "분명한 지침을 가지고 훈련을 한다"입니다.

여러분의 가정에는 자녀 양육의 규범이 있습니까? 규범을 세워야 합니다. 오늘날 가정의 문제점은 규범이 없고, 원리 원칙이 없는 것입니다. 자녀 양육의 철학이 부재하고 있습니다. 또 이 규범이 너무 많아도 문제입니다. 어떤 가정에는 규범이 한 100개 정도나 됩니다. 또 규범이 없는 가정도 문제입니다.

규범이 없는 가정은 법이 없는 국가와 같습니다. 법이 없는 국가는 결국 파산하게 됩니다. 인간을 낙관할 수가 없기에 법은 필요합니다. 우리의 자녀도 낙관할 수가 없습니다. "내 자녀만은 다를거야." 천만의 말씀입니다. "설마 우리 아이가……라고 생각하지 마십시오." 그 아이가 어느 날 부모에게 충격을 주는 존재로 등장하는 수가 있습니다. 그것은 규범이 없기 때문입니다.

먼저 말했던 것처럼 규범이 너무 많아도 문제입니다. 하나님께서도 우리에게 십계명밖에 주지 않았다는 사실을 기억하십시오. 그러나 분명한 지침은 필요합니다. 그 지침은 아주 구체적이어야 합니다. "TV 보면 안돼!"라는 것이 가정의 규범이 될 수도 있습니까? 그러면 가정에 TV가 없어야 합니다. TV는 놔두고 왜 TV를 보지 말라고 말합니까? "우리 1시간만 보기로 약속하자." 이것은 규범이 될 수 있습니다. 거기에 따르는 상벌도 필요합니다.

여기서 주님은 교양만 강조하신 것이 아니라 교양과 "훈계"로 양육하라고 말씀하고 계십니다. 이 "훈계"라는 것은 그 교육 내용대로 따라오게 하기 위해서 가르치는 것, 즉 말로도 가르치고, 필요하면 벌도 주고 상도 주는 것을 말합니다.

"TV 보지마, 너 혼나!" 뭐를 어떻게 혼낸다는 말입니까? 지침이 없는 것입니다. "너 TV 보면 죽어!" 죽이겠다는 말씀입니까? 여러분의 가정에 규범을 가지십시오. 지침을 가지십시오. 그러나 그것은 아주 구체적인 것이어야 합니다. 필요하다면, 자녀와 합의한 것이라면 더욱 좋을 것입니다.

오늘 자녀 교육의 최대의 문제점은 규범의 부재, 원리의 부재입니다. 그리고 규범이 있다고 하더라도 그것을 일관성 있게 적용하지 않습니다. 어느 날은 놔뒀다가 어느 날은 소리 치고 하면 아이들에게 혼란이 생깁니다. 가치관의 혼란이 생기는 것입니다. 한번 규범을 정했으면 일관성 있게 그것을 적용시키도록 하십시오. 그래서 선은 언제나 선이어야 하고, 악은 언제나 악이어야 합니다.

이것이 어떻게 가능할 수 있습니까? 성령에 충만해야 가능할 수 있습니다. 여러분, 술 취하게 되면 사람이 일관성이 없어집니다. 이랬다 저랬다 하기도 하고, 사람이 갑자기 변하기도 합니다. 그러나 성령 충만의 놀라운 특성 가운데 하나는 내 영혼이, 내 인격이, 내 삶이 참으로 성령의 충만함 가운데 있을 때, 우리는 하나님의 도우심을 통해서 일관성 있게 하나님의 말씀을 통해서 자녀를 양육할 수 있다는 사실입니다. 규범을 설정하고 일관성 있는 교육을 자녀에게 베풀어야 합니다.

노엽게 하지 말아야 함

넷째로, 자녀를 노엽게 하지 마십시오.

같은 메시지가 골로새서 3 : 21에 보면 "아비들아 너희 자녀를 격노케 말지니 낙심할까 함이라"는 말씀으로 나옵니다. 격노한다는 말이 본래는 "배가 항해를 하는데 바람을 없앤다"는 의미에서 나온 것입니다. 바람이 없으면 배가 앞으로 나갈 수 없습니다. 자녀를 노엽게 한다는 것은 바람을 없애는 것입니다. 다시 말하면 그 배가 더 이상 항해할 수 있는 힘을 없애 버리는 것입니다. 기를 꺾어버리고, 용기를 꺾어버리는 것입니다.

지나치게 자녀를 징계하거나 그르치게 자녀를 징계해서 만약 자녀의 마음속에 분노를 축적시킨다면, 자녀는 나중에 기가 죽어 버립니다. 그래서 나중에는, 더 이상 항해할 수 없는 배처럼 인생을 살아갈 수 있는 용기를 상실합니다. 자포 자기합니다. 모든 의욕을 상실합니다. 그렇게 되면 아이들의 모든 가치관이 붕괴되고, 아이들의 인생관이 지극히 방임적인 인생관으로 변하고 맙니다.

그런 결과로 나타나는 가장 일반적인 반응이 바로 "아무렇게나 해도 상관없어!"입니다. 가출하고, 반항하고, 삶에 대한 무력증에 시달리는 것은 그릇된 방법으로 혹은 지나친 징계를 했기 때문입니다.

오늘의 교육은 두 가지 큰 딜레마를 가지고 있습니다.

하나는 율법주의적인 교육입니다. 야단을 많이 치고, 지나친 규범을 적용하는 교육입니다. 한국의 유교식 교육도 여기에 속합니다. 그런데 이 율법주의적인 교육 방식의 문제점은 의가 강조되지만 사랑이 없는 것입니다. 올바른 것이 강조되지만 밑바탕에 사랑이 부재하고 있습니다.

이러한 교육에 우리가 염증과 비관을 느끼게 된 나머지 우리가 극단으로 가버렸습니다. 무율법적인 교육, 이제는 방임주의적인 교육에 빠지고 말았습니다. 그대로 놔둡니다. 아이들이 어떻게 되든 그냥 그대로 놔두는 것입니다. 사랑은 있지만 의가 없습니다.

진정한 기독교 교육은 이 두 가지의 교육 사이에 있다고 저는 생각합니다. 균형을 이루는 교육입니다. 하나님의 의와 사랑을 동시에 강조할 수 있는 교육이며, 분명한 규범과 지침을 가지고 하나님의 정의를 가르치는, 결코 지나치지 아니하며, 성령의 인도하심을 따라서 가르치는 교육입니다.

어떻게 가능할 수 있습니까? 다시 그 대답은 성령의 충만으로 돌아옵니다. 성령 충만의 뜻이 무엇입니까? 성령의 지배입니다. 성령의 지배를 받게 되면 자기 자신을 억제할 수 있게 됩니다.

술에 취하게 되면 자기 억제가 불가능하게 됩니다. 자기 억제가 없어지면, 부모는 자녀를 향해 비이성적으로, 야만적으로 소리를 치게 됩니다. 자기 억제를 상실한 것입니다. 그것은 성령이 충만하지 못해서입니다.

성령 충만하다는 것이 무엇입니까? 참으로 하나님의 능력과 거룩한 영으로 내 인격이 지배를 받을 때, 나를 억제할 수 있습니다. 냉정하게 자녀를 가르칠 수 있습니다. 그럴 때 우리는 자녀를 향해서 분노할 필요가 없어지는 것입니다. 자녀를 노엽게 하지 마십시오.

사랑해야 함

마지막으로, 한 가지를 더 강조하자면, 사랑해야 합니다.

디도서 2 : 4에서 젊은 여인들을 향해서 "그 남편과 자녀를 사랑하며"라고 말씀합니다. 굉장히 흥미있는 사실은 여기서 사랑이라는 단어는 아가페(*agape*)가 아닙니다. 남편에게 "아내를 사랑하십시오"라고 말할 때는 아가페가 쓰여졌는데, 부모에게 자녀를 사랑하라고 말할 때는 필리아(*philia*), 필로스(*philos*)라는 단어가 쓰여졌습니다. 이 필로스라는 단어는 친구의 수준에서의 사랑입니다. 그리고 이것은 정서적인 표현을 요구하는 사랑입니다. 아가페의 사랑은 굉장히 의지적인 것이지만 필로스의 사랑은 정서적인 사랑입니다. 그리고 이것은 일방적인 사랑이 아니라 주고받는 사랑입니다. 이런 사랑으로 부모가 자녀를 사랑하라고 말씀하고 계십니다. 다시 말하면 자녀들과 친구가 될 수 있는 사랑을 하라는 것입니다.

부모 여러분, 여러분은 자녀들과 얼마만큼 친구가 되어 주십니까? 얼마만큼 자녀들과 대화하실 수가 있습니까? 여러분의 사랑을 자식들에게 표현할 수 있습니까? 여러분에게 "자녀를 사랑하십시오"라고 말씀드리면, "아! 사랑하지요"라고 대답하실 것입니다.

그러나 문제는 자녀들이 부모의 사랑을 느끼지 못하고 있다는 사실입니다. 자녀들은 부모가 자신을 사랑하지 않는다고 느낀다는 사실입니다. 물론 부모가 자녀를 사랑합니다. 자녀를 사랑하지 않는 부모가 어디 있겠습니까? 그렇다면 자녀들이 사랑을 느끼지 못하는 것은 부모가 그 사랑을 표현하는 일에 실패하고 있다는 것입니다.

로스 캠벨(Ross Campbell)이라는 유명한 크리스천 의사는 "우리의 감정이 정말 정서적으로 표현되기 위해서 가장 중요한 것은 우리의 눈길과 손길이다"라고 말합니다.

자녀를 어떤 눈으로 바라보고 있습니까? 자녀를 야단 칠 때, 이따금씩 "야, 너 보기 싫어!"라고 말로는 안했을지라도 말도 하지 않고, 쳐다보지도 않고 무시하려고 했을 때, 자녀들은 부모에게서 거절감을 느끼고 있는 것입니다.

사랑한다는 말만으로는 소용이 없습니다. 야단 칠 때 야단을 치더라도 우리는 사랑한다고 말하는 그 사랑의 눈초리로 자녀를 바라보고 있어야 합니다. 그러나 자녀들의 눈길을 피하고 있을 때, 일부러 거절할 때, 자녀들은 거기서 차디찬 냉기와 부모로부터 거절당하고 있는 스스로를 느끼는 것입니다.

어떻게 사랑을 표현하고 계십니까? 구체적으로 언제 자녀들을 향해서 그 사랑을 표현해 보셨습니까?

달라스 신학교에 계신 하워드 헨드릭스(Howard Hendricks) 박사가 이런 말을 한 것을 저는 오래전에 들었습니다. "나의 삶에서 아버지에 대한 가장 강렬한 기억이 두 가지가 있는데, 하나는 새벽녘에 내가 거실을 지나갈 때, 나와 형제들의 이름을 부르면서 기도하시던 아버지의 목소리입니다. 그리고 또 하나는 팔을 걸어붙이고 우리들과 씨름하던 아버지의 모습입니다. 나는 아버지의 이 두 가지 모습을 잊을 수가 없습니다."

여러분, 어떻게 여러분의 자녀들에게 사랑을 전달하고 계십니까? 여러분의 자녀들의 고민과 아픔에 귀를 기울여 진지하게 들어보셨나요? 정말 자녀를 사랑하십니까? 여기서 말하는 사랑은 관념적인 사랑이 아닙니다. 이 사랑은 노력을 필요로 합니다. 자녀를 사랑을 하기 위해서 정말 노력해 보셨나요?

또한 자녀들에게 여러분을 향한 사랑을 표현하도록 허락하셨습니까? 또, 그 사랑을 받으셨습니까? 사랑은 일방적이 아닙니다. 특별히 필리아의 사랑은, 부모와 자식간의 관계는 사랑을 주고받으면서 더욱더 견고해 집니다.

앞에서 소개한 로스 캠벨이라는 의사는 그의 책, 당신의 자녀를 진실로 사랑할 수 있는 법(*How To Really Love Your Child*)이라는 책에서 릭이라는 소년의 아버지에 대한 이야기를 하고 있는데, 그 아버지의 한을 자신이 회고하고 있는 이야기입니다.

아버지가 50세의 생일을 맞이하는 날, 자기의 어린 꼬마 아들 릭이 아버지 앞에 오더니 "아빠, 특별 생일 선물로 아빠에게 뽀뽀를 50번 해드릴께요"라고 하면서 계속 뽀뽀를 해댑니다. 한 10번쯤 하고 나니까, 아버지가 신경질이 나는 것입니다. 그래서 "됐어, 됐어!!"라고 소리 쳤습니다.

꼬마는 아버지를 기쁘게 하기 위해서 그 기발한 아이디어를 개발했고, 자신의 사랑을 그렇게 표현하고 싶었는데, 아버지에게 묵살당하고 만 것입니다. 그러자 이 꼬마는 "알았어요" 하고 말을 쏘아 버리더니 밖으로 뛰쳐나가 버렸습니다. 그리고 자기의 자전거를 타고 밖으로 윙 하고 달려나가다가 그만 자동차와 부딪쳐서 그 자리에서 즉사해 버렸습니다.

자기 아버지를 향해서 사랑을 표현하고 싶어했던 아들의 사랑을 수용하지 못한 한 아버지의 비극이었습니다.

당신은 어떤 아버지이십니까? 당신은 어떤 어머니이십니까? 하나님 앞에서 우리의 부모상을 다시 한번 생각해 보시기 바랍니다.

화초를 기르는 노력만큼도 자녀들에게 주지 못하는 우리들, 애완용 동물에게 쏟는 그런 정성만큼도 쏟지 못하는 우리들이라면 길은 하나밖에 없습니다. 성령으로 충만하여 하나님의 말씀으로 살아가기를 노력하는 것입니다. 오, 주여, 나에게 성령의 충만함을 주옵소서라고 기도합시다. 그리고 성경이 가르치는 자녀 양육의 구체적 교훈에 대한 순종의 걸음을 시작합시다.

아버지, 하나님!
하나님께서는 우리에게 너무나도 소중한 자녀들을 허락하셨습니다. 그러나 부모된 나의 모습은 이 자녀들을 향한 책임을 다하지 못한 부끄러운 모습입니다.
우리 자녀들을 향한 새로운 관심과 애정 속에서 나의 남은 세월이 주님 앞에 드려지기를 원합니다. 우리 가정에 새로운 변화를, 새로운 행복을 주옵소서. 예수님의 이름으로 기도합니다. 아멘.

복습과 토의 질문

1. 우리 가정에서 자녀 양육에 대한 아버지의 역할은 어떻게 평가될 수 있습니까?

(0-아주 형편 없다　　　　　10-아주 규범적이다)

0　1　2　3　4　5　6　7　8　9　10

2. 우리 가정에서의 부모의 자녀 양육에 대한 평가는 어떻습니까?

(0-아주 방심적이다　　　　　10-아주 규범적이다)

0　1　2　3　4　5　6　7　8　9　10

3. 자녀들을 향한 부모의 애정 표현의 방식에 대하여 부부가 서로 비판적 토의를 해보십시오.

10

사랑이 뭐길래

-자녀 사랑의 방법-

고린도전서 13 : 1-7

"내가 사람의 방언과 천사의 말을 할지라도 사랑이 없으면 소리 나는 구리와 울리는 꽹과리가 되고 내가 예언하는 능이 있어 모든 비밀과 모든 지식을 알고 또 산을 옮길 만한 모든 믿음이 있을지라 도 사랑이 없으면 내가 아무것도 아니요 내가 내게 있는 모든 것으 로 구제하고 또 내 몸을 불사르게 내어 줄지라도 사랑이 없으면 내 게 아무 유익이 없느니라 사랑은 오래 참고 사랑은 온유하며 투기하 는 자가 되지 아니하며 사랑은 자랑하지 아니하며 교만하지 아니하 며 무례히 행치 아니하며 자기의 유익을 구치 아니하며 성내지 아니 하며 악한 것을 생각지 아니하며 불의를 기뻐하지 아니하며 진리와 함께 기뻐하고 모든 것을 참으며 모든 것을 믿으며 모든 것을 바라 며 모든 것을 견디느니라."

사랑이 뭐길래

"사 랑이 뭐길래."

저는 이 유명했던 연속극의 내용을 잘 알지 못합니다. 그저, 재미있고 인기 있는 프로그램이었다는 것을 들었을 뿐입니다. 저에게 관심을 가져다 준 것은 그 제목입니다. 사랑이라는 인간의 가장 중요한 관심사를 이 드라마가 자극하게 된 것은 좋은 일이라고 생각합니다. 사랑이란 무엇입니까?

오늘 우리는 사랑의 홍수 시대를 살아가고 있습니다. 홍수가 나면, 장마철이 되면, 온 천지가 물로 가득 차게 됩니다. 여러분, 그런 상황 속에서 가장 부족한 것, 가장 귀한 것이 무엇인지 아십니까? 물입니다. 온 천지가 물인데 마실 물이 없는 것입니다.

가는 곳마다 사랑을 말하고, 사랑을 노래하고 사랑의 선전을 접하지만 진정한 의미에서의 "사랑의 고갈"—이것이 우리 시대의 문제입니다.

저는 최근에 성경에서 부모의 자녀에 대한 사랑을 가르치는 구절을 찾아보다가 놀라운 사실을 발견했는데, 부모가 자녀를 사랑해야 된다는 말이 성경에 별로 없습니다. 아주 직접적으로 기록된 것이 없다는 말입니다. 신약에 꼭 한번 나옵니다. 디도서에

"……자녀를 사랑하며"(딛 2 : 4)라는 구절입니다.

한 신학자는 이렇게 언급이 없는 것을 가리켜서 "이상한 침묵이다"라고 말합니다. 왜 이 문제에 대해서 성경이 강조하지 않았을까? 그런데 한 설교자는 말하기를 "이것은 너무나 당연한 사실이기 때문에 다시 말하면 강조될 필요가 없기에 강조하지 않은 것이다"라고 합니다.

사실, 여러분, 자녀를 사랑하지 않는 부모가 어디 있겠습니까? 아무리 나쁜 부모, 아무리 악한 부모라고 할지라도 "당신은 자녀를 사랑하십니까?"라고 물어 본다면 자녀를 사랑하지 않는다고 하는 부모는 없을 것입니다.

문제는 자식을 사랑하느냐 하지 않느냐가 아니라, 어떻게 사랑하느냐입니다. 이 시대의 고민, 오늘 우리 세대의 가장 커다란 문제는 "사랑의 전달 방법의 무지"에 있다고 저는 생각합니다. 사랑을 표현하는 방법을 알지 못합니다. 사랑해야 한다는 당위성을 알면서도 어떻게 사랑해야 할 것인가라는 사랑의 표현 방법에 대해서 무지하다는 것입니다.

가정의 달을 맞이하면서 우리의 자녀를 생각하게 되는 이 주일에 저는 바울사도의 이 유명한 사랑장에 나타난 사랑의 서술 부분 가운데서 자녀 사랑의 방법을 배우고자 합니다.

사랑은 오래 참고 온유하며

사랑이란 무엇입니까? 첫째로, 사랑은 오래 참고 온유한 것입니다(4절).

여기서 오래 참는 것과 온유한 것은 본질적으로 같은 내용입니다. 단지 온유라는 낱말은 오래 참음보다 더 강조된 형태의 것입니다. 온유란 낱말의 본래의 뜻은 "나에게 상처를 준 대상을 향해서 나 자신을 통제하면서 상대방을 여전히 선대하는 친절"입니다.

자녀를 키우다 보면 부모의 가슴 속에 많은 상처가 쌓입니다. 그러나 참습니다. 그리고 자녀를 향해 선대합니다. 그것이 사랑이라고 성경은 말합니다.

부모의 자녀 교육에 있어서 가장 힘든 것은 자녀를 통제하는 것이 아닙니다. 부모된 자신을 통제하는 것이 힘듭니다. 물론, 자녀를 키우면서 부모가 자녀를 잘 통제하기를 원합니다. 그러나 자녀가 마음대로 되지 않으면, 그 다음부터 힘들어지는 것이 바로 부모가 자기 자신을 억제하는 것입니다. 그래서 부모가 자녀를 어떻게 통제하느냐보다 더 중요한 문제는 부모들의 자기 통제(self-control)입니다.

자식을 키우려면 얼마나 참아야 할 일이 많습니까? 그런데 참지 못하면 어떻게 됩니까? 폭발할 수밖에 없습니다. 여러분, 부모가 폭발하면, 부모만 폭발하는 것이 아니라 자녀도 함께 폭발하게 되지 않습니까? 그래서 에베소서 6 : 4에는 "너희 자녀를 노엽게 하지 말라"고 말씀하고 있습니다. 그런데 이 말씀이 특별이 어떤 대상을 향해서 주어졌습니까? 바로 아버지들입니다. 그 말은 어머니보다도 아버지가 훨씬 더 참을성이 없다는 이야기입니다. 그리고 아버지들이 폭발할 가능성이 훨씬 더 많다는 것이기도 합니다.

자식을 길러가는 과정에 있어서, 자녀를 기르기 가장 힘든 시절이 있다면 그것은 아마 자녀들이 사춘기가 될 때입니다. 왜 사춘기가 힘듭니까? 여러 가지 이유가 있겠지만 사춘기의 가장 커다란 문제는 자아 정체성의 문제입니다. 사춘기가 되면 자녀들은 더 이상, 어린 아이가 아닙니다. 그렇다고 어른이 된 것도 아닙니다. 그래서 그들은 "나는 누구인가?"라는 자기 정체에 위기를 겪게 됩니다.

십대의 자녀들을 보면 어떤 때는 어린 아이처럼 행동하다가 한 순간에는 아주 어른처럼 행동합니다. 그러다가 다음 순간 다시 어린 아이처럼 행동을 합니다. 걷잡을 수가 없습니다. 그래서 교육이 어렵습니다. 그런데 재미있는 사실은 자식이 사춘기가 되면 부모는 사추기가 된다는 사실입니다. 중년의 위기에 도달하게 된다는 것입니다.

이 중년기의 심리적인 증상이 사춘기의 증상과 아주 비슷합니다. 중년기도 사춘기와 마찬가지로 정체성의 위기를 경험합니다. 중년은 정확하게 말해서 청년이 아니며, 그렇다고 늙은이도 아닙니다. 그래서 그들은 "나는 무엇인가, 내 인생은 어디로 가는가"라는 생각에 잠깁니다. 굉장히 문제가 많습니다. 그런데 이렇게 문제가 많은 중년의 시기에 또 문제가 많은 사춘기의 자식들을 길러내야 합니다. 그러니 얼마나 문제가 많겠습니까? 따라서 사춘기가 되면 자녀들만 갈등하는 것이 아니라 부모도 함께 갈등하는 것입니다.

그래서 부모와 자녀가 함께 난처하고, 어려운 곤고한 과정을 지나가게 됩니다. 그러나 폭발 상태에 있으면 교육이란 가능하지 않게 됩니다. 유명한 교육가인 페스탈로치(Pestalozzi)는 말하기를 "교육이란, 온유의 교실에서만 가능하다"고 말합니다. 참지 못하고 성질 내고 소리 치는데 교육이 어떻게 가능하겠습니까? 온유할 때만 교육은 가능한 것입니다.

감리교 운동의 창설자인 존 웨슬리와 찰스 웨슬리의 아버지도 유명하지만 훨씬 더 유명한 것은 그의 어머니입니다. 수잔나라는 유명한 어머니가 그 많은 자녀들을 당당하게 믿음의 아들과 딸로 키웠던 것입니다. 이 어머니가 어느 날 똑같은 말을 20번이나 반복하면서 자녀를 설득하자 기가 막힌 아버지는 이렇게 말했습니다.

"아니 여보, 어떻게 당신은 아이들에게 스무 번이나 똑같은 소리를 할 수 있단 말이오?"

이때 수잔나가 자기 남편에게 이렇게 대답했습니다.

"여보, 만약 나의 인내가 열아홉 번에서 끝났으면 어쩔 뻔하였어요? 스무번째에 그들이 내 말을 들었잖아요."

이 참을성, 이 오래 참음. 이것이 바로 수잔나가 그 아름다운 자녀들을 키워냈던 비밀이 아닐까요? 사랑은 무엇입니까? 사랑은 오래 참고 온유한 것입니다.

사랑은 투기도, 자랑도, 교만도 아니하며

둘째로, 사랑은 투기와 자랑을 하지 않고, 교만하지 않는 것입니다(4절).

제가 세 가지 단어를 함께 묶었습니다. 사랑은 투기도, 자랑도, 교만도 안하는 것입니다. 그런데 이 투기와 자랑은 본질적으로 같은 속성에 속한 것입니다. 두 가지는 모두 이기심에 근거하고 있습니다.

여러분, 부모들 가운데에는 남의 자녀가 잘되는 것을 보면 신경질이 나서 견디지 못하는 사람들이 있습니다. 이것은 자녀에 대한 투기입니다. 그들은 "애들아, 누구 좀 봐라, 네 친구를 좀 봐라, 너는 뭐냐?"라고 하면서 자기 자녀들을 구박하기 시작합니다.

그런가 하면 자녀가 조금만 잘하게 되면 자랑을 하느라 시간 가는 줄 모르고 혼자 떠드는 부모들 보셨습니까? 자녀를 위해서 못 해 줄 것 없다는 듯이 선대하다가도 그 자녀가 부모의 마음에 실망이 되면 곧잘 돌아서서 구박을 합니다. 그러면 자녀들의 마음속에 부모가 나를 사랑하는 것인가, 아닌가 하는 혼돈이 생깁니다. 이러한 사랑은 엄격히 말하면 부모의 이기심에 근거한 것이며 조건부적인 사랑인 것입니다. 잘하면 잘해 주고 못하면 구박하고. 이런 분위기 속에서 자녀들은 정서적인 불안을 느끼고, 정서적인 불안이 오게 되면 자녀들의 건전한 인격적인 성숙이란 기대하기가 어려워지는 것입니다.

참된 의미의 사랑은 이기심을 뛰어넘는 무조건적인 것이어야 합니다. 하나님이 우리를 사랑하신 것처럼 말입니다. 하나님은 우리가 잘해서 사랑하신 것이 아니라, 조건 없이 사랑하시기로 결정하셨습니다. 잘할 때에만 사랑하는 것이 아니라 잘못하였을 때 당신의 자녀를 더욱 사랑할 수 있습니까?

한번은 제 아들이 성적이 좋지 않으니까, 성적표를 받아와서 어쩔 줄 몰라합니다. 가까스로 입을 떼고 주저주저 하면서 "아빠, 나 성적 나쁘면, 아빠는 나 안 사랑하지"라고 말하는 것입니다.

그래서 제가 정색을 하고 말했습니다. "범이야, 성적과 사랑은 절대로 관계가 없다. 나는 언제나 너를 사랑한단다."

그러자 제 아들이 이렇게 말했습니다. "그러면 아빠, 계속 C 받아도 돼?"

그래서 제가 이렇게 말했습니다. "범이야, 네가 A를 받으면 너무너무 좋아하면서 사랑하고, 네가 C를 받으면 아빠는 너무너무 슬퍼하면서 사랑한단다."

사랑은 변함이 없습니다. 어떤 경우에도 사랑은 변함이 없습니다. 사랑이란 조건을 초월한 것입니다. 사랑은 투기와 자랑을 초월하고, 사랑은 교만하지 않는 것입니다.

사랑은 무례히 행치 아니하며

셋째로, 사랑은 무례히 행하지 아니하고, 자기의 유익을 구하지 않는 것입니다(5절).

여러분, 우리는 가까워질수록 무례해지는 경향이 있습니다. 부부가 함께 살다 보면 너무 가까워지니까 무례해질 가능성이 커집니다.

한 자매님과 상담을 하는데, 그 자매님은 "우리 남편은요, 집 밖에서 다른 사람을 만나면 너무너무 잘해요. 그런데 집안에서는 마귀 같아요"라고 말하는 것이었습니다. 똑같은 가능성이 자녀 교육에서도 일어날 수가 있습니다. 자녀들을 향해서 무례해질 가능성이 많습니다.

왜 그렇습니까? 우리 생각의 밑바탕에 숨어 있는 자녀가 자기 소유라는 사고 때문입니다. 내 소유이기 때문에 내 마음대로 할 수 있다라는 생각 때문입니다. 그렇게 되면 종종 우리 자녀들은 부모의 욕구 성취의 수단으로 전락해 버릴 가능성이 많습니다. 바로 부모는 자신이 못다 이룬 꿈을 자녀들에게서 성취하는 것입니다.

이렇게 말하는 부모가 있습니다. "부모의 소원을 네가 좀 이루어다오." 그것은 부모가 살아야 할 삶을 자녀에게 대신 살아 달라는 이야기입니다. 자식을 부모의 연장 정도로밖에는 보지 않는 것입니다. 그의 기질, 그의 개성, 하나님이 그를 독립된 개인으로 창조하셨다는 사실을 부인하는 것입니다.

그런데 이것이 더 나아가서 나쁜 형태가 되면 "아들아, 네 어미의 원수를 네가 갚아다오"가 될 수도 있습니다.

사랑하는 여러분, 자녀들이 부모를 통해 나온 것은 사실입니다. 그러나 부모의 것은 아닙니다. 그들은 여전히 개인입니다. 그들은 언젠가 부모의 슬하를 떠나서 또 하나의 가정을 이루어야 합니다. 떠날 사람처럼 자녀를 다루어 보십시오.

여러분, 우리가 손님을 소중히 접대하는 것, 그것은 그들이 곧 떠나갈 것이기 때문입니다. 있는 동안 편안히 해주어야 합니다. 자녀도 마찬가지입니다. 자녀를 우리가 한 소중한 손님처럼 다룬다면 부모의 자녀에 대한 태도는 얼마나 달라질까요?

우리가 한 사람을 예의 있게 대한다는 것은 그의 인격을 존중한다는 것입니다. 그리고 상대방의 인격을 존중하는 가장 좋은 표현은 상대방의 이야기를 귀담아 청취하는 데서부터 시작됩니다.

여러분이 어떤 사람을 존경한다면 그의 얘기를 잘 경청하게 됩니다. 여러분은 자녀들의 얘기에 얼마나 귀를 기울여 들으십니까? 자녀들에게 주는 돈 몇 푼으로 사랑의 자리를 메우려고 하지 마십시오. 자녀들을 향한 사랑을 주머니의 벌어온 돈으로 대신하려 하지 마십시오. 자녀를 타락시킬 뿐이지, 그것은 문제를 해결하지 못합니다.

자녀에 대한 가장 훌륭한 기여는 부모가 자녀의 인격을 존중해 주는 것입니다. 그것은 자녀들의 이야기를 귀담아 들어 주는 데서부터 시작됩니다.

우리 한국 부모들이 못하는 것 중의 하나가, 자녀가 하는 얘기를 잘 들어주는 것입니다. 자녀가 이야기를 하면 "그래, 그래서 어떻게 됐지?", "야, 재미있었겠구나", "좀더 이야기해 줄 수 있겠니?", "글쎄, 난 잘 모르겠는데. 넌 그걸 어떻게 생각하니?", "그거 정말 가슴 아픈 일이로구나, 넌 어떻게 느꼈니?", "어떻게 했으면 좋겠니?"라고 반응한다면 자녀들은 좀더 이야기를 하게 될 것입니다.

그런데 자녀들과 대화에서 자녀들의 이야기를 가로막는, 폐쇄시키는 그런 식으로 접근하는 부모들이 우리 중에는 많습니다.

"알았어, 알았어."

"안 된다면 안 되는 줄 알아!"

"얘기 끝!"

이런 부모에게 어떤 자녀가 속 얘기를 털어놓겠습니까? 그러니까 자식들은 서서히 멀어져 갑니다. 커가면서 서서히 부모를 피하기 시작합니다. 부모와 대화하기 싫어하고, 부모에게 비밀을 감추고, 떠나가는 자식들. 왜 그런 줄 아십니까? 부모가 뿌려놓은 씨를 이제 거두기 시작하는 것입니다. 자녀와 어떻게 대화할 것인가는 너무나 중요한 문제입니다.

사랑은 불의를 기뻐하지 아니하며 진리를 기뻐하며

넷째로, 사랑은 불의를 기뻐하지 아니하고, 진리를 기뻐하는 것입니다(6절).

이 불의와 진리, 무엇이 옳고 무엇이 그른가, 무엇이 악이고 무엇이 선인가에 대한 도덕적인 분명한 가치관을 우리 자녀들 속에 심어주는 일입니다.

로스 캠벨이라는 의사는 현대 교육의 위기, 특별히 서구 교육의 위기 가운데 하나가 자녀들을 너무 지나치게 존중한 나머지 자녀들의 인생의 방향 제시에 아무도 책임을 지려고 하지 않는 경향이라고 말합니다. "네가 혼자 다 결정해라"고 내버려 두는 것입니다.

물론, 자식들이 스스로 결정하도록 훈련시키는 일은 중요합니다. 그럼에도 불구하고 아직 성숙되지 않은 아이들에게 모든 것을 맡길 수는 없습니다. 적어도 방향 제시에 책임을 지고, 어렸을 때 그들에게 무엇이 옳고, 무엇이 진리인가를 분명히 알 수 있도록 교육해야 합니다.

어떤 집에 심방을 했는데 이렇게 말하는 부모가 있었습니다. "목사님, 저는 애들에게 신앙을 강조하지 않습니다. 안할겁니다. 그들이 여러 가지 종교를 연구해 보고, 큰 다음에 스스로 결정하도록 할 것입니다."

저는 그분에게 "미안하지만, 당신은 자녀 교육에 대한 책임을 회피하려고 하는 것입니다"라고 말했습니다. 부모가 진리를 통해서 거듭난 경험이 있다면, 너무 좋은 예수님을, 너무 위대한 하나님을, 자신의 삶을 바꾸어 놓은 위대한 진리를 어떻게 자녀들에게 말해 주지 않고 침묵할 수가 있겠습니까? 침묵은 부모들의 위선이나 부모들에게 신앙이 없다는 것의 또 하나의 증거에 불과한 것입니다.

내게 좋은 하나님, 그 좋은 하나님이 왜 자식의 하나님이 안되어야 하겠습니까? 어려서부터 자녀를 진리로 가르쳐야 합니다. 어려서부터 창조주 하나님을 경외하도록 가르쳐야 합니다. 그들이 불의를 기뻐하지 아니하고, 진리를 기뻐하는 자가 되도록 키워 가야 합니다.

그런데 자녀들의 도덕 교육이라고 하는 것은 하루 아침에 이루어지는 것이 아닙니다. 그것은 오랜 과정을 통해 학습되고 습득되는 것입니다. 자녀들의 도덕 교육을 하는 데에는 두 가지가 중요합니다. 자녀들이 선과 악을 구별하고, 불의와 진리를 구별하는 자들로 성장하기 위해서 반드시 중요한 두 가지가 있는데, 그 한 가지는 바로 부모의 일관성 있는 교육입니다.

일관성, 올바른 것은 항상 올발라야 하고, 틀린 것은 항상 틀려야 합니다. 언제는 옳다고 말했다가 언제는 정반대의 애기를 하게 되면 자녀들이 얼마나 혼동이 되겠습니까? 상을 주는 것과 벌을 주는 것도 분명해야 합니다. 잘못할 때마다 벌을 주라는 말이 아닙니다. 부모의 진리에 대한 인식이 자녀들에게 분명히 전달될 수 있어야 합니다. 무엇이 선이고 무엇이 악인가, 무엇이 옳은 것이고 무엇이 그른 것인가가 분명히 전달될 수 있어야 합니다.

그리고 그보다 훨씬 더 중요한 것은 부모가 보여 주는 모범입니다. 자녀들은 부모의 잔소리, 부모의 애기를 듣고서 교훈을 받는 것이 아니라 부모의 행동을 보고 배우는 것입니다. 자녀들이 교회 생활을 잘하기를 원하십니까? 그러면 부모들이 먼저 잘하십시오. 자녀들이 기도하는 삶을 살기를 원하십니까? 부모가 기도하는 것을 보여 주십시오. 부모가 늘 텔레비전 프로나 보고 있는데 어떻게 기도하는 것을 배우겠습니까?

어머니가 자녀들을 앉혀 놓고 교육을 시키고 있었습니다.
"애들아, 사람은 정직하게 살아야 한다. 거짓말을 해서는 안 된다. 어떤 경우에도."
그때 마침 전화 벨이 울렸습니다. 어떤 사람이 아빠를 찾는 전화입니다. 아빠는 곤하게 주무시고 계십니다. 차마 아빠를 깨울 수 없었던 어머니가 "미안합니다. 아빠는 아직 들어오지 않으셨는데요"라고 말합니다.

꼬마들은 샛별 같은 눈동자를 반짝이면서 엄마가 거짓말하는 현장을 목격하게 된 것입니다. 그것이 아무리 선의의 거짓말이라고 해도 그 순간 어머니의 정직 교육은 다 무효가 되고 맙니다.

여러분은 무엇을 보여 주고 있습니까? 어떤 모범을 보여 주고 있습니까? 얼마나 일관성 있게 모범을 보여 주고 있습니까?

사랑이란 무엇입니까? 불의를 기뻐하지 아니하고 의를 기뻐하도록 가르쳐주는 것입니다.

사랑은 모든 것을 믿고 모든 것을 바라고 모든 것을 견디느니라

마지막으로, 바울 사도는, 사랑은 모든 것을 믿고 모든 것을 바라고 모든 것을 견디는 것이라고 말합니다(7절).

사랑은 믿고 바랍니다. 여러분, 부모의 최선의 노력에도 불구하고 우리의 자녀들이 일시적으로 그릇된 길을 갈 수가 있다는 사실을 인정합시다. "내 자식은 절대로 그렇지 않을거야"라는 오해는 하지 마십시오.

한 2년 전에 뉴욕에서 어떤 분이 책을 썼는데, 그 책의 제목이 바로 설마 우리 아이가였습니다. 아무도 자기 자식은 그렇지 않을 것이라고 생각합니다. 자식이 잘못되는 비극은 어느 가정, 어느 부모, 어느 누구에게도 일어날 수가 있는 것입니다. 최선을 다해도 일어날 수가 있습니다. 경성하셔야 합니다. 함부로 남을 정죄하지 말아야 합니다.

우리의 자녀들이 일시적으로 잘못될 때에 중요한 것은 부모들의 태도입니다. 그때 자녀들을 향해서 어떤 태도를 보여 주십니까? 그때도 이런 태도를 보여 줄 수 있습니까? "하지만 나는 아직도 너를 믿고 있다." 세상 사람이 우리 아들을 믿지 않을 수도 있습니다. 세상 사람이 우리 딸을 믿지 않을 수가 있습니다. 사회가 버리고, 친구가 버리고, 모두가 버리고, 아무도 믿지 않는 상황에서, 그때 사랑하는 부모로서 자녀들을 믿어 주는 최후의 고향, 최후의 신뢰, 최후의 희망이 되어줄 수가 있겠습니까? 자녀들이 돌아올 수 있는 부모, 자녀가 돌아올 수 있는 마지막 고향이 되어 준다는 것이 얼마나 중요한 일입니까?

사랑하는 여러분, 그것이 바로 탕자의 교훈, 탕자의 드라마입니다. 한 아들이 먼 나라에 가서 허랑 방탕했습니다. 주머니가 넉넉할 때 친구도 넉넉했습니다. 주머니가 비어가자 친구도 떠나갑니다. 마음에 없는 술잔을 들고, 마음에 없는 웃음을 함께 웃어주며, 함께 놀아 주었던 친구들이 다 떠나갑니다. 이제는 아무도 상대해 줄 사람이 없습니다. 돼지의 먹이인 쥐엄 열매를 먹고 연명하는 이 비참한 상태, 홀로 남은, 텅빈, 이 고독한 인생 무대 위에서 아들은 무엇을 생각하고 있습니까?

그때 비로소 그는 고향을 생각했습니다. 아버지를 생각한 것입니다. 어떤 생각을 했을까요? 아마 "그래도 아버지는 내가 고향에 돌아가면 나를 받아주실거야"라는 생각을 했을 것입니다. "꾸중은 하시겠지, 책망은 하시겠지. 그러나 우리 아버지는 나를 아직 사랑하고 있음을 나는 믿는다. 우리 어머니는 나를 받아줄 수 있음을 나는 믿는다."

그리고 그는 돌아갑니다. 주저주저하면서, 염치 없는 표정으로 그는 모든 것을 털어 버리고, 가난한 마음이 되어 고향으로 돌아옵니다.

성경에 보면, 탕자가 돌아오는 모습에서 아주 인상 깊은 장면이 있습니다.

이 탕자가 아버지의 집을 향해서 고개를 넘어오는 순간, 누가 누구를 먼저 봅니까? 아들이 아버지를 먼저 본 것이 아니라 아버지가 먼저 그 아들이 오는 것을 알아챕니다. 그리고 달려갑니다. 누가 누구에게로 달려갑니까? 아들이 아버지에게로 가는 것이 아니라 아버지가 아들에게로 달려갑니다.

스펄전(Spurgeon)은 이 감동적인 대목 앞에서 "탕자가 한 걸음을 옮길 때 아버지는 열 걸음을 달려가셨다"는 말을 했습니다. 그리고 아버지는 그 아들을 끌어안습니다. 한번도 과거가 없었던 것처럼 그 아들을 품에 안습니다. 그리고 "너는 잃었다가 다시 찾은 내 아들이며, 죽었다가 다시 산 내 아들이다. 나는 너를 사랑한다. 온 동네에 잔치를 열자. 송아지를 잡자"라고 말합니다.

이 아버지의 사랑을 보십시오. 아버지는 기다리고 있었습니다. 기다리고 있었다는 것은 무엇을 의미합니까? 포기하지 않았다는 말입니다.

자녀를 사랑하는 부모는 포기하지 않습니다. 사랑한다면 포기하지 말아야 합니다. 세상은 포기했을지 모릅니다. 사회는 포기했을지 모릅니다. 그러나 부모의 사랑은 자녀를 포기할 수가 없습니다. 그래서 우리는 자녀를 믿는 것입니다. 그래서 우리는 아직도 자녀를 신뢰하는 것입니다. 사랑은 모든 것을 바라고 사랑은 모든 것을 믿고 견디기 때문입니다.

어느 날 이탈리아의 조그만 교회당 안에 예배 시간도 아닌데, 어느 부인 한 명이 와서 흐느껴 울기 시작합니다. 기도하고 있었습니다. 그의 기도는 기도가 아니라 차라리 통곡이었습니다. 너무나 서럽게 우는 이 부인을 보고 안되게 생각한 한 나이 많은 감독이 그 곁에 다가가서 부인의 어깨에 손을 얹으면서 이렇게 말합니다.

"부인, 왜 우십니까?"

부인은 눈물을 흘리면서 "내 아들이 타락했습니다. 내 아들이 방종하고 있습니다. 내 아들이 이단에 빠져 있습니다"라고 말했습니다.

이때 노감독은 손수건을 꺼내 그 부인의 눈물을 씻어 주면서 이렇게 말했습니다. "부인, 눈물로 기도하는 자의 자녀는 결코 망하지 않습니다."

눈물로 기도하는 자의 자녀는 결단코 망하지 않습니다! 이 기도하고 있었던 어머니는 바로 그 유명한 모니카였습니다. 이 기도 때문에 돌아왔던 아들은 기독교 역사에 가장 빛나는 발자취를 남겼던 성 어거스틴입니다.

사랑은 모든 것을 믿고, 바라고, 견디는 것입니다.

오늘 이 순간 여러분의 자녀는 어디에 있습니까? 무엇을 하고 있습니까? 너무 잘 자라 주는 자녀를 인하여 감사하는 부모 여러분, 더욱 감사하며 시험에 들지 않도록 기도하십시오. 자녀들이 그릇된 길로 가고 있어 가슴 아파하는 부모 여러분, 포기하지 마십시오. 체념하지 마십시오. 사랑은 모든 것을 바라고, 모든 것을 믿고, 모든 것을 견디는 것입니다. 기도하십시오. 기도하는 자의 자녀는 결코 망하지 않습니다. 그리고 남은 세월 자녀들을 하나님이 부탁하신 거룩한 사랑으로 사랑할 수 있도록 결심하시기 바랍니다.

사랑은 무엇입니까? 사랑은 오래 참는 것입니다. 사랑은 온유한 것입니다. 사랑은 투기하지 않습니다. 사랑은 무례히 행하지 않고, 자기의 유익을 구하지 않고, 사랑은 성내지 아니하고, 진리와 함께 기뻐합니다. 사랑은 모든 것을 감싸주고, 바라고, 믿고, 참아내는 것입니다.

아버지, 하나님! 감사합니다.

사랑하라고 말씀하신 교훈대로 사랑하며 살고 싶습니다. 자녀를 키워 가며 올바로 이 사랑 전달하지 못하여, 사랑하는 마음은 있었지만 사랑 가운데 키우지 못한 것을 고백합니다. 부모의 부족한 부분 때문에 내 자녀의 성장 과정에 잘못되었던 점을 용서하여 주옵소서.

그러나 오 주여, 부족한 이 부분 주님이 채워 주시고 남은 세월 건강하고 지혜롭고 믿음 안에 자라나는 내 자녀의 모습을 보기 원하옵나이다. 성령으로 충만하게 하시고, 성령 안에서 이 자녀들을 사랑으로 양육하게 도와주옵소서. 이 사랑으로 우리를 양육한 부모님을 또한 잊지 말게 도와주옵소서.

진정한 사랑이 무엇인가를 십자가에서 가르쳐 주신 하나님, 거기서 보여 주신 그 사랑으로 우리에게 주어진, 맡겨 주신 자녀들을 사랑하며, 우리의 한평생이 후회 없는 사랑의 삶이 되게 하여 주옵소서. 자녀들 때문에 잠 못 들어 하는 부모님들을 위로해 주시고 사랑을 포기하지 않게 도와주옵소서. 예수님의 이름으로 기도합니다. 아멘.

복습과 토의 질문

1. 사춘기와 사추기(중년기)의 공통점은 무엇입니까?

2. 부모의 자녀에 대한 애정 표현의 방식에 대하여 자녀들의 비판을 경청해 보십시오.

3. 부모의 자녀 훈계나 책망에 있어서 자녀들이 일관성이 없다고 느끼는 부분이 있는지에 대하여 자녀들의 비판이나 제안을 들어 보십시오.

11

자녀 헌신의 까닭

사무엘상 1 : 21 − 28

"그 사람 엘가나와 그 온 집이 여호와께 매년제와 그 서원제를 드
리러 올라갈 때에 오직 한나는 올라가지 아니하고 그 남편에게 이르
되 아이를 젖떼거든 내가 그를 데리고 가서 여호와 앞에 뵈게 하고
거기 영영히 있게 하리이다 그 남편 엘가나가 그에게 이르되 그대의
소견에 선한 대로 하여 그를 젖떼기까지 기다리라 오직 여호와께서
그 말씀대로 이루시기를 원하노라 이에 그 여자가 그 아들을 양육하
며 그 젖떼기까지 기다리다가 젖을 뗀 후에 그를 데리고 올라갈새
수소 셋과 가루 한 에바와 포도주 한 가죽 부대를 가지고 실로 여호
와의 집에 나아갔는데 아이가 어리더라 그들이 수소를 잡고 아이를
데리고 엘리에게 가서 한나가 가로되 나의 주여 당신의 사심으로 맹
세하나이다 나는 여기서 나의 주 당신 곁에 서서 여호와께 기도하던
여자라 이 아이를 위하여 내가 기도하였더니 여호와께서 나의 구하
여 기도한 바를 허락하신지라 그러므로 나도 그를 여호와께 드리되
그의 평생을 여호와께 드리나이다 하고 그 아이는 거기서 여호와께
경배하니라."

자녀 헌신의 까닭

"**내** 가 그의 평생을 여호와께 드리나이다." 어머니 한나가
그의 아들 사무엘을 하나님 앞에 바치면서 고백한 말입
니다.

구약 시대에 있어서 헌아식은 그렇게 손쉬운 결단은 아니었습
니다. 이 어머니 한나의 경우, 눈물의 기도로 얻은 이 아들을 겨
우 젖떼기까지 기른 후에 성소가 있었던 실로라는 장소로 데리고
나아갔습니다. 앞으로 하나님의 사역을 시중 드는 제사장이 되도
록 성전에 이 아들을 맡기고 돌아오는 의식이었습니다.

도대체 이 헌아의 의미는, 어머니 한나처럼 주께 내 사랑하는
아들을, 내 사랑하는 딸을, 아들과 딸의 평생을 여호와께 바친다
는 이 바침의 의미와 이 드림의 이유는 무엇입니까? 오늘 우리는
본문을 통해 그 대답을 세 가지로 발견할 수 있습니다.

감사하는 마음이 있었기에

첫째로, 이 자녀를 주신 하나님을 향한 감사가 부모의 마음속에

있었기 때문입니다.

그렇기 때문에 이 헌아가, 주님께 이 아이를 바치는 사건이 가능했던 것입니다. 여기 21절에 보면 한나의 남편인 엘가나와 그의 가족들이 매년제와 서원제를 드리러 성전에 올라갑니다.

여기서 매년제와 서원제는 이스라엘 백성의 장막절의 절기를 계기로 해서 드려지는 제사였습니다. 한마디로 말해서 매년제의 초점은 감사입니다.

24절에 보면 그 아이를 데리고 성전에 올라갈 때 수소 셋과 가루 한 에바, 그리고 포도주 한 부대를 가지고 갑니다. 여기서 수소 셋은 언제나 하나님을 향한 감사의 예물로서 이스라엘 백성들이 사용했던 것입니다. 매년제의 초점은 감사였고, 서원제의 초점은 서원이었습니다. 그러니까 이 두 가지 제사의 초점은 바로 자녀를 주신 하나님 앞에 나아가서 이렇게 고백하는 것입니다. "하나님, 이 아들을 내게 주신 것을 감사합니다." 이것이 첫번째이고, 두번째는 "하나님, 내가 이 아들을 하나님을 위해서 키우겠습니다"라는 서원입니다.

엘가나와 한나의 경우, 이 아들을 받고 하나님 앞에 얼마나 감사했겠습니까? 그들은 얼마나 이 아들을 소원했습니까? 그들은 얼마나 통곡하며 자녀가 그들에게 주어지기를 기도했습니까? 그들은 얼마나 눈물 섞인 기도를 밤새도록 주님 앞에 드려 왔습니까? 드디어 하나님이 아들을 주셨습니다. 이 아들은 통곡 끝에, 소원 끝에, 끈질긴 기도와 씨름 끝에 하나님께로부터 받은 놀랍고 영광스러운 아들이었습니다.

우리 대부분은 너무나 쉽게 자녀를 얻었기 때문에 자녀에 대한 감격이 한나만큼 우리의 마음속에 없을지도 모릅니다. 만약 우리가 긴 수고를 통해서, 긴 노력을 통해서 드디어 자녀를 얻었다면 우리는 얼마나 이 자녀를 얻은 감격을 주님 앞에서 감사했겠습니까?

그래서 그 아들의 이름의 뜻이 무엇입니까? 사무엘은 하나님이 들으셨다, 하나님이 기도를 들으셨다, 하나님이 기도를 응답하셨다는 뜻입니다. 구약 시대 사람들의 이름 속에는 언제나 그 부모의 신앙 고백이 반영되어 있었습니다. 자녀의 이름에는 그런 부모의 철학과 신앙이 들어가는 것이 좋습니다.

제 큰 아들 이름이 황(晃)인데 날 일(日)자 아래 빛 광(光)자로 "날마다 빛을 향하여 살아라"는 저의 신앙의 기도가 들어 있습니다. 둘째는 범(釩)인데, 이는 쇠 금(金)자 옆에 무릇 범(凡)자를 써서 "돈을 알기를 우습게 알아라"는 저의 소망이 담겨 있습니다.

"하나님이 우리의 기도를 응답하시고 이 아들을 우리의 가정 속에 허락하셨습니다"라는 감사의 마음은, 자기의 사랑하는 자녀를 하나님이 주신 선물로 바라보는 시각이 있었기에 생기는 것입니다.

한나의 가정은 얼마나 절실하게 이 아들을 하나님의 선물로 보았습니까? 하나님의 은혜로 허락된 아들이기에 감사할 수밖에 없었습니다. 아들을 주심이, 딸을 주심이, 하나님의 은혜인 것을 안다면 우리는 감사하게 되고, 감사한다면 하나님 앞에 바칠 수 있게 됩니다.

언제나 모든 종류의 바침에는 어떤 전제가 필요한데 그것은 감사입니다. 감사하는 정신에서만 바치는 것이 가능합니다. 감사하지 않고는 아무것도 드릴 수가 없습니다. 감사하지 않으면 단돈 한푼도 아깝고, 감사하기 시작하면 생명도 아끼지 않을 것입니다. 이 감사, "하나님, 이 아들을, 이 딸을 내게 주신 것을 감사합니다"라는 정신이 사무엘의 아버지인 엘가나와 어머니인 한나로

하여금 "오 주여, 살아 계신 하나님이여, 이 아들의 평생을 주님 앞에 바치나이다"라는 헌신을 가능하게 만든 것입니다.

구약 시대 이스라엘의 사람들이 자녀들을 바라보는 마음속에는 언제나 이런 관점이 있었습니다. 다시 말하면 그 자녀를 하나님이 주신 선물로 이해하는 관점입니다. 그래서 시편 127 : 3에서는 "태의 열매는 하나님의 상급이라"고 말씀합니다. 자녀를 주신 하나님께 감사하는 것이 자녀 양육의 동기였습니다.

오늘 여러분은 어떤 동기와 어떤 관점에서 여러분에게 허락된 그 자녀를 양육하십니까, 자녀에 대한 여러분의 관점은 어떤 것입니까? "어이구, 또 하나 생겼구나. 운명의 장난이지"라는 관점에서 양육되는 자녀들의 앞날을 한번 상상해 보십시오. "이 원수를 어떻게 길러. 기를까, 지울까? 그래도 팔자니 길러야지"라는 것이 자녀를 향한 당신의 관점입니까?

아니면 "하나님, 저에게 이 아름다운 아들을, 이 놀라운 딸을, 이 영광스러운 자녀를 맡기신 것, 너무 너무 감사합니다. 이 아이의 평생을 주 앞에 바치겠나이다"라는 관점과 시각이 마음속에 있습니까?

유명한 맥아더 장군은 얼마나 많은 훈장을 받았습니까? 미국 버지니아 해안에 가다 보면 맥아더 기념관에 그가 평생에 받은 훈장과 상장들이 진열되어 있습니다.

그런데 그는 "나의 평생에 있어서 가장 위대한 훈장은 하나님께서 내게 자랑스러운 아들을 주신 것이다"라고 말했습니다. 맥아더는 그래서 자기의 사랑하는 아들을 받자마자 그의 일기장에 "하나님께서 놀라운 특권을 주셨다"고 기록하고 있습니다.

이 놀라운 특권, 자녀를 양육할 수 있는, 생명을 양육할 수 있는 특권을 하나님께서 나에게 주신 것을 감사하는 마음이 있었기에 이 아이를 하나님 앞에 바치는 헌아가 가능했던 것입니다.

청지기적 시각이 있었기에

둘째로, 청지기적 시각이 있었기 때문입니다.

이 헌아가, 자녀를 하나님께 바치는 것이 가능했었던 둘째 이유는 그 부모의 마음속에 청지기적 시각이 있었기 때문입니다. 소유자의 시각이 아니라 청지기의 시각을 가졌습니다.

소유자는 자녀를 자기 것이라고 생각합니다. 청지기는 자기의 것이라고 결코 생각하지 않습니다. "하나님이 이 아들을, 이 딸을 나에게 맡겨 주셨습니다." 이렇게 생각하는 부모들은 자녀를 향해서 자기 자신을 청지기로 생각합니다. 주인은 하나님이시고 나는 청지기에 불과하다는 것입니다.

만약 우리가 청지기 의식이 없고 소유자 의식만 가지고 있다면 그 아이는 바로 내 자녀가 됩니다. 내 소유물처럼, 내 재산처럼 생각합니다. 내 소유된 것을 내가 왜 바칩니까? 손해 보는 일입니다. 그러기에 바치지 못합니다. 청지기적 시각으로 자녀를 바라보는 부모는, "이 아이의 주인은 하나님이신데 그가 이 아이를 나에게 맡기신 것이다. 그가 성장하도록, 양육되도록 주께서 나에게 맡기신 것이다"라고 생각하는 부모입니다.

본래 주인을 알고 있다면 그 주인에게 돌려 드리는 것이므로 부모가 큰 집착을 가질 필요도 없고, 안타까워할 필요도 없고, 고통스러워할 필요도 없고, 부모의 생각을 자녀에게 강요할 필요도 없는 것입니다.

소유 의식의 대표적인 발로는 하나님의 뜻이 자녀에게 이루어지기를 바라는 것보다, 그 자녀의 개성이, 자녀의 진정한 가치관이 개발되기를 기뻐하는 것보다, 부모의 뜻과 부모의 생각을 자녀에게 강요하는 것입니다. "네가 나의 소원을 꼭 이루어 주어야 해." 이것은 아주 양호한 경우입니다. 이것이 나쁜 쪽으로 발전하면 이렇게 바뀝니다. "아들아, 네가 내 원수를 꼭 갚아야 해."

부모의 뜻, 부모의 생각을 자녀들에게 강요하는 경우를 우리는 얼마든지 볼 수가 있습니다. 소유 의식 때문에 그렇습니다. 청지기 의식을 가지고 자녀를 바라보는 부모는 자녀를 하나님의 자녀로 봅니다. 내 자식이 아니라 하나님의 자녀로 보고 그를 통해서 하나님의 뜻이 이루어지기를 기대합니다.

하나님의 뜻은 종종 자녀의 마음속에 강렬한 소원을 통해서 나타나기도 합니다. 자녀가 그렇게도 하고 싶어하는 것, 그것은 하나님의 뜻일지도 모릅니다. 그 마음을 주셨기 때문입니다. 빌립보서 2:13에 보면 "너희 안에 행하시는 이는 하나님이시니 자기의 기쁘신 뜻을 위하여 너희로 소원을 두고 행하게 하시나니"라고 말씀하십니다.

우리 마음속의 어떤 강렬한 소원, 그것은 하나님의 뜻일 수가 있습니다. 그래서 그 충동이 생길 수가 있습니다. 자녀의 마음속에 그가 이 방향을 위해 살고 싶어하는 충동이 있다면, 그리고 그것이 하나님의 뜻이라면 당신이 왜 그 하나님의 뜻을 막고 계십니까?

누가 자녀를 하나님 앞에 바칠 수 있습니까? 누가 자녀를 정말 의로운 길로 가도록, 역사와 사회와 하나님을 위하여 자녀를 내줄 수 있습니까? 청지기 의식을 가진 부모만이 그렇게 할 수 있습니다. 그래서 청지기 의식을 가진 부모들은 자기 자녀들을 향해서 날마다 "아버지여, 내 뜻대로 마옵시고 하나님의 뜻이 이 자녀에게 이루어지게 하옵소서"라고 기도할 것입니다.

이렇게 자녀를 양육하는 것은 부모의 힘만으로는 안 됩니다. 말씀 없이는 불가능합니다. 23절에 보면 그래서 이 부모, 엘가나와 한나의 마음속에는 하나님의 말씀을 통해서 이 자녀는 양육되어야 하고, 이 말씀을 통해서 이 자녀는 하나님의 뜻을 분별해야 한다는 분명한 철학이 있는 것을 볼 수 있습니다. 엘가나는 한나에게 무엇이라고 말하고 있습니까? "오직 여호와께서 그 말씀대로 이루시기를 원하노라."

여러분, 자녀를 하나님께 바치는 것이 여러분의 자녀를 가장 잘 양육하는 길이라는 사실을 아십니까? 부모의 최선도 사실은 무력합니다. 아무리 최선을 다해도 한번 삐뚤어지기 시작하면 정신 없습니다. 부모가 기르는 것이 아닙니다. 하나님이 기르도록 하십시오. 나는 나의 사랑하는 자녀를 살아 계신 하나님 앞에 의탁하고 맡길 수 있습니까? 맡기면, 책임이 누구에게 갑니까? 내가 내 자녀를 하나님 앞에 드리면 그 책임이 누구에게 갑니까? 하나님이 책임 지십니다. 하나님이 기르십니다. 하나님이 하시는 것입니다. 그러나 자녀를 내가 붙들고 있으면 실패하게 됩니다. 하나님이 내 자녀의 삶을 책임 지시도록 하나님 앞에 내 자녀를 맡길 수가 있겠습니까?

청교도 시대의 뉴저지에 한 크리스천 부부가 있었는데, 이 아버지는 아들이 10살 때 암으로 세상을 떠났습니다. 이 아버지가 자기의 생명이 얼마 남지 않은 것을 알고, 10살 먹은 자기 아들이 어머니와 함께 인생의 무서운 격랑을 헤쳐 나가야 한다는 사실을 안타깝게 생각했습니다.

이 지혜로운 아버지는 자식에게 편지를 21통 써서 우체국에 특별 부탁을 했습니다. 그래서 자기가 세상을 떠난 후 1년에 두 번씩, 6개월 간격으로 아버지가 자식에게 보내는 편지가 배달되도록 했습니다. 그러니까 아버지가 세상을 떠난 후에도 이 자식은 아버지로부터 일 년에 두 번씩 꼬박꼬박 편지를 받은 것입니다. 20살 때까지 그렇게 편지를 받았습니다.

그 아버지는 마지막 편지를 아들이 결혼할 때 전해 달라고 자기 아내에게 부탁했습니다. 그래서 그 엄마는 아들이 장가 가기 전날에 그 마지막 편지를 전달했다고 합니다.

그는 자라나는 동안에, 성장하는 동안에 날마다 아버지의 편지를 기다렸다고 합니다. 일 년에 두 번씩 오는 편지, 삐뚤어지려고 할 때마다, 청년의 유혹과 욕정이 그를 잘못 인도하려고 할 때마다 아버지에게서 날아오는 편지, 그 편지에는 어김없이 하나님의 말씀인 성경의 충고가 들어 있었습니다. 꼬박꼬박 성경의 말씀을 통해서 충고하는 아버지의 목소리가 들어 있었던 것입니다.

장가 가기 전날에 받은 아버지의 편지에는 "지금까지 내가 너를 기른 것이 아니고, 내가 너에게 충고한 것이 아니다. 나는 다만 하나님의 말씀을 너에게 전했을 뿐이란다. 이제는 하나님의 말씀 앞에 너를 맡긴다. 이제는 너는 네 아내와 함께 이 말씀을 가지고 살아야 한다. 그리고 네 자녀를 주의 말씀으로 길러야 한다"라는 내용의 글이 적혀 있었습니다. 이 아들은 후에 감리교의 아주 유명한 목사가 되었습니다.

그렇습니다. 어떻게 내 자녀를 주 앞에 드릴 수가 있습니까? 그것은 청지기적 시각을 가질 때에만 가능한 것입니다. 내 자녀가 아니라 하나님의 자녀입니다. "주여, 주의 은혜와 말씀 앞에 이 아이를 맡기나이다. 하나님의 뜻대로 이 아이를 만들어 주시고, 형성시켜 주시옵소서."

하나님께 쓰임받기를 원하므로

셋째로, 보다 커다란 목적을 위하여 자녀가 쓰임받기를 원했기 때문입니다.

한나가, 엘가나가 자신의 사랑하는 아들 사무엘을 하나님 앞에 바칠 수 있었던 이유는 보다 큰 목적을 위해서 이 아들이 쓰임받기를 원하는 간절한 열망이 있었기 때문입니다. 그 열망으로 아들을 구별해서 바쳤습니다. 이렇게 바쳐진 사람을 이스라엘인들은 "나실인"이라고 불렀습니다.

"나실인"이란 본래 나자르라는 히브리어에서 나온 것인데, 이 단어는 구별한다, 분리한다는 뜻입니다. "분리한다"는 것은 많은 것 가운데서 특별한 목적으로 쓰기 위해 그것을 뽑아 낸다는 말입니다. 교회의 집기 중에는 상당히 많은 물컵이 있지만 특별히 한 개의 물컵을 강대상에 올려 놓을 목적으로 분리시켰습니다. 그래서 "분리시킨다", "구별시킨다"는 단어는 성경에 언제나 특별한 목적, 아주 고상한 목적을 위해서 따로 구별해 놓는다는 뜻으로 쓰였습니다. 그런데 이스라엘 민족은 자녀를 구별해서 바쳤고, 그런 자녀를 나실인이라고 불렀습니다.

신명기 33 : 16에 보면 모세가 죽기 전에 자손들을 축복하면서 특별히 요셉을 축복하며 "복이 요셉의 머리에, 그 형제 중 구별한 자의 정수리에 임할지로다"라고 말합니다. 이것은 예언적 축복입니다. 이것은 특별한 목적을 위해서, 고상한 목적, 영광스러운 목적을 위해서 구별된다는 의미가 있었을 뿐 아니라, 나자르라는 단어와 같은 어근에서 나온, 그와 똑같이 쓰인 비슷한 단어인 네제르란 단어가 쓰여졌습니다.

이 "네제르"라는 단어는 "영광스러운 사건"이란 뜻입니다. 자녀를 구별해서 바치는 것을 아주 영광스러운 사건으로 기록했습니다. 그래서 자녀가 바쳐졌을 때(이 바치는 데는 기간이 있는데, 보통은 한 달이고 60일까지 가기도 했습니다.) 포도주나 독주를 마시지 않고, 또 구별해서 바쳐진 자녀는 머리를 자르지 않습니다. 가위를 대지 않고 머리가 자라게 합니다.

민수기 6:1 이하에 보면 바쳐지는 아이, 이 나실인에 대한 구약 시대의 의식을 볼 수 있습니다. 5절에 보면 "삭도를 도무지 그 머리에 대지 말 것이라", 머리털을 자르지 말라는 말씀이 나오고, 7절에 보면 "하나님께 드리는 표가 그 머리에 있음이라"는 말씀이 나옵니다. 그런데 이 "하나님께 드리는 표"가 놀라웁게도 면류관이라는 뜻입니다. 자라난 머리털, 하나님께 바쳐지기 위해서 다듬지 않고 길게 자라난 아이의 머리털은 영광스러운 면류관이라는 뜻입니다.

이스라엘 사람들은 아이를 바치는 것을 영광스럽게 생각했습니다. 부모의 편에서 보면 희생이지만, 그러나 이것은 아주 영광스러운 것입니다. 인간적으로 보면 자식를 떼어놓는 것이니 희생이라 할 것입니다. 하지만 부모의 마음속에 자녀의 생애에 대한 보다 위대한 열망이 있을 때에 자녀를 그렇게 바치는 것입니다. 이것은 영광스러운 것입니다. 그래서 이스라엘 사람들은 가장 귀한 자녀를 바쳤습니다. 가장 좋은 자녀를 나실인으로 바쳤습니다.

한국 교회에서는 언제나 목사가 신랄한 공격의 대상이 되고 있습니다. 미국에도 요즘에는 그렇게 되었는데, 그래서 목사가 되었다는 사실이 하나도 영광스럽지 않고 목사라는 사실이 부끄럽게만 여겨지는 시대가 되었습니다. 세상에서 몹쓸 악당이 목사인 것처럼 신문마다 보도되고 있습니다. 한국 교회나 한국 사회에서도 목사의 위신이 땅에 떨어진 것이 사실입니다.

그 책임이 어디에 있습니까? 그 책임이 누구에게 있다고 생각하십니까? 우리는 목사는 예비 고사 떨어진 사람이 되는 것이라는 생각을 가져왔습니다. 신앙적인 부모님도 자기 자녀가 목사한다고 하면 말립니다. 아주 신앙이 좋은 장로님이나 목사님까지도 "야, 네가 왜 그걸 하려고 하니?"라고 말렸습니다. 가장 신앙좋은 부모님까지도 자기 자녀가 하나님께 드려지는 것을 두려워했습니다. 그래서 말리셨습니다.

말리신 분들이 바로 여러분입니다. 여러분의 자녀들이, 하나님을 위해서, 영광스러운 일을 위해서 바쳐지는 것을 얼마나 기뻐하셨습니까? 그래서 누가 신학교에 갔습니까? 문자 그대로 예비 고사 떨어진 사람들이 간 것입니다. 그런 차선의 사람들이 오늘 한국 교회의 지도자가 된 것입니다. 저도 그 중의 한 사람입니다. 누가 욕하시겠습니까? 누가 돌을 던지시겠습니까? 바로 여러분이 하신 일입니다.

왜 여러분의 머리 좋은 자녀를, 여러분의 가장 귀한 자녀를, 여러분의 장래가 촉망되는 자녀들을 하나님의 영광을 위하여, 이세계를 바꾸는 인간 변화의 위대한 사역을 위해서 왜 내놓지 않으셨습니까? 그리고 누구를 비난하십니까? 이 못난 목사를 누가 만들었습니까? 인격이 성숙되지 못한 목사들을, 오늘 한국 교회에 어둠을 가져오는 목사들을 양산한 그 책임이 누구에게 있다고 생각하십니까?

이스라엘 백성들은 그렇게 하지 않았습니다. 가장 좋은 자녀, 가장 깨끗한 자녀, 가장 영광스러운 자녀를 바쳤던 것입니다. 이렇게 바치는 부모들의 마음속에는 자녀들이 안전하게 사는 것보다, 그저 유산이나 받아서 돈 잘 벌어서 잘 먹고 잘 사는 것보다

(물론 그것이 나쁘다는 것은 아닙니다. 그것도 좋습니다. 그렇게 살 사람은 살아야 합니다.), "너는 가치 있게 살아야 돼, 너는 영광스럽게 살아야 돼, 너는 역사에 굵은 발자취를 남겨야 돼"라는 마음이 있었습니다. 여러분 중에 보다 위대하고 고상한 뜻을 위해서 자녀들을 하나님과 역사 앞에 내놓은 부모들이 얼마나 되십니까?

대원군 시절에 대원군이 서원 철폐 명령을 내린 적이 있었습니다. 그리고 나서 사람들을 시켜서 젊은 유생들이 어떤 반응을 보이는가를 조사해 보았더니, 보고하는 사람이 "전국은 아주 조용합니다"라고 말했다고 합니다. 그러자 좋아해야 할 대원군이 크게 분노하면서 "그럴 수가 있는가? 나라의 내일을 걱정하고 의를 생각해야 할 젊은이들이 그렇게 조용하다니, 이 나라는 죽었구나?"라고 말했다고 합니다. 대원군은 큰 사람이었습니다.

구약 시대의 나실인의 제도는 신약 시대에 와서 폐지되었습니다. 더 이상 우리는 나실인 제도를 채택하지 않습니다. 그 이유는 이제 어떤 특정한 사람만 주 앞에 바쳐질 것이 아니라, 모든 사람이 주 앞에 바쳐져 하나님의 영광을 위해서 살아야 하는 것이 신약 시대에 나타난 하나님의 뜻이기 때문입니다.

신약 시대에는 목사만 성직이 아닙니다. 모든 직업이 성직입니다. 우리 모두가 나실인이 되어야 합니다. 우리 모두가 주님 앞에 바쳐져야 합니다. 우리가 우리 자녀를 나실인으로 내주는 시대는 지나갔지만 이 성경에 나타난 정신은 지금도 동일하게 저와 여러분에게 이러한 도전을 던지고 있습니다.

나는 이제 부모의 욕심과 부모의 뜻을 뛰어넘어서 하나님의 영광을 위해서 내 자녀를 기를 수 있는가? 단순하게 살아남는 생존

보다도 의미 있게 살아가도록 내 자녀를 격려할 수 있는가? 안락
하게 살아가는 것보다도 가치 있는 삶을 살아가라고 내 자녀를
위해서 기도할 수 있는가?

누가 자녀를 잘 키운 것입니까? 그것은 내 자녀가 죽는 날, 눈
에 흙이 들어가는 그 날, 그가 "내 삶은 후회 없었습니다"라고 말
할 수 있는가에 달려 있습니다.

그리스도 예수 안에서 하나님의 영광과 주의 거룩한 뜻을 위해
서 격려하는, 정말 신앙의 시각을 가지고 자녀를 기르는 부모, 오
늘의 아버지, 오늘의 어머니는 어디에 있습니까? 그들은 한나처
럼, 엘가나처럼 20세기의 수많은 격동과 사건들이 자녀들의 앞날
을 불안케 하는 이 시대에서 자녀들을 바라보며, "살아 계신 하나
님이여, 이 아이의 평생을 주 앞에 바치나이다. 이 아이의 평생을
하나님의 뜻을 위해서, 주의 거룩한 뜻을 위해서 바치나이다"라
고 기도할 수 있을 것입니다.

"이 아이의 평생을 여호와께 바치나이다."

"내 아들의 평생을, 내 딸의 평생을 주 앞에 바치나이다."

이것이 당신의 기도일 수 있습니까? 자녀를 붙들어 두는 것이
어머니의 정인 줄 알면서도 자녀가 바른 사람이 되도록, 의로운
사람이 되도록, 하나님을 경외하는 사람이 되도록 하나님께 드렸
던 희생적인 아픔과 기도의 어머니, 이런 자랑스러운 어머니를
인하여 감사하십니까? 이런 아버지를 인하여 감사하십니까? 그
리고 이런 어머니가 되시기로, 이런 아버지가 되시기로 결심하십
니까?

이 시간 하나님께서 어머니와 아버지의 책임을 다하는 우리가
되게 하시고, 우리에게 허락하신 자녀를 주의 진리와 훈계를 따
라 양육되도록 도와주시길 바랍니다.

아버지, 하나님!

부끄럽지 않은 아버지, 어머니가 되게 하옵소서. 그리고 내게 부끄럽지 않은 부모님을 주신 것을 감사합니다. 아버지 하나님, 내가 아버지, 어머니에게 부끄러운 자식이었다면, 부끄러운 중에서도 눈물과 사랑과 인정을 가지고 나를 키우기를 원했던 어머니의 애정을 기억하는 이 시간이 되게 하옵소서.

모든 어머니들에게, 아버지들에게, 오늘 이 시간 우리에게 허락하신 거룩한 특권을 생각합니다. 내게 허락하신 주의 자녀들을 주의 진리 안에서 믿음으로 키우고자 하는 이 경건한 결단이 주님 앞에 드려지도록 도와주옵소서. 예수님의 이름으로 기도합니다. 아멘.

복습과 토의 질문

1. 부모들이 자녀들을 주께 바치는 헌아(dedication)의 이유는 무엇이라고 할 수 있습니까?

2. 내가 처음 자녀를 받았을 때(받게 될 때)의 심정을 기록해 보십시오.

3. 자녀들이 하나님에 의해 어떻게 쓰임받기를 원하는지 간단히 기록해 보십시오.

12

위대한 자녀를 기르는 부모

히브리서 11 : 23

"믿음으로 모세가 났을 때에 그 부모가 아름다운 아이임을 보고 석 달 동안 숨겨 임금의 명령을 무서워 아니하였으며."

위대한 자녀를 기르는 부모

오늘은 인간 모세의 출생을 전후로 한 몇 가지 중요한 교훈들을 나누고 싶습니다. 모세는 정말, 구약성경에 기록된 하나님 앞에 가장 위대하게 쓰임받은 일꾼들 중 한 사람입니다.

여러분이 신명기 34 : 5을 찾아보면 성경이 모세에게 부여하고 있는 가장 영광스러운 별명 하나를 볼 수 있을 것입니다. 모세에 대해서 하나님이 어떤 칭호를 주셨습니까? "여호와의 종"입니다. 여호와의 종, 모세. 모세가 받은 많은 이름과 별명이 있지만 "하나님의 종"은 참으로 아름다운 이름입니다. 주님이 친히 부르시고, 주님이 쓰신 여호와의 종이라는 선언이 모세를 향해서 주어졌습니다.

같은 신명기 34 : 10 말씀에 보면 "그 후에는 이스라엘에 모세와 같은 선지자가 일어나지 못하였나니 모세는 여호와께서 대면하여 아시던 자요"라는 두 가지 표현이 등장합니다. 하나는 후에 모세와 같은 선지자가 일어나지 못했다는 것입니다. 한문에 전무 후무(前無後無)라는 말이 있지 않습니까? 전무 후무한 선지자, 역사에 다시 유래를 찾아볼 수 없었던, 그 짝을 찾아볼 수 없었던 선지자, 그가 모세였습니다.

뿐만 아니라 같은 구절에 "여호와께서 대면하여 아시던 자"라고 말합니다. 다른 말로 하면 하나님이, 신이 알아 주시던 사람이라는 뜻입니다. 우리 주님이 알아 주시던 사람, 이보다 더 영광스러운 표현이 어디 있습니까? 이보다 더 아름다운 선언이 어디있습니까? 하나님이 알아 주시던 사람, 그가 모세였습니다.

우리는 이 몇몇 선언을 통해서 모세의 삶 속에 나타난 그의 위대성을 발견합니다. 그러나 우리가 모세에 관한 인물 연구를 시작할 때 모세의 위대성과 함께 처음부터 강조할 것은 모세의 평범성입니다. 모세의 세속성입니다. 우리는 모세의 위대성과 동시에 모세의 평범성과 세속성을 강조하지 않으면 안 됩니다.

모세의 삶을 계속 살펴 나가면서 우리는 이루 말로 다 할 수 없는, 반복되는 모세의 실수, 약점, 오류들을 지속적으로 보게 될 것입니다. 이 세상에 이렇게 모세처럼 많은 실수를 저지른 사람이 또 있을까요? 실수와 약점에 있어서 도저히 짝을 이룰 수 없을 정도로 실수를 많이 한 사람, 그도 모세입니다. 우리는 이 점을 동시에 보지 않으면 안 됩니다. 나이 80세가 다 되어서도 끝없이 열등감에 시달리고 있었던 사람, 그것이 모세의 사람 됨이었습니다.

우리는 이처럼 간단한 모세의 생에 관한 두 가지 속성, 모세의 위대성과 세속성을 보면서, 선언할 수 있는 것은 하나님은 결코 완전한 자를 택하시는 것도 아니고, 완전한 자를 쓰시는 것도 아니라는 사실입니다. 이것이 저와 여러분들에게 얼마나 위로가 됩니까? 모세의 위대성에 대해서는 개념을 정립하기가 어렵지만, 모세의 세속성에 대해서는 얼마나 실감 나게 느끼고 계십니까? 저도 그렇습니다. 그러니까 우리에게도 희망이 있다는 말입니다.

우리는 이 사실 앞에서 이런 오류를 범하지 않도록 주의해야 합니다. 하나님께서 이 실수와 약점에도 불구하고 모세를 쓰셔서 그를 통해서 위대한 일을 행하신 것이 역사 속에 나타난 사실이라면, 우리는 우리 주변에 어떤 사람이 실수와 약점을 가지고 있다고 해서 너무 쉽게 그 사람에 대해서 속단을 내리고, 하나님이 저런 사람을 쓰실 수 없다고 단정을 해서는 안 된다는 사실입니다. 주께서는 그의 불완전성과 연약성에도 불구하고 그를 쓰시고 있는데 말입니다. 우리가 어떻게 그를 정죄할 수 있습니까?

이것은 저의 고백입니다. 제가 아주 좋아하지 않던 부흥 강사님이 한 분 계셨습니다. 이분이 하도 강대상 위에서 욕을 많이 하셔서, 강대상의 윤리성이나 거룩성을 해치는 것 같아 별로 기분이 좋지 않았습니다.

그러나 제가 부흥회를 많이 다녀 보면서 깜짝 놀란 사실 중에 하나는 그분을 통해서 주님께 돌아서거나 주님 앞에 헌신한 사람이 그렇게도 많다는 것이었습니다. 그래서 저는 회개했습니다. "하나님, 하나님께서 쓰시는 어떤 사람에 대해서 너무 쉽게 그를 속단하거나 정죄하려고 했던 저를 용서해 주십시오."

물론 그분이 강대상에서 하고 있는 욕설이 정당화되거나 잘했다는 이야기는 아닙니다. 그러나 하나님은 우리의 부족함과 연약함에도 불구하고 우리를 쓰시고 계신다는 것을 우리는 인정해야 합니다. 그것이 모세의 삶이 우리에게 던지고 있는 도전입니다.

모세는 그 많은 실수와 연약성에도 불구하고 주 앞에 영광스럽게 쓰임을 받았습니다. 그래서 한 성경학자는 이렇게 말했다고 합니다. "모세의 생처럼 역설적인 삶이 어디 있을까? 종의 아들이면서, 여왕의 아들이 된 사나이, 오두막에서 태어나서 궁중에서 자란 사람, 가난함에서 출세하여 부유하게 살았던 사람, 애굽의 지도자로 자라서 이스라엘의 목자가 되었던 사람, 전쟁터의 무사로서 그 강인함과 용맹에 있어서 우리에게 비할 수 없지만 인격적으로 한없이 온유하고 겸허하여 지상에서 온유하기가 이 사람을 따를 사람이 없다고 성경이 증언했던 사람, 애굽의 지혜를 얻었으나 하늘의 경건을 사모했던 이 사람, 도시에서 자라났으나 광야에서 대부분의 생애를 보냈던 사람, 말을 더듬었으나 하나님과의 교제에서는 짝이 없을 정도로 능했던 사람, 바로의 신하로 자라나서 하늘의 대사로 사용되었던 사람, 율법의 수호자이면서 은혜의 선구자였던 사람. 오, 당신이여, 역설의 사람이여!"

그는 그의 부족함에도 불구하고 하나님께 영광스럽게 쓰임을 받았던 사람입니다.

우리는 잠시 이 인물이 역사 속에 들어가는 배경을 보겠습니다. 출애굽기 1장을 보시기 바랍니다. 출애굽기 1: 8에 보면 애굽 땅에 돌연 한 변화가 일어나기 시작합니다. 창세기 마지막 부분에서 우리는, 요셉이 처음에는 노예가 되어서 애굽 땅에 팔려 오지만, 그가 총리가 되고, 그의 식구들을 극적으로 대면하고 드디어는 그의 식구들이 모두 애굽으로 이사오게 되고, 약 70명의 요셉의 식구들이 본격적으로 애굽에서 생활을 하게 되는 모습을 보았습니다. 그리고 요셉이 살아 있는 한 요셉의 가족과 유대인들은 이 애굽 땅에서 몹시 우대를 받았습니다.

그러나 오늘 본문에 요셉을 알지 못하는 애굽의 새로운 통치자가 등장했습니다. 아마도 이 통치자의 이름은 아멘호테프 1세(Amenhotep I)였을 것입니다. 애굽에서 왕노릇을 하고 있었던 아멘호테프 파라오. 파라오(Pharaoh), 즉 "바로"라는 말은 이름이 아니라 애굽의 왕을 가리켜서 사용하는 왕의 칭호입니다. 요세푸스(Josephus)라는 역사가는 아멘호테프왕 말기에 모세가 태어났다는 것을 증거하고 있습니다.

그 다음, 모세의 성장기에 이 애굽을 지배하고 있었던 왕은 터트 모세스였습니다. 끝 이름이 모세와 같습니다. 본래 모세라는 말은 애굽말로는 아들이란 뜻입니다. 그래서 모세라는 말이 히브리말로는 "물 속에서 건져내다"라는 뜻이지만 애굽말로는 "아들"이란 뜻입니다. 아마도 애굽의, 바로의 공주는 이런 뜻에서 이 이름을 붙이지 않았을까 하는 생각이 듭니다.

이와 같이 요셉을 알지 못하는, 요셉이 애굽 땅을 위해서 세운 혁혁한 공을 알지 못하는 왕이 등장하자마자 그는 이스라엘 사람을 친구로서, 동역자로서, 원조자로서 인식한 것이 아니라 적으로서 인식하기 시작합니다.

맨 처음 이스라엘 사람들이 애굽 땅에 내려온 후에 바로의 허락을 받아서 그들이 모여 살고 있었던 땅, 그들이 영주하고 있었던 땅이 있었는데, 그 땅의 이름은 고센이었습니다. 어떤 성경학자는 이 고센 땅을 하나님이 이스라엘 백성들을 위해 쓰신 역사의 인큐베이터라고 말합니다. 이스라엘 백성들은 이 고센 땅에서 강력한 민족으로 태어날 가능성 있는 민족으로 성장합니다.

그 당시 최대의 강국이 애굽이었습니다. 그러므로 그 이웃의 나라들은 애굽에게 속한 어떤 지역도 넘볼 수 없었습니다. 게다가 바로는 이스라엘 백성들에게 특권을 주어 이 땅을 하사했고, 애굽인들은 유목 민족을 천시했기에 유목 민족인 이들이 살고 있는 땅에 아무도 접근하려고 하지 않았습니다. 그래서 애굽 땅에 붙어 있으면서도 애굽의 간섭을 받지 않고 마음대로 국력을 키워갈 수 있었습니다.

그런데 이스라엘 민족이 갑자기 많아지고 그들이 강성해지니까, 어느 날에는 우리의 지도력을 이스라엘 민족에게 빼앗길지도 모른다는 불안이 애굽의 지도층에 퍼지기 시작했습니다. 그러자 역사는 역전해서 갑자기 애굽의 새로운 지도자는 이스라엘 민족을 향한 칼을 갈기 시작합니다. 그래서 이스라엘 민족에게 말로 다할 수 없는 학대가 시작되는 모습을 출애굽기 1장을 통해서 볼 수 있습니다. 10절 이하를 보십시오.

학대를 받을수록 그들의 숫자가 창성하자 최후의 수단을 씁니다. 그 수단이 무엇입니까? 남자가 태어나면 모두 나일 강가에 집어 던져야 한다는 법령을 발표합니다. 이런 무시무시한 역사적 상황, 남자로 태어나면 무조건 물에 빠져 죽는 상황, 이 살벌한 학정의 때, 역사적인 어둠 속에 어느 부부가 생명을 잉태했습니다. 그러면서 시작되는 것이 바로 출애굽기 2장입니다.

제사장의 가문, 하나님을 경외하는 자부심을 가진 이 레위 지파 중의 한 남자와 한 여인이 결혼하여 어느 날 임신의 소식을 접하게 되었습니다. 그러나 임신의 뉴스는 이 부부에게 기쁨의 뉴스는 아니었습니다. 그날 밤부터 이 부부에게는 잠 못 이루는 밤이 시작됩니다.

아들이면 어떻게 할까 하는 걱정에 쌓인 이 아빠와 엄마는 도대체 누구입니까? 모세의 부모입니다. 모세라는 이름에 대해서는 누구나 다 잘 알고 있습니다. 그렇다면 모세의 부모의 이름은 무엇입니까? 그렇게 쉬운, 흔한 이름이 아니기 때문에 모세는 잘 기억하면서도 모세의 부모에 대해서는 익숙해 있지 않습니다.

출애굽기 6:20에 보면 모세의 부모의 이름을 찾을 수가 있습니다. 거기 보면 아버지의 이름은 아므람입니다. 어머니의 이름은 무엇입니까? 요게벳입니다. 아므람과 요게벳에게는 모세 말고, 이미 앞서서 낳았던 자녀가 있었습니다. 그것을 출애굽기 15:20에서 발견할 수 있습니다.

우선 미리암이라는 누나가 있었습니다. 또 형이 있었던 것을
우리는 알 수 있습니다. 나중에 이 형은 모세와 더불어 출애굽의
사건 속에서 대단히 중요한 역할을 담당합니다. 그는 바로 아론
입니다. 아마도 모세의 누이였던 미리암은 모세보다 적어도 7살
이상 나이가 많은 연령이었을 것입니다. 아론이 어떻게 그 죽음
을 피해 생존할 수가 있었는지는 대단히 신비한 의문에 속합니
다. 이 박해가 시작되기 전에 아론이 태어났다면 문제는 간단히
해결되지만 말입니다.

어쨌든 모세가 잉태되던 바로, 그 시점에 맞추어서 바로의 남
자 아이에 대한 잔인한 살상이 시작되었을 것이라고 생각됩니다.
모세의 부모에게 있어서 이것은 전에 한번도 경험하지 못한 고뇌
요, 고민이었습니다. 그러나 바로 이 장면, 역사적 상황 속에서
우리는 모세를 이해하기에 앞서서 모세 부모의 훌륭한 믿음을 언
급하지 않으면 안 됩니다. 성경도 그 사실을 기록합니다.

히브리서 11 : 23을 보십시오. 믿음의 선진들, 믿음의 열조들의
화랑이라고 불리는 히브리서 11장에 수많은 믿음의 선조들의 이
름이 쭉 기록되어 있습니다. 그 중에서도 히브리서 11 : 23은 모세
의 믿음에 관한 이야기가 아닙니다. 모세 부모의 믿음에 대한 기
록입니다. 믿음으로 어떤 행동을 한 주체는 바로 모세의 부모입
니다.

"그 부모가 믿음으로." 우리는 짤막한 이 구절의 선언 속에서
모세의 부모에 관한 세 가지 정보를 알 수가 있습니다. 첫째로
그들은 믿음의 사람이었습니다. 둘째로 그들은 믿음으로 바로의
위협을 두려워하지 않았고, 셋째로 이 살벌한 상황 속에서 최선
을 다했습니다.

믿음의 부모

첫째로, 모세의 부모는 믿음의 부모였습니다.

믿음으로 이 아이를 기르기로, 숨기기로 결심했습니다. 바로가 내린 어린 남자 아이에 대한 살상의 선언에도 불구하고, 이들을 숨기는 자에 대한 이 무서운 공갈에도 불구하고, 그리고 그것이 실제로 시행되고 있음에도 불구하고 아들을 믿음으로 숨겼습니다. 무엇을 믿음으로 숨겼습니까? 이 믿음의 근거는 틀림없이 하나님의 말씀이었을 것입니다. 하나님의 어떤 약속의 말씀이었을까요?

많은 성경학자들은 모세의 부모가 레위 족속이었기 때문에 하나님의 말씀에 익숙한 사람들이었고, 이 중요한 하나님의 약속 하나를 잊지 않고 기억했을 것이라고 주장합니다. 그 약속은 창세기 15 : 13의 말씀입니다. 일찍이 믿음의 조상인 아브라함에게 "너는 정녕히 알라 네 자손이 이방에서 객이 되어 그들을 섬기겠고 그들은 사백 년 동안 네 자손을 괴롭게 하리라"고 말씀하셨습니다.

이스라엘 백성이 이국 땅에 가서 이방 민족에게 400년 동안 괴로움을 받을 것이라는 역사적 예언이 있었습니다. 이제 바야흐로 그 400년이 차 가고 있었던 것입니다. 모세의 부모가 모세를 잉태하고 있던 그 시기에 말입니다.

그 다음 구절에 보면 "그 섬기는 나라를 내가 징치할지며 그 후에 네 자손이 큰 재물을 이끌고 나오리라 너는 장수하다가 평안히 조상에게로 돌아가 장사될 것이요 네 자손은 사 대 만에 이 땅으로 돌아오리니"(15-16절)라고 기록되어 있습니다.

아브라함을 제외하고 제 4대가 누구입니까? 이삭, 야곱, 요셉

그리고 그 다음 세대, 하나님이 약속한, 예언하신 그 4대째의 새
벽이 지금 밝아 오고 있는 것입니다.

그러니까 모세의 부모가 이 하나님의 약속의 말씀을 알고 있었
다면, 틀림없이 그들은 이제 하나님이 어떤 중대한 일을 하실 시
간이 되었다는 것을 알고 있었을 것입니다. 그들은 이 약속의 말
씀에 근거하여 믿음으로 아들을 숨겼습니다. 모세의 부모에게는,
바로가 무엇이라고 말했는가가 중요한 것이 아니라 하나님이 무
엇을 말씀하시고, 무엇을 기대하시는가가 중요했습니다.

아마도 이 말씀에 근거해서 하나님의 초자연적인 방법으로 아
들을 살려야 한다는 메시지를 그들은 받았을 것입니다. 성경은
말하기를 "믿음으로……그 부모가……"라고 기록하고 있습니다.
믿음은 어디에서 나옵니까? 믿음은 들음에서 나고 들음은 그리
스도의 말씀으로 말미암는 것입니다(롬 10:17).

히브리서 11장의 기사를 보면 그 아이가 아름다운 아이임을 보
고 숨겼다고 나오고, 구약 출애굽기 2장을 보면 그 아이의 준수함
을 보고 숨겼다고 나옵니다.

단순히 그 아이가 미남이기 때문에 숨겼다고 생각할 수 있겠지
만, 만약 여러분이 이 말씀을 사도행전 7장의 말씀과 비교해 본다
면 여기 성경에서 "모세가 아름다웠다"라고 말한 그 아름다움이
평범한 아름다움이 아니었다는 것을 알게 됩니다. "그때에 모세
가 났는데 하나님 보시기에 아름다운지라 그 부친의 집에서 석
달을 길리우더니"(행 7:20).

이 아름다움은 단순히 외모가 준수하다, 사람이 보기에 잘났다
는 표현이 아니었습니다. 성경에서 사도행전의 기자는 말하기를
"하나님 보시기에" 아름다운 아이라고 말하고 있습니다.

이렇게 그들은 하나님의 초자연적인 계시를 통해서 이 아기가 "하나님이 쓰실 아이", "하나님이 귀하게 쓰실 아기"라는 사실을 알았을 것입니다. 그렇다면 주의 명령을 실행하기 위해서는 이 아기를 살려야 합니다. 그래서 그들은 행동을 시작합니다. 모세의 부모는 바로의 명령을 거역하고 더 위대하신 하나님의 명령에 복종하여, 하나님의 뜻이 이 아이를 통해서 이루어지도록 하기 위해서, 작정하고 믿음으로 행동합니다.

담대한 부모

둘째로, 모세의 부모는 담대한 부모였습니다.

그들은 바로를 두려워하지 않았습니다. 그들은 담대할 수 있었습니다. 그들이 담대할 수 있었던 비결은 어디에 있었을까요? 옛날 우리 나라에서도 한 사람이 잘못하면 그 친척까지 능지 처참을 하는 일이 있었습니다. 그런 역사적 상황이 일어나고 있었음에도 불구하고 이 아이를 기르기로 작정하는 이 모세의 부모의 담대함, 이것은 마치 시편 기자의 고백을 방불하게 합니다. "여호와는 나의 빛이요 나의 구원이시니 내가 누구를 두려워 하리요"(시 27 : 1). 하나님을 신뢰했을 때 그들은 아무것도 두려워하지 않는 이 담대한 행동이 가능했습니다.

하나님을 신뢰할 때 우리는 아무것도 두려워하지 않아도 됩니다. 그러나 주님을 두려워하지 않을 때, 우리는 간사한 타협을 시작하게 됩니다.

최선을 다하는 부모

셋째로, 그들은 최선을 다하는 부모였습니다.

제가 여러 번 강조했지만, 참된 신앙이란 우리가 예수님을 믿었기 때문에 아무것도 하지 않는 것이 아니라, 하나님을 신뢰함으로 최선을 다하는 것입니다.

여러분, 모세 부모가 이렇게 생각할 수도 있습니다. "아, 하나님이 뜻이 있어서 이 아이를 쓰기 원하신다면 살리실거야." 그래서 이런 믿음으로 이 아이를 낳자마자 나일 강가에 던질 수도 있었을 것입니다. 그러나 이들은 그렇게 하지 않았습니다. 하나님께서 주신 아이라면 최선을 다해서 길러야 한다고 생각한 것입니다.

믿음은 아무것도 안하는 것이 아닙니다. 신앙은 신앙인이기 때문에 최선을 다하게 하는 것입니다. 기도하십시오. 그리고 하나님을 기대하십시오. 그리고 기다리십시오. 기도하고, 기대하고, 기다리십시오.

바로 이것을 여기서 볼 수가 있습니다. 주를 신뢰하고 믿음으로 최선을 다하고 그리고 기다립니다. "하나님이 어떻게 역사하실까?" 이것은 믿음으로 기대하는 것입니다.

드디어 하나님의 위대하신 간섭이 시작됩니다. 이 간섭처럼 아름다운 것이 없습니다. 저는 이 부분을 묵상할 때마다 우리 하나님이 얼마나 놀라우신 분인가를 생각합니다.

2:5에 보면 시간을 딱 맞추어서 왕의 따님이, 공주님이 목욕을 하러 내려옵니다. 왜 공주님이 목욕하러 하필 나일 강가에 내려옵니까? 고고학자들은 그 시절에 애굽에는 이미 훌륭한 목욕 시설이 있었다고 말합니다. 그런데 빠르지도, 늦지도 않게, 정확하

게 시간을 맞추어서 이 공주님이 나일 강가에 등장하는 이 장면
을 보십시오. 우연일까요? 그럼 우연이라고 해둡시다. 번호를 매
겨 보면 이것은 우연 ①입니다.

그 다음에 시녀들이 하숫가에 거닐 때에 그녀가 갈대 사이의
상자를 발견합니다. 여기 와서도 얼마든지 그냥 지나칠 수 있는
데 마침, 바로 그 상자를 발견합니다. 우연일까요? 우연이라고
합시다. 우연 ②라고 합시다.

그 다음에 시녀를 데려다가 그 상자를 열고, 그 아이를 보게
됩니다. 상자를 발견하더라도 그냥 내버려둘 수가 있습니다. 그
런데 "좀 갖다 보자"라는 마음이 생겼습니다. 우연일까요? 우연
③이라고 합시다.

그 다음에 이 상자의 뚜껑을 여는 순간, 아이가 웁니다. 그래서
불쌍히 여겨지는 마음이 생겼습니다. 우연일까요? 우연이라고
합시다. 우연 ④입니다.

그 장면 속에 누가 등장했습니까? 모세의 누이가 등장했습니
다. 그 누이가 바로의 딸에게 "내가 가서 히브리 여인 중에서 유
모를 불러다가 당신을 위하여 이 아이를 젖 먹이게 하리이까?"
라고 묻습니다. 아니, 공주가 유모를 못 구합니까? 그런데 하필
이면 히브리 여자가 등장해서 히브리 유모를 데리고 오겠다고 합
니다. 그때 이 공주가 "재수 없어, 꺼져!"라고 해 버릴 수도 있는
데, 그 이야기를 경청합니다. 그리고 "그렇게 해 볼까" 하는 마음
이 생깁니다. 우연일까요? 우연이라고 합시다. 우연 ⑤입니다.

그 다음을 보십시오. 공주는 그 여자 아이에게 자기를 위해서
이 아이를 데려다가 젖을 먹이라고 말합니다. 데려가서 젖을 먹
이고 조금 크거든 나에게 데리고 오라고 말합니다. 그 당시 애굽
의 유모 관습은 삼년 내지 사년이 지나야 아이를 어머니에게 데

리고 온다고 합니다.

자, 그래서 이 아이를 데리고 그 누이는 어디로 갑니까? 바로의 양자가 되도록 교육을 시키기 위해서 자기 집으로 다시 데려갑니다. 데려가는데 그냥 데리고 가는 것이 아닙니다. 이 바로의 공주가 "내가 그 삯을 주겠다"고 말합니다. 그래서 자기 아이를 자기 집으로 데려가면서, 한 나라의 황실의 돈을 받으면서 이 아이를 양육하는 이 드라마, 우연일까요? 우연 ⑥입니다.

이 모든 것이 우연이라고 생각합니까? 결론은 하나입니다. 우연으로 보여지는 이 모든 사건 뒤에서 지금 누가 일하고 계십니까? 하나님이십니다. 모든 것이 우연인 것 같은 일상적인 상황의 무대 배후에서 우리 하나님이 일하고, 역사하시는 이 놀라운 사건을 보십시오. 이 아름다운 장면을 보시기 바랍니다. 결론은 무엇입니까? 하나님이 하신 것입니다.

모세가 모세 될 수 있었던 것, 그것은 하나님께서 하신 일입니다. 그것은 하나님의 사역 때문입니다. 우리는 하나님께 점수(credit)를 드려야 합니다. 그리고 또 하나 점수를 받아야 할 사람이 있다면 그것은 모세의 부모입니다.

저는 자기 아이를 데려다가 궁중으로 보내기 전에 그 부모가 교육했던 이 삼사 년이 얼마나 중요한 시간이었을까를 생각해 봅니다. 저는 이 구절을 묵상하면서 이런 상상을 해보았습니다.

모세의 부모가 두 살, 세 살, 네 살된 이 꼬마를 보면서 "모세야, 저기 뜨거운 태양 빛에 애굽 사람들의 채찍에 맞으면서 벽돌을 굽고 있는 사람이 보이니? 그들이 네 동족이란다. 너는 커서 여호와 하나님의 명령을 받들어 그들을 구원하는 해방자의 일을 감당해야 해"라고 말했을 것입니다. 그러면 모세는 샛별 같은 눈동자를 반짝이면서 그 부모에게 "엄마, 아빠, 알았어요"라고 대답했을 것입니다.

성경은 "마땅히 행할 길을 아이에게 가르치라 그리하면 늙어
도 그것을 떠나지 아니하리라"(잠 22 : 6)고 말씀합니다. 이 삼사
년의 교육 때문에 모세가 애굽의 궁중에 들어가서 받았던 40년의
궁중 교육이, 40년의 우상 교육이, 40년의 최대의 인본주의 교육
이 모세의 마음속에 있는 하나님에 대한 신뢰와 민족을 향한 비
전을 빼앗아가지 못했습니다.

이런 부모를 가진 모세는 얼마나 행복합니까? 하나님이 하셨
습니다. 그리고 하나님은 모세의 부모를 통해서 이 아이의 위대
한 일생을 준비시켰습니다. 때가 되었습니다. 궁중으로 다시 데
리고 갔습니다. 궁중으로 온 이 아기를 공주는 자기의 양자로 삼
고, 이름을 "모세스"라고 하였습니다. 히브리말로는 "물속에서
건져 내다"라는 의미였고, 애굽말로는 "아이 또는 아들"이었습니
다. 이제 궁중에서 교육을 받으면서 자라나는 꿈많은 모세의 소
년 시절이 시작됩니다.

이런 위대한 자녀를 길러내는 오늘의 위대한 믿음의 부모들은
어디에 있습니까?

아버지, 하나님!
시간은 우리를 기다려 주지 않고 지나가고 있습니다.
내가 미쳐 손을 쓸 겨를도 없이 내 자녀들은 시간의 바
람과 날개를 타고 자라나고 있음을 볼 수가 있습니다.
그런데 저들을 향하여, 부모로서 다하지 못한 도리 때

문에 우리는 자녀들 앞에서 부끄러워하며, 역사 앞에서 부끄러워하고 있습니다.

아버지 하나님, 그러나 우리는 오늘 주님 말씀을 통해서 모세를 모세 되게 한 것이 바로 하나님이셨음을 발견했습니다. 그가 인간으로서 가지고 있는 부족함과 연약함과 잘못과 모든 결함에도 불구하고 하나님은 그가 내일의 모세가 되도록 준비하셨습니다.

아버지 하나님, 우리 가정의 모든 자녀들과 한국 교회의 젊은이들을 또 하나의 이 시대를 위한 모세가 되도록 하나님께서 준비시켜 주옵소서. 그리고 부족하지만, 우리 부족한 부모를 세워서 그들에게 영향을 끼치기 위해서 나에게, 우리에게 이 자식들을 맡기셨사오니, 하나님이여, 우리에게 모세의 부모와 같은 믿음을 더하옵소서. 약속의 말씀 앞에 민감하게 하시고, 하나님의 약속이 말씀을 의지하고 저들을 신앙으로 기르는 일에 담대한 부모가 되게 하여 주옵소서.

그리고 아버지 하나님, 주님을 신뢰하기에 더욱 최선을 다해서 양육할 수 있는 부모들이 되게 해주시옵소서. 그리하여 우리의 가정에서, 우리의 교회에서 한 명의 모세가 자라나 역사의 방향을 바꿀 때에, 우리의 교회는, 우리의 가정은 역사 앞에 고개를 들겠나이다.

하나님, 우리 교회 속에 이 민족과 세계를 위한 모세를 허락해 주시옵소서. 그 자녀를 양육하며 그들에게 비전을 심고, 그들의 내일을 위해서 눈물과 땀흘려 기도하는 부모들, 살아 계신 하나님 앞에 끊임없는 도고와 눈물의 기도를 드리고 있는 가정, 교회가 우리 성도들의 모습이 되게 하여 주옵소서.

이 바람, 이 열망 속에 내일의 지도자를 키워가는 우
리가 되게 하여 주옵소서. 예수님의 이름으로 기도합니
다. 아멘.

복습과 토의 질문

1. 모세에 대한 하나님의 평가는 어떤 것들이었습니까?

2. 모세의 부모 이름은 무엇이고 그들은 어떤 부모였습니까?

3. "신앙으로 자녀를 기른다"는 말과 "최선을 다해서 기른다"는 말은 모순 됩니까? 조화될 수 있습니까?

제 4 부

행복한 미래의 가정을 위하여

13

하나님을 경외하는 집

-믿음의 가정 됨을 위하여-

사도행전 10:1-8

"가이사랴에 고넬료라 하는 사람이 있으니 이달리야대라
하는 군대의 백부장이라 그가 경건하여 온 집으로 더불어 하
나님을 경외하며 백성을 많이 구제하고 하나님께 항상 기도하
더니 하루는 제 구 시쯤 되어 환상 중에 밝히 보매 하나님의
사자가 들어와 가로되 고넬료야 하니 고넬료가 주목하여 보고
두려워 가로되 주여 무슨 일이니이까 천사가 가로되 네 기도
와 구제가 하나님 앞에 상달하여 기억하신 바가 되었으니 네
가 지금 사람들을 욥바에 보내어 베드로라 하는 시몬을 청하
라 저는 피장 시몬의 집에 우거하니 그 집은 해변에 있느니라
하더라 마침 말하던 천사가 떠나매 고넬료가 집안 하인 둘과
종졸 가운데 경건한 사람 하나를 불러 이 일을 다 고하고 욥바
로 보내니라."

하나님을 경외하는 집

오늘날의 결혼은 어차피 계속될 수 없다는 것을 전제하고 있는 듯합니다. 오늘날 미국의 기혼 가정의 절반이 이혼을 경험했다는 통계적 추세가 등장하고 있습니다. 최근에 이르러서 이혼율이 다소 감소된다는 통계가 있다고는 하지만, 그 이유를 조사해 보니 실제로 이혼이 줄어든 것이 아니라 아예 결혼 신고를 하지 않고 사는 사람들이 많아졌기 때문이라고 합니다.

이것이 우리의 자녀들이 살고 있는 현대의 사회적 분위기라는 사실 앞에 우리는 경각심을 가질 필요가 있습니다.

1984년에 기네스 북(Guinness Book)에는 가장 이혼을 많이 한 사람으로 스카트 월프라는 사람이 등장했습니다. 이 사람은 26번째 이혼을 하고 27번째 부인을 찾고 있다고 했습니다.

이 사람이 작년에 죽었다는데, 임종 무렵에 어떤 친구가 이 사람에게 "당신의 생애 속에 후회가 있는가?"라고 물었더니 그는 "내가 다시 인생을 살 수 있다면 나는 한 부인과 살고 싶다. 나에게는 진정한 의미에서 가정이 없었다"고 고백했다고 합니다.

로마 제국의 멸망 원인 중의 하나가 부도덕의 성행과 가정의 붕괴였다는 사실은 이미 지적되었습니다. 로마 가정들의 붕괴와 함께 역사가 무너져 가는 그 마지막 황혼을 지켜 보면서, 로마의 한 철학자는 "애국자여, 가정을 지키시오!"라고 호소했으며, "신이여, 기도하는 가정을 로마에 다시 일으켜 세워 주십시오"라는 기도문을 남겼습니다. 그는 또 "로마의 부강은 신을 두려워하고, 가정을 소중히 하는 전통에 있었다"는 기록을 남겼습니다.

오늘 본문에는 놀라운 신앙의 가정을 이루고, 놀라운 믿음을 가졌던 한 로마인에 대해서 기록되어 있습니다. 신앙을 가졌다는 사실이 평범하고 아름다운 일일지언정 왜 놀라운 일입니까?

본문을 살펴보면, 첫째로 그가 신앙을 갖게 된 경위가 우리를 놀라게 만들고, 둘째로 그의 신앙 생활의 실천적 삶의 모습이 우리를 놀라게 만들며, 셋째로 그가 그의 신앙 때문에 받았던 축복이 참으로 우리를 놀라게 만듭니다.

신앙을 갖게 된 경위

첫째로, 고넬료가 신앙을 갖게 된 놀라운 경위를 보십시오.

이 사람은 신앙을 갖기 어려운 몇 가지 불리한 조건을 가지고 있었던 사람이었습니다. 첫째로 그는 이방인이었습니다. 그가 이방인이었다는 것은 그에게는 소위 신앙적 유산이나, 믿음의 계승이라는 것이 없었다는 말입니다. 아마 기독교적 가정에서 자라난 사람들은 그런 것을 실감하지 못했을지 모르지만 저같이 전혀 기독교적 배경이 없었던 가정에서 자라난 분들인 경우에는 이해하실 수 있을 것입니다.

제가 예수를 믿고 한 10여년간 제 가슴을 때렸던 가장 커다란 아픔이 있었다면 그것은 저도 기도하는 아버지와 어머니를 가져

봤으면 하는 것이었습니다. 내 친구들 가운데서 그의 어머니, 아버지의 기도 때문에 믿음의 길을 걷고 있다는 말을 들을 때마다 나는 신앙인의 가정이 목마르도록 그리웠습니다.

이 고넬료라는 사람은 신앙적인 전통이나 믿음의 계승을 전혀 가지지 못했던 이방인이었습니다. 뿐만 아니라 이 사람은 높은 지위의 사람이었습니다.

본문에 보면 이 사람의 군대 안에서의 지위가 백부장이라고 말하고 있습니다. 적어도 100명 이상의 부하를 거느리고 있는 군대의 중요한 우두머리 가운데 한 사람이었습니다. 지금 100명의 군사를 거느리고 있는 군대의 장이라고 하면 별로 높은 사람이 아니라고 우리가 생각할지 모르지만, 로마로부터 팔레스타인에 파견되어 나온 군대의 지휘관으로서 100명을 거느리고 있었다면 이것은 상당한 지위에 속한 것이었습니다. 다시 말해서 고넬료는, 로마가 정복한 피정복지의 일종의 군대 지휘관 중의 한 사람이었던 것입니다.

사랑하는 여러분, 정복당한 사람들이 그들을 정복한, 힘이 있는 사람들의 종교나 문화를 부러워하는 것이 일상적인 상식에 속합니다. 로마 군인의 말발굽 아래에 짓밟힌 이 피압박 민족의 종교를 신앙한다는 것은 사실상 이 사람의 체면에 어울리지 않는 것일 수밖에 없습니다.

그러나 이 사람은 편견이 없었던 사람이라고 생각됩니다. 열린 마음을 지니고 있던 사람임에 틀림없습니다. "배울 것은 누구에게나 배워야지"하는 자세를 가지고 있는 사람이었던 것입니다.

이 사람은 아마도 주께서 산상 수훈에서 말씀하신 "가난한 마음"의 소유자였을 것입니다. 그래서 자기 나라의 말발굽 아래 짓밟혀 살고 있는 유대 민족이지만 그럼에도 불구하고 민족의 경건성 속에서 하늘과 땅을 지으신 창조주 하나님, 여호와 하나님을 아는 지식에 도달한 그들의 신앙을 따르게 되었을 것입니다.

그는 겸손한 사람이었습니다. 사실 사회적 신분이 높은 사람일 수록 겸손하게 기독교 신앙을 갖는다는 것은 쉬운 일이 아닙니다.

지난날 한국 역사 속에 대통령에게 예수를 믿으라고 전도한 사람은 굉장히 많이 있었던 것으로 알고 있습니다. 그러나 전도를 할 때마다 이들이 대답한 일반적인 대답은 이런 것이라고 전해지고 있습니다. "지금 대통령의 지위에서 나는 특정 종교를 지지할 수 없습니다." 실제로 이분들을 만나서 전도를 해본 사람들에게서 직접 들은 이야기입니다.

흥미로운 사실은 그러면서도 선거철이 되면, 그들은 어떻게 해서든지 과거에 기독교와 관련이 있었다는 사실을 홍보하기에 급급했다는 것입니다. 국민학교 때 주일 학교를 나갔다든지 하는 이야기들을 뉴스에 흘려서 신문 지상에 나오는 것을 우리가 흔히 볼 수 있습니다. 종교가 내 출세에 유리하면 쉽게 이용할 수 있지만 종교가 내 출세에 방해가 된다고 생각하면 종교의 탈을 쉽게 벗어버리는 것이 어쩌면 정치인의 생리일지도 모릅니다.

그러나 사랑하는 여러분, 누가 돌을 들어 이 사람을 칠 수 있단 말입니까? 저와 여러분들은 어떻습니까? 때때로 우리들은 나의 체면 때문에, 내 신분 때문에 참으로 귀중한 이 신앙의 문제를 소홀히 하고 있지는 않습니까?

나의 자존심 때문에, 내 직장 때문에, 내 사업 때문에, 내 삶의 환경 속에 급격한 변화가 일어나자마자 나와 주님 사이의 관계가 서서히 멀어지는, 사람들이 자기의 체면과 신분을 지키기 위해서 주님에게서 멀어져 가는 것은 흔히 볼 수 있는 일입니다.

그럼에도 불구하고 이 고넬료라는 사람은 자신의 그 높은 지위와 신분에도 불구하고 살아 계신 하나님 앞에 무릎을 꿇어 기도할 수가 있었으며, 유대 민족은 그가 정복한 피압박 민족이었지만 그들의 신앙 고백을 배웠다는 사실은 심상하지 않은, 비상하고 놀라운 일임에 틀림이 없습니다. 이 사람이 신앙을 갖게 된 경위가 우선 우리를 놀라게 만듭니다.

신앙의 실천

둘째로, 고넬료의 신앙의 실천이 우리를 놀라게 만듭니다.

고넬료의 가정에는 두 개의 창이 있었다고 생각합니다. 하나는 하나님을 향한 창이었고, 또 하나는 이웃을 향한 창이었습니다. 이 두 개의 창이 열려져 있는 가정입니다. 하늘을 향하여 열린 창을 가지고 기도하던 가정입니다. 이웃을 향해 열린 창을 가지고 이웃을 돌아보고 이웃을 섬기는 구제가 있었던 가정이었음을 알 수가 있습니다.

사랑하는 여러분, 신앙 생활이란 도대체 무엇입니까? 우리가 믿음으로 살아간다는 것, 예수 믿고 산다는 것은 한마디로 말하면, 우리가 정곡을 찔러 신앙 생활의 정수를 한마디로 정의한다면 그것은 "하나님과 이웃과의 바른 관계"일 것입니다.

가장 커다란 계명이 무엇입니까? 그것은 "네 마음을 다하며 목숨을 다하며 힘을 다하며 뜻을 다하여 주 너의 하나님을 사랑하고 또한 네 이웃을 네 몸과 같이 사랑하라"(눅 10 : 27)입니다. 하나님 사랑과 이웃 사랑, 이것이 주님께서 강조하신 가장 커다란 명령이었습니다.

　사랑의 생리가 무엇입니까? 사랑한다는 것의 의미는 도대체 무엇입니까? 사랑할 때 무슨 일이 발생합니까? 저는 사랑이 가진 본능적인 생리로 두 가지를 들 수 있다고 생각합니다. 첫째로 사랑하면 사랑하는 사람과 함께 있고 싶고, 그리고 둘째로 사랑하는 사람을 위해서는 무엇이든 주고 싶어집니다.

　내가 참으로 하나님을 사랑한다면 하나님과 함께 있기를 즐겨 할 것입니다. 여러분, 여러분과 내가 얼마만큼 주님을 사랑하고 있는가를 실험할 수 있는 방법이 있습니다.

　여러분, 얼마나 기도하십니까? 여러분의 삶 속에 기도가 살아 있습니까? 기도한다는 것이 무슨 의미가 있습니까? 저는 기도란 낱말의 가장 중요한 정의는 "하나님과 함께 있는다"는 것이라고 생각합니다.

　무엇을 구하여 얻는 것이 기도의 전부는 아닙니다. 물론 그러한 측면도 있습니다. 그러나 그것은 기도의 한 측면입니다. 기도의 진수는 하나님과 더불어 대화하는 것입니다. 주님과 같이 있는 것입니다. 내가 정말 주님을 사랑한다면, 이 하나님이 내 삶의 등불이며, 소망이며, 내가 돌아가야 할 내 영혼의 고향 같은 분이며, 내 어머니 같은 분이라면 이 하나님과 함께 있는 시간을 정말로 즐거워하십니까? 오늘 여러분의 삶 속에 정말로 기도가 있습니까?

　언제나 저를 도전하는 명언 가운데 기도에 관한 것은 루터의 "너무 바쁘다. 내가 요즘 너무 바쁘다. 따라서 나는 더욱 기도해야겠다"입니다. 이것은 루터의 일기장에 쓰여진 글입니다. 기도의 십일조를 드리며 하루에 2시간 24분 동안 하나님 앞에 엎드려 전능하신 주님과 교제하기를 즐겼던 마틴 루터의 삶의 기록은 오늘 여러분에게 어떤 도전을 던지고 있습니까?

고넬료는 하나님을 향해 열린 창을 가지고 있었습니다. 그의 기도가 이것을 증명합니다(3절). 제 구시라는 것은 그가 기도하는 시간이었습니다. 그는 일상 생활 가운데서 기도하는 정기적인 시간을 가지고 있었음을 볼 수가 있습니다.

다시 말하면 그는 아무리 바빠도 양보할 수 없는 기도의 우선순위를 가지고 있었던 사람, 다른 일 다 하고서 남아 돌아가는 시간에 기도하는 것이 아니라 자신에게 가장 소중한 시간을 내 생명의 창조주, 하나님 앞에 기도하는 사람이었음을 볼 수가 있습니다. 하나님을 사랑했기 때문입니다.

이웃을 사랑하십니까? 내가 이웃을 사랑하고 있는지를 실험해 볼 수 있는 방법이 있습니다. 이웃의 필요 앞에 여러분은 어떻게 반응하십니까? 이웃이란 도대체 누구입니까? 누가 우리의 이웃입니까?

이 질문에 대한 정곡을 찌르는 대답을 가르쳐 주시기 위해 주님은 선한 사마리아인의 비유를 하셨습니다. 내 옆에 살고 있는 사람이 이웃이 아니라, 여리고 길가에, 내가 걸어가는 삶의 길에서 어느 날 부딪친 사람, 그가 만약 나의 도움을 요구하는 사람이라면 내가 도와야 할 모든 사람이 나의 이웃이라는 것입니다.

당신의 시간을 요구하는 사람, 당신의 위로를 필요로 하는 사람, 당신의 격려를 필요로 하는 사람, 당신의 돈을 필요로 하는 사람……내 눈물과 내 격려와 내 애정과 내 도움을 필요로 하는 모든 대상이 바로 내 이웃이라는 사실입니다. 고넬료에게는 이웃에 대한 애정이 있었음에 틀림이 없습니다.

오늘 본문에 보면 그가 주변에 있는 많은 이웃을 구제하는 삶을 살았음을 볼 수 있습니다(9절). 어쩌다 한 번 구제한 것이 아닙니다. 구제 캠페인의 달에 어쩌다 한 번 구제한 것이 아니라

이 사람에게 있어서 구제는 일상적 삶이었던 것입니다.

내 삶의 길에서 사람들을 부딪칠 때마다 "내가 어떻게 그에게 도움이 될 수 있을까" 하는 마음으로, 남의 도움을 받는 일보다도 내가 가진 신앙, 내가 가진 축복을 나누는 삶입니다. 넉넉하고 많이 있어서가 아니라 자신에게 주어진 삶의 소박한 축복을 가지고 주변의 도움이 필요한 사람을 찾고 있었던 이 고넬료의 모습은 너무나도 인상적입니다. 그는 이웃을 향하여 열린 창을 가지고 있었습니다.

두 개의 창, 하늘을 향해서 열린 창과 이웃을 향해서 열린 창을 가지고 있었던 이 사람은, 단순히 교회에만 출석하는 교인이 아니라 바로 신앙이 그를 지배하고, 다스리던 사람이었습니다.

신앙으로 경험한 축복

셋째로, 우리를 놀라게 하는 또 다른 측면은 그가 받은 축복입니다.

그가 받은 축복이 우리를 놀라게 합니다. 무슨 축복을 받았습니까? 무엇보다도 하나님은 고넬료의 기도와 구제를 받아 주시고, 이 사람의 기도와 구제를 하나님 자신이 인정하셨습니다(4절). 하나님의 천사가 그에게 "네 기도와 구제가 하나님 앞에 상달하여 기억하신 바가 되었느니라"는 메시지를 전합니다.

사랑하는 여러분, 우리가 아무리 기도해도 그 기도가 응답되지 않았다면 그것은 결국 독백에 불과합니다. 그것은 기도가 아닙니다.

하늘 문을 열어, 하늘 보좌를 움직이고, "하나님이 네 기도를 들으셨다"고 선포된 이 사람의 놀라운 기도의 삶을 보십시오. 이

보다 더 놀라운 축복이 어디 있습니까? "주께서 내 기도를 듣고 계신다. 이 비천한 사람의 기도를, 하늘 보좌에 앉으셔서 우주를 통치하시는 살아 계신 하나님, 전능하신 하나님이 인정하신다."

오, 창조주 하나님의 인정하심이여! 이것은 31절에서도 반복되는 메시지입니다. "말하되 고넬료야 하나님이 네 기도를 들으시고 네 구제를 기억하셨으니." 이 사실이 한번 더 기록되고 있는 것을 볼 수 있습니다. 주께서 그의 기도를 들어주셨습니다. 그리고 주께서 그의 구제를 받아 주셨습니다.

기도가 응답될 수 없다면 독백에 불과하다고 말씀을 드렸습니다. 우리가 이웃을 향한 사랑의 실천으로 이웃을 돕고, 이웃을 위해서 착한 일을 하고 있지만 하나님이 인정하지 않으신다면 그것은 솔직히 말해서 자기를 드러내는 것에 불과합니다.

오늘날 피아르(P.R.) 시대의 영향을 받아서 자기를 피아르하는 사람들을 많이 볼 수가 있습니다. 어쩌면 이 피아르가 필요한 경우도 있습니다. 그러나 중요한 사실은 하나님이 내 행위를 어떻게 평가하시는가입니다. 마지막 날, 하나님 앞에 서서 내 삶을 책임져야 하는 날, 나의 모든 선행에 관해서 하나님은 마지막 평가를 어떻게 내리시리라고 생각됩니까?

천사를 통해서 전달된 이 메시지를 들었던 고넬료의 소감이 어떠했을까요? "네 구제를 내가 안다. 네 사랑의 실천을 내가 인정하느니라. 네 기도와 네 구제가 하나님께 상달되었느니라." 주께서 인정하셨다는 사실, 이것은 얼마나 놀라운 축복입니까?

뿐만 아니라 고넬료는 마침내 예수님을 믿게 됩니다. 여러분, 하나님은 믿지만 예수님을 믿지 않는 사람들도 있습니다. 사울도 그런 사람이었습니다. 이것은 우리를 구원할 수가 없는 신앙입니

다. 신앙의 출발지로서는 바람직하지만 아직 진정한 신앙의 자리
에는 도달하지 못하고 있는 것입니다.

하나님을 경외하는 고넬료였고, 기도도 할 줄 알고, 구제도 할
줄 알았던 사람이었지만, 예수 그리스도를 자기의 구세주와 주님
으로 참으로 믿는, 구원받게 하는 신앙에는 아직도 도달하지 못
했던 사람이었습니다.

물론 고넬료의 신앙 행위, 그가 기도를 했다든지, 그가 구제를
실천했다든지 하는 것은 그의 마음속에 하나님을 향한 찾음이 있
었기 때문일 것입니다. 그는 구원을 찾고 있었을 것입니다. "찾으
라 그러면 찾을 것이요"(마 7 : 7). 하나님은 그를 찾는 사람들을
반드시 만나 주십니다.

계속되는 이 사람 고넬료의 인생 드라마를 지켜 보십시오. 하
나님이 어떻게 일하십니까? 하나님이 멀리 떨어져 있던 베드로,
시몬 베드로를 고넬료의 집에 보내십니다.

본래 유대인은 이방인과 상종하지 않습니다. 그러나 유대인과
이방인의 그 견고한 벽을 깨뜨리시고 주께서 자신의 사랑하는 사
람 베드로를 이 가정에 보내십니다. 복음을 전하게 하십니다.

고넬료는 마침내 시몬 베드로를 통해서 온전한 복음을 듣습니
다. 성령을 체험합니다. 그래서 진정한 의미에서 참된 그리스도
인이 되는 해피 엔딩의 이야기, 이것이 바로 사도행전 10장의 사
건입니다. 마침내 예수님을 믿게 된 것입니다.

참된 신앙의 자리, 참으로 있어야 할 진정한 신앙 고백의 자리
까지 도달하는 고넬료의 모습을 볼 수 있습니다. 얼마나 아름다
운 축복입니까?

더 놀라운 축복은 이 사람을 통해서 비로소 이방 선교가 시작

되었다는 사실입니다. 물론 사도행전 8장에서 에디오피아의 내시가 회심하는 장면이 있기는 하지만 본격적인 이방 선교의 계기를 만든 사람이 바로 고넬료였다는 것을 간과하지 마십시오.

살아 계신 하나님을 경외하며 경건하게 진리를 찾고 있었던 이방인 구도자 고넬료, 이 고넬료를 통해서 로마의 복음화의 여명이 밝아 오기 시작합니다. 강대한 제국 로마에 복음이 들어가는 그래서 결정적으로 그리스도를 받아들이는 계기를 만들었던 사람이 바로 고넬료라는 사람이었습니다.

그러나 그 이전에 그가 로마를 구원하고, 세계에 그리스도의 복음의 아름다운 빛을 가져오기 이전에 고넬료에게는 자기 가정이 구원받는 축복이 있었습니다.

본문을 읽으면서 계속 제 가슴을 치는 부분이 있었습니다. 바로 2절의 "온 집으로 더불어"라는 부분입니다. 하나님의 마음속에는 비단 우리 개인뿐만이 아니라, 한 가정을 구원하려는 계획이 있습니다. 그러면서 기독교 신앙은 개인적인 범주를 넘어섭니다.

하나님은 개인을 사랑하십니다. 당신을 사랑하십니다. 당신을 구원하기 원하십니다. 그러나 한 걸음 더 나아가서 하나님은 당신이 사랑하는 가족들이 함께 구원의 길에 동참하여, 그 영광스러운 나라를 바라보며 함께 걷는 가정의 구원을 원하고 계십니다.

"주 예수를 믿으라 그리하면 너와 네 집이 구원을 얻으리라"(행 16 : 31). 주님의 약속은 "너"에서 끝나지 않습니다. 노아의 홍수 시대에 심판을 작정하신 하나님께서, 그럼에도 불구하고 구원의 방주를 만들라고 계시하신 주님께서는 노아에게 이렇게 말씀하고 계십니다. "노아야, 너와 네 온 집이 방주로 들어가라."

사랑하는 여러분, 이따금씩 전도를 하다 보면 "우리 가족 가운데 누가 믿지 않는데, 나 혼자만 믿을 수는 없어요"라고 말하는 사람들이 있습니다. 저는 사람들의 그러한 고백을 이해하고 싶은 사람입니다. 사실, 사랑하는 사람이 없는 천국이라면 그 천국이 무슨 소용이 있겠습니까? 내 사랑하는 아내가 없는 천국, 내 사랑하는 아들과 딸이 없는 천국을 내가 어떻게 상상할 수 있단 말입니까?

상상할 수가 있습니까? 내 사랑하는 어머니와 아버지가 없는 천국, 내 사랑하는 아내와 남편이 없는 천국, 내 사랑하는 아들, 딸이 없는 천국을 어떻게 상상할 수 있단 말입니까?

그렇다면 여러분, 그 가정을 위해서 어떤 일을 하고 계십니까? 내가 사랑하는 사람들에게 줄 수 있는 최대의 서비스가 있다면, 그 영광스러운 주님이 계신 천국에 함께 갈 수 있도록 그들에게 복음을 전하는 것입니다.

그런 의미에서 신앙적인 아버지와 어머니를 가지신 여러분, 감사하십시오. 나를 기도에 눈뜨게 하신 내 어머니의 기도, 사랑을 알게 한 내 아버지, 내 어머니 앞에 감사하십니까? 사랑하는 여러분, 만약 그런 부모가 없었다면, 여러분의 자녀가 기도와 사랑에 눈 뜰 수 있도록 여러분이 모범을 보이는 신앙의 제 일대가 되기로 결심하십시오. 그래서 마침내는 나와 내 온 식구가 하나님을 섬기기로 결정하는, 하나님을 경외하는 집이 되게 하십시오. 내 일생이 끝났을 때에 나는 나의 가정에 하나님께로부터 이런 마침표가 찍혀지기를 기도합니다. 하나님을 경외하는 가정! 오늘 당신에게 이 비전이 있습니까?

아버지 하나님!

주께서 허락하신 아내와 남편이 내게 없었더라면 내가 걸어가는 길이 얼마나 삭막하고 어두운 사막이었겠는가를 기억할 때마다 내 아내를 주신, 내 남편을 주신 하나님께 찬양을 드립니다.

나에게 무엇보다, 희생과 사랑에 눈뜨게 해주신 내 어머니를 주신 하나님께 감사를 드립니다. 나에게 삶의 올바른 길을 걸어가도록 채찍질하시고, 엄하신 그 모습으로, 심각한 음성 속에 애정을 담아서 나를 책망하시던 내 아버지를 주신 것을 감사합니다.

내 아버지, 어머니의 연약함과 많은 실수에도 불구하고, 내 아버지와 어머니를 통해서 나는 인생의 눈을 떴고, 사랑의 눈을 뜰 수가 있었습니다. 내 어머니, 아버지의 노후를 주께서 친히 위로하시고 격려해 주옵소서. 우리 주님을 섬기며, 또 그들을 위해서 기도하고 있는 자녀들을 인해서 행복할 수 있는 노후를 주옵소서.

또한 내 자녀들이 내가 걷는 신앙의 길에 함께 서서, 우리 주님을 섬기면서 삶의 마지막 순간까지 걸어갈 수 있기를 원하옵니다. 내 아들을 하나님의 사람이 되게 하여 주옵소서. 내 딸이 하나님의 사람이 되게 하여 주옵소서. 내 집이 하나님을 경외하는 집이 되게 하여 주옵소서. 예수님의 이름으로 기도합니다. 아멘.

복습과 토의 질문

1. 경건한 고넬료의 가정이 경험한 신앙적 축복들은 무엇입니까?

2. 우리 식구들 중(친족 중) 아직 믿지 않는 사람들을 어떻게 전도할 수 있겠는지 상황을 설명한 후 토의해 보십시오.

3. 우리 가정에 구제 사역이 있다면 어떻게 발전시킬 수 있는지, 없었다면 어떻게 시작할 수 있을지를 토의해 보십시오.

14

하나님을 경외하는 사람

-성숙한 인간 됨을 위하여-

사도행전 10 : 17-26

"베드로가 본 바 환상이 무슨 뜻인지 속으로 의심하더니 마침 고 넬료의 보낸 사람들이 시몬의 집을 찾아 문 밖에 서서 불러 묻되 베 드로라 하는 시몬이 여기 우거하느냐 하거늘 베드로가 그 환상에 대 하여 생각할 때에 성령께서 저더러 말씀하시되 두 사람이 너를 찾으 니 일어나 내려가 의심치 말고 함께 가라 내가 저희를 보내었느니라 하시니 베드로가 내려가 그 사람들을 보고 가로되 내가 곧 너희의 찾는 사람이니 너희가 무슨 일로 왔느냐 저희가 대답하되 백부장 고 넬료는 의인이요 하나님을 경외하는 자라 유대 온 족속이 칭찬하더 니 저가 거룩한 천사의 지시를 받아 너를 그 집으로 청하여 말을 들 으려 하느니라 한대 베드로가 불러들여 유숙하게 하니라 이튿날 일 어나 저희와 함께 갈새 욥바 두어 형제도 함께 가니라 이튿날 가이 사랴에 들어가니 고넬료가 일가와 가까운 친구들을 모아 기다리더 니 마침 베드로가 들어올 때에 고넬료가 맞아 발 앞에 엎드리어 절 하니 베드로가 일으켜 가로되 일어서라 나도 사람이라 하고."

하나님을 경외하는 사람

어떤 사람이 천부의 재능을 지닌 뛰어난 학자일 때 우리는 그를 가리켜 타고난 학자라고 말합니다. 확실히 이 세상에는 선천적 재능을 가지고 태어나는 타고난 학자도 있고, 타고난 정치가도 있고, 타고난 사업가도 있고, 타고난 기술자도 있고, 타고난 예술가도 있다고 생각합니다.

그런가 하면 부단한 노력을 통해서 자기의 재능을 개발하고, 발전시켜서 한 분야의 전문가가 되는 후천적인 전문가도 있습니다. 이들은 타고난 사람들이라고 하기보다는 만들어지는 사람이라고 해야 할 것입니다.

사도행전에 두 중요한 인물이 있다면 바울과 베드로입니다. 여러분이 사도행전의 전반부를 읽어 보면 사건의 가장 중요한 인물로 등장하는 사람이 베드로입니다. 그러나 사도행전 후반부로 펼쳐져 가면서 주인공이 바울 사도로 바뀌는 모습을 발견하게 됩니다.

이 두 사람은 여러 가지 면에서 아주 대조적인 성격을 가지고 있습니다. 바울이 아주 일관성 있는 성격을 가진 사람이라면, 베드로는 아침과 저녁이 달랐던, 기복 많은 인물이었습니다. 바울

이 일종의 타고난 지도자형이었다면, 베드로는 많은 우여 곡절과 넘어짐과 실패와 좌절의 경험을 통해서 마침내 만들어졌던 지도자라고 할 수 있습니다.

오늘 본문에 등장하는 베드로의 모습에서 우리는 우리 모두가 본받아야 할 인간상을 관찰하고 싶습니다. 베드로, 그는 오늘 사도행전 10장에서 어떻게 성숙한 사람으로 우리에게 등장하고 있습니까? 그는 어떤 사람이 되어 우리 앞에 나타나고 있는가를 오늘 본문을 통해서 관찰해 보시기 바랍니다.

생각하는 사람

첫째로, 오늘 본문에 등장하는 베드로가 생각하는 사람으로 우리에게 다가오는 모습은 매우 인상적입니다.

적어도 복음서에 나타난 베드로는 먼저 일을 저지르고 나중에 천천히 수습하고 생각하는 스타일이었습니다. 베드로가 가는 곳마다 항상 문제가 있었습니다. 사람들은 이 사람을 어떻게 다뤄야 할지 난처하게 생각했습니다.

그러나 오늘의 베드로는, 사도행전 10장에 나타난 베드로는 확실히 달라져 있습니다. 본문에 보면 베드로가 환상을 본 후에 그 환상의 의미를 골똘히 생각하고 있는 모습이 그려져 있습니다(17절).

한글 개역 성경에서는 "의심한다"라고 표현되어 있지만, 이것은 깊은 의미에서 관찰한다는 뜻이 있습니다.

베드로는 아직도 젊습니다. 그러나 이 사도행전 10장을 기록할 때보다 훨씬 이전으로 돌아가서 보다 젊은 날의 베드로, 복음서에 나타난 베드로, 주님을 부인하기 전의 베드로였다면, 그가 만일 어떤 환상을 체험했다고 해서 그 환상을 깊이 생각하지는 않았을 것입니다. 간밤에 어떤 환상을 보았다면 개꿈이라고 일축해 버릴 수도 있는 유형의 사람이 바로 베드로인 것을 우리는 알 수 있습니다.

그런데 오늘 본문을 보면 그 앞에 나타난 환상을 통해서 하나님께서 어떤 교훈을 나에게 주시지는 않는지, 이 환상을 통해서 주께서 나에게 말씀하시고 계시는 메시지는 무엇인지, 이 환상의 신앙적인 의미를 아주 골똘하게 생각하고 있는 베드로의 모습이 아주 인상적으로 부각되어 있습니다.

환상이란 초자연적인 생각입니다. 그리고 생각한다는 것은 자연적인 현상에 속합니다. 신비주의자들, 신비주의적 신앙을 가진 사람들은 흔히 초자연적인 체험이나 초자연적인 이적을 강조하기 마련입니다. 반면에 이성적인 사람들은 인간의 자연적 기능, 생각하는 기능과 판단하는 기능을 더욱 강조할 것입니다.

그런데 사실 성경에 보면 하나님은 양자를 다 사용하십니다. 그는 때때로 초자연적인 기능을 동원해서 사람들에게 말씀하십니다. 그런가 하면 가장 자연스러운, 주님께서 주신 인간의 자연적인 기능을 통해서 우리의 심령 속에 다가오시고, 말씀하시는 하나님이시기도 합니다.

베드로의 경우, 하나님은 초자연적인 수단을 사용하셔서 베드로의 관심을 주목시키신 다음에 결정적인 단계에서 베드로가 생각할 때에, 그 생각을 통해서 베드로에게 임재하시고, 하나님이 주시고자 하는 교훈을 그에게 말씀하셨던 사실을 볼 수가 있습니다.

생각할 수 있다는 것은 인간의 특권입니다. 하나님이 아담을

창조하시고 나서, 첫사람 아담에게 맨 처음 주었던 창조적 과제
가 어떤 것이었는지 여러분, 생각납니까? 동물들의, 생물들의 이
름을 짓도록 아담에게 그 책임을 맡기셨던 일을 여러분은 창세기
의 기사에서 읽었을 것입니다.

하나님이 동물들의 이름을 미리 지어 놓고 그냥 부르게 했다면
얼마나 편리했겠습니까? 그렇게 할 수 있으신 하나님이 그렇게
하지 않으시고 아담으로 하여금 자기 앞에 지나가는 동물들의 이
름을 짓도록 하십니다. 이 얼마나 어려운 일입니까?

저는 그런 면에서 아담을 동정할 수 있는 사람입니다. 제가 제
일 당황하는 경우는 여러분들이 자녀를 저에게 데리고 와서 이름
을 지어 달라고 할 때입니다. 제 머리의 컴퓨터는 한정되어 있습
니다. 그렇다고 여러분의 모든 자녀들에게 똑같은 이름을 지어
줄 수도 없지 않습니까?

그래서 저는 이런 부탁을 받을 때마다 한 사람의 이름을 짓는
다는 것이 정말 힘들다는 것을 몸으로 체험합니다. 저는 아담의
당혹함을 이해할 수가 있습니다. 이름을 짓는다는 것은 힘든 일
입니다. 보통 어려운 일이 아닙니다. 인간에게 깊은 생각을 요구
합니다.

인간의 인간 됨은 실로 생각할 수 있는 기능 속에 있습니다.
일찍이 한 철학자는 "나는 생각한다, 고로 나는 존재한다"라고
말했습니다. 이것은 인간의 인간 됨의 본질을 가장 깊이 있게 파
헤친 선언이라고 생각합니다.

여러분에게 묻겠습니다. 과연 여러분의 삶 속에는 생각하는 여
백이 있습니까? 우리가 일상 생활에 너무 시달리다 보면 생각하
지 못하고 살게 됩니다.

봄인가 했더니 어느새 우리는 여름철을 맞이하고 있습니다. 이

십 년이 지난 삶인가 했더니 벌써 그에 더하여 삼십 년, 사십 년, 오십 년을 헤아리는 우리들의 모습을 바라볼 때, 우리는 삶의 허무함을 느끼지 않을 수 없습니다.

여러분, 얼마나 생각하고 계십니까? 우리가 너무 생존에 몸부림 친 나머지 하나님이 우리에게 주신 가장 소중한 기능인 생각하는 기능을 잃어버린 삶을 살고 있지는 않는지 모르겠습니다.

생각하되, 잡다한 생각은 아무런 의미가 없습니다. 본문의 경우 어느 날의 환상을 통해서 가진 베드로의 생각은, "하나님이 나에게 무엇을 요구하시는가?", "이 환상을 통해서 내가 어떤 삶의 변화를 가져와야 하겠는가, 내 일에 대해서 나는 어떤 계획을 세워야 하겠는가?"였습니다. 이것은 창조적인 생각이었습니다. 이것은 하나님의 메시지를 받기 위한 건강한 생각이었습니다.

베드로가 좀더 젊었을 때는 너무 활동을 강조한 그의 성격 때문에 그의 생각하는 기능이 질식당하고 있었습니다. 그것 때문에 베드로는 많은 실수를 했습니다. 그는 많이 엎어지고, 자빠졌습니다. 큰소리 쳤지만 어이없이 넘어졌던 그는 하나님 앞에서 자기의 실패와 실수로 인한 쓰라린 자아상을 바라보지 않으면 안 되었습니다.

그러나 이 모든 실패를 통해서 베드로는 성숙합니다. 그는 이제 생각의 중요성을 인식합니다. 어느 날 이 환상을 받고 주님 앞에서 "하나님, 이것은 무슨 뜻입니까, 주님 나에게 무엇을 기대하십니까?"라고 골똘히 생각하고 있었을 그 순간, 성령께서 그에게 임재하셔서 말씀하시고 있는 장면을 볼 수 있습니다.

왜 우리가 하나님의 음성을 듣지 못합니까? 생각하면서 살지 못하고 있기 때문은 아닙니까? 사람들은 너무 바쁩니다. 무엇 때문에 그렇게 바쁘게 살고 계십니까? 어디로 뛰어가고 계십니까? 만약 나에게 정말 하나님 앞에서 내 삶을 성찰하는 시간이 없다면, 어떻게 생각을 통해서 주께서 나에게 말씀하시는 음성을 들을 수 있겠습니까?

어디로 갈 것인가? 과연 나의 삶의 방향을 어디에다 맞출 것인가? 그리고 단 한번밖에 없는, 반복될 수 없는 내 삶의 나머지 기회를 통해 내가 어떻게 하나님의 영광을 위해서 살 수 있는가를 생각하는 사람들에게 성령은 임재하십니다. 성령은 그에게 "오! 주의 뜻을 분별하고, 나갈 길을 알고 살아가는 사람의 복됨이여!"라고 말씀하십니다.

왜 그렇게 허둥대십니까? 당신의 좌절과, 당신의 방황과, 당신의 낙심의 원인은 무엇입니까? 하나님 앞에서 주저앉아 말씀을 붙들고, 생각하고, 묵상하는 시간의 여백을 갖지 못한 당신의 바쁨을 차라리 죄악이라고 생각하지는 않습니까? 베드로는 생각할 줄 아는 사람이 되었습니다.

편견을 극복한 사람

둘째로, 베드로가 편견을 극복한 사람이 되었다는 성숙함을 발견할 수 있습니다.

한 언론인이 지적하기를 현대 과학과 문명의 눈부신 발달에도 불구하고 오늘날 전혀 해결하지 못하는 인류의 병이 하나 있는데, 그것은 편견이라고 했습니다. 최강국인 미국에서도 흑백 인종의 그 무서운 편견은 극복되지 못했습니다. 미국의 발달된 과학과 문명과 철학이, 교육이 이 문제를 해결하지 못했습니다.

마크 트웨인(Mark Twain)은 인류의 역사는 바로 편견의 역사라고 말합니다. 한 정치가는 말하기를 인간이 모든 편견에서 자

유할 수 있다면 지구촌 문제의 90%이상은 당장에 해결될 것이라
고 합니다. 저는 만약 우리가 편견을 버릴 수만 있다면, 편견에서
의 자유함을 경험할 수만 있다면, 오늘 이 지구촌에서 벌어질 수
있는 문제의 90%정도는 당장에 해결될 수가 있다는 그의 말이
지나친 과장이 아니라고 생각합니다.

초대 교회 안에도 이런 편견이 있었습니다. 그것은 유대인 크
리스천들이 가진 편견이었습니다.

지금까지 유대인들은 이방인들을 개처럼 취급해 왔습니다. 더
럽혀진 사람들, 하나님을 알지 못하는 사람들, 할례받지 못한 사
람들처럼 대해 왔습니다. 그런데 이제 이방인들 가운데서 복음을
듣고 돌아오는 사람들이 한 사람, 두 사람 생기기 시작합니다.

우리만이 하나님의 백성이고, 나만이 하나님 앞에 선택된 백성
이라고 자부하던 유대인들의 입장에서, 고개를 돌리고 살던 그
이방인 그리스도인들을 어떻게 그들의 교제 속에 영입하여 "형
제여, 자매여"라고 부르며 이웃으로 받아들일 수 있는가라는 중
요한 문제가 초대 교회 안에 제기되었습니다.

베드로에게 어느 날 나타났던 환상은 베드로의 편견을 깨기 위
한 하나님의 시청각 교육이었습니다.

이 환상에서는 성경에서 더럽게 취급된 네 발 달린 짐승이 나
타났습니다. 그리고 하늘에서 "잡아 먹으라"는 소리가 들려 왔습
니다. "아니, 하나님! 이것은 더러운 것이 아닙니까?"라고 베드
로가 거절했습니다. 그러자 하나님은 "내가 깨끗하다고 선언한
것을 너는 속되다고 하지 말라"고 말씀하시면서 다시 이 환상 속
에 나타난 동물들을 하늘로 받으십니다. 주께서 받아 주신다는
선언입니다. "내가 받았으니, 내가 인정했으니 너도 받아야 한다"

는 것입니다.

사랑하는 여러분, 우리가 삶을 살다 보면 우리 주변에서 우리
가 그대로 받아들일 수 없는 껄끄러운 이웃들을 경험하게 됩니
다. 보기만 해도 식욕이 떨어지는 사람들을 종종 경험하게 됩니
다. 내가 그처럼 주의 말씀 앞에서 사랑을 부르짖고, 기도하고,
찾았음에도 불구하고 이웃을 용납하고 용서한다는 것이 쉽지 않
다는 것을 발견하게 됩니다.

사랑하는 이웃들에 관한 이 무서운 편견이, 나와 내 주변의 형
제들과 자매들 사이의 교제를 가로막는 벽이 아직도 존재하는 것
을 볼 수가 있습니다.

베드로에게 나타났던 환상을 통해서 하나님께서는 오늘을 사
는 저와 여러분들을 향해서 무엇을 교훈하고 계십니까? "내가
받은 형제를 네가 받겠는가?" 이것이 우리를 향한 하나님의 시
험입니다.

바울은 로마서 15 : 7에서 "이러므로 그리스도께서 우리를 받
아"라고 말씀했습니다. 하나님이 우리를 받으셨습니다. 나 같은
사람을 있는 모습 그대로 받아 주셨습니다. 하나님께서는 편견을
뛰어넘어 내 죄인 됨을 아심에도 불구하고, 나의 누추함에도 불
구하고, 내가 가진 인간성의 모든 약점을 보시면서, 아시면서도
내가 "주여!"라고 부르짖는 그 순간, 십자가 앞에, 보혈을 흘려
주신 주님 앞에 "나의 주님, 나의 하나님!"이라고 부르짖는 그 순
간 나를 있는 모습 그대로 받아 주십니다.

성경은 "이러므로 그리스도께서 우리를 받아 하나님께 영광을
돌리심과 같이 너희도 서로 받으라"(롬 15 : 7)고 말씀하십니다.
네 이웃을 받아라, 네 껄끄러운 이웃을 받아라, 너를 괴롭히는 형

제를 받아라, 네 가슴에 칼질을 하고 있는 자매를, 너를 모독하고 있는 이들을 받으라고 말씀하십니다.

편견을 뛰어넘어 주께서 사랑하시는 사람들을 받기 위해서 큰 가슴을 가지고 주 앞에 설 수 있습니까? 여기, 편견을 극복하고 마침내 이방인 한 사람을, 고넬료를 찾아 나서고 있는 베드로를 주목해 보십시오.

베드로가 고넬료의 집을 찾아갑니다. 개라고 취급했던 이방인, 침을 뱉고 쳐다보지도 않았던 이방인의 집을 향해서 베드로는 갑니다. 하나님의 메시지를 붙들고, 한번도 대하지 않았던 이방인을 향하여, 자기의 마음속에 존재하고 있었던 선입견을, 편견을 뛰어넘어 이방인 형제의 집을 향해 가고 있는 베드로의 발걸음을 주목해 보십시오. 여기, 편견을 극복한 성숙한 하나님의 사람의 모습이 있습니다.

오늘 여러분의 마음속에는 어떤 편견이 있습니까? 오늘 여러분의 형제와 자매와 아직도 화해하지 못하는 이유가 무엇이라고 생각합니까? 내가 나의 주변의 사랑하는 형제와 자매를 그리스도의 사랑으로 참으로 받고, 천성 길 가는 그 짧막한 인생의 여정에서 서로 돌아보아 사랑과 선행을 격려하며 살지 못하는 원인이 어디에 있습니까?

오늘 무엇이 여러분의 마음을 껄끄럽게 만듭니까? 오늘 무엇이 여러분에게 스트레스와 인간 관계에 대한 무게와 중압감을 주고 있습니까? 만약 주께서 나를 받아 주신 그 사실을 기억한다면, 내가 받지 못할 이웃이 어디에 있단 말입니까!

인간이 피조물임을 이해한 사람

셋째로, 성숙한 베드로의 특성 또 한 가지는 그가 인간이 피조물임을 이해하고 있었다는 사실입니다.

본문 25절에 보면 "마침 베드로가 들어올 때에"라고 기록되어 있습니다. 하나님이 보내신 사자 베드로가 들어왔다는 것을 고넬료는 알고 있었습니다. 그래서 베드로를 보자마자 어떤 동작을 취합니까? 고넬료는 절을 하려고 합니다. 이 절은 평범한 존경의 표시로 이해할 수도 있습니다.

그러나 여기에는 존경 이상의 의미가 있었습니다. 여기에는 거의 경배에 가까운 의미가 있었을 것입니다. 고넬료는 이미 하나님이 보내신 사자가 도착할 것이라는 사실을 알고 아마 천사일지도 모른다고 생각했을 수도 있습니다. 어쨌든 그는 하나님의 특사임에 틀림이 없었습니다.

베드로가 자기의 집에 도착하자마자 고넬료는 황송한 심정으로, 주를 경배하는 심정으로 엎드려 절을 합니다. 만약 이때 이 절을 받고 있는 사람이 베드로가 아니라 사이비 종교 교주였다면 어떻게 됐을까요? 이 경배를 받았을 것입니다.

그러나 베드로는 이 장면에서 어떻게 대답하고 있습니까? "나도 사람입니다. 일어나십시오." 나도 당신과 똑같은 사람이라고 베드로는 말했습니다.

이단의 교주가 발생하는 그 심리적인 배경과 정치적인 독재자가 생기는 배경을 연구해 본다면 그것은 이 피조물성에 대한 망각일 것입니다. 내가 피조물이라는 생각을 순간적으로 망각하기 때문입니다. 자기를 신으로 생각하는 것입니다.

유태인들이 사람이라는 말을 쓸 때, 사람을 "아담"이라고 부를 때 거기에는 삼중의 의미가 있습니다.

첫째로 그것은 "흙에서 나와 흙으로 돌아갈 인간"이란 의미입니다. "아담"이란 단어는 흙이란 단어에서부터 나왔습니다. 유한성을 가진 인간, 큰소리 쳐 봐야, 우리가 자존심과 자부심을 갖고 이웃을 향해서 쏘아대 봐야 우리는 창조주 하나님 앞에서 흙으로 지어진, 그리고 마침내 흙으로 돌아갈 수밖에 없는 별수없는 인간인 것을 망각하지 마십시오.

또 "아담"이라는 말 속에는 "실수할 수 있고, 범죄할 수 있는 연약한 인간"이란 뜻이 있습니다.

그리고 우리의 유한성 때문에, 우리의 죄악 됨 때문에 그들은 이 "아담"이라는 말 속에 "하나님을 의지하지 않고는 하루도 살아갈 수 없는 자"라는 또 하나의 의미를 부여했습니다. 이것이 인간 됨의 의미입니다.

베드로에게 있어서 가장 중요한 자각은 자신이 사람이라는 자각이었습니다.

사도행전 2장에 보면, 오순절에 베드로가 한 번 설교할 때 3,000명이 회개했다는 기록이 나옵니다. 만약 저에게 그런 일이 일어났다면 어떻게 되었을까 생각해 보았습니다. 만약 저의 단 한 번의 설교에 3,000명이 회개했다고 손만 든 것이 아니라 참으로 회개하고, 그들의 삶이 달라지는 이 놀라운 변화가 일어났다면 어느 정도 저를 신으로 착각하고 싶은 유혹의 가능성이 충분히 있었을 것입니다.

사도행전 2장의 이 놀라운 기억에도 불구하고, 상당히 자고할 수 있는 가능성, 그리고 많은 사람들이 자기에게 베푸는 존경을 즐기며, 그들이 베푸는 모든 신임을 즐기면서 자기를 신의 자리에 둘 수 있었던 그 많은 유혹의 가능성에도 불구하고, 베드로는 일개의 이방인 고넬료 앞에서 "일어나십시오. 나는 당신과 같은 사람입니다"라고 말했던 것입니다.

"나는 실수할 수 있는 인간이요, 살아 계신 하나님 앞에 범죄하고 있는 인간이요, 따라서 하나님의 용서와 하나님의 사랑의 치유를 요청하고 있는 사람입니다. 일어나시오. 우리는 함께 그 하나님을 경배하고, 살아 계신 하나님을 바라보며, 그 영광스러운 하나님의 나라를 향해 걸어가야 할 사람이 아니겠소." 이 겸허한 피조물성의 인식을 본문을 통해서 바라보십시오.

유명한 명작 가운데 하나인 서부 전선 이상 없다는 영화로도 소설로도 우리에게 소개된 적이 있습니다. 그 소설의 절정 가운데 하나는 폴 보머라는 사람이 처음 적을 죽이고 나서 "친구여, 나는 그대를 죽이고 싶지 않았소. 나는 그대를 하나의 추상적인 존재, 적으로 인식하여 왔었소. 그러나 나는 처음으로 지금 당신을 인간으로 바라보고 있소. 당신은 더 이상 나의 소총이나 수류탄 투척의 대상이 아니오. 나는 당신을 인간으로 바라보고 있소. 용서하시오, 친구여! 당신은 나와 똑같이 불쌍한 친구가 아니오? 당신의 어머니는 내 어머니와 마찬가지로, 자식들을 전쟁터에 내보내 놓고 가슴을 태우고 있는 어머니가 아니겠소. 그리고 우리는 함께 죽음을 두려워하는 인간들이 아니겠소. 그러면 우리가 어떻게 적일 수 있단 말이오. 우리는 인간이오!"라고 절규하는 장면입니다.

우리는 하나님 앞에서 사람입니다. 그리고 하나님 앞에서, 모두 더럽혀진 죄인입니다. 그렇다면 용서합시다. 용서합시다. 이웃의 작은 허물 앞에 흥분하지 맙시다. 주께서 나를 받아 주신 것처럼, 그리고 내 허물을 용서하시고 동에서 서가 먼 것같이 내

죄를 옮기시고, 나를 의롭다 하시고, 나를 하나님의 자녀로 삼으
시고 "내 아들이여, 내 딸이여, 사랑하는 자녀들이여"라고 나를
받아 주신 것처럼 서로 받아 주십시오.

살아 계신 하나님이 당신을 받아 주신 체험이 당신 속에서 일
어났다면 내 이웃에 있는 형제들과 자매들을, 그들의 잘못과 연
약함에도 불구하고 인간으로 받아 주신 것처럼 서로 받아 주십시
오. 그리고 형제여, 자매여! 함께 살아 계신 하나님을 아버지로
섬기며 살아갑시다. 여기, 사람 됨의 자각이 있습니다.

당신은 어떻게 살고 계십니까? 바쁘다 보면 생각을 잃어버리
고 살아갑니다. 허둥대면서 쫓기다가 또 하루를 보내고 있는 우
리들, 그래서 하나님의 음성을 들을 시간이 없습니다.

주의 음성을 들으셨습니까? 오늘 당신의 마음속에 있는 편견
은 무엇입니까? 왜 당신의 주변에 있는 이웃들과 껄끄러운 관계
를 맺고, 사랑하지 못하고, 이해하지 못하고 미워하며, 시기하고
사셨습니까? 별수없이 흙에서 나와 흙으로 돌아갈 수밖에 없는
인간됨, 인간은 피조물임을 망각하지 마십시오.

많이 실수했던 베드로, 그는 변했습니다. 당신도 변해야 되지
않겠습니까? 오늘 어떻게 변화된 모습으로 주님 앞에 서셨습니
까?

성숙한 인간관을 가질 때 성숙한 생을 살 수가 있습니다. 그리
고 성숙한 인간만이 성숙한 가정을 만들 수 있습니다. 성숙한 사
회를 만들 수 있습니다.

아버지, 하나님!

우리를 용서해 주십시오. 나의 부끄러움을 주님 앞에 토합니다. 이 많은 세월이 흘렀지만 아직도 성숙하지 못하고, 아직도 사랑하지 못하고, 아직도 이웃을 용서하지 못하며, 아직도 이기심의 껍질을 깨지 못하는 부끄러운 나를 주 앞에 드러냅니다. 천부여, 의지 없어서 손 들고 옵니다.

하나님께서 보여 주신 용서해야 할 이웃, 사랑해야 할 이웃을 구체적으로 어떻게 용서하며 사랑하며 살아가야 할 것인가를 하나님께서 오늘 생각 속에 말씀해 주시며, 결단할 수 있도록 도와주옵소서.

오직 하나님의 사랑 안에서 나는 비로소 설 자리를 얻습니다. 주님, 나를 용납하시고, 용서하시니 감사합니다. 나를 받으신 하나님의 사랑 앞에 감사하며, 감격하며, 이 사랑을 증거하며, 나누며, 이웃들을 사랑하며 새로운 용서의 발걸음으로 살아가는 사람이 되기를 원하옵니다.

행여나 한 순간이라도 내가 피조물인 인간이라는 사실을 잊지 않도록 도와주옵소서. 흙으로 돌아가 하나님 앞에 서서 내 삶을 결산해야 할 인간인 것을 망각하지 말게 하시고, 날마다 책임지는 삶을 살 수 있도록 하시며, 그리하여 우리의 가정과 사회가 축복된 삶의 터가 되게 도와주옵소서. 예수님의 이름으로 기도합니다. 아멘.

복습과 토의 질문

1. 성숙한 베드로는 마침내 어떻게 변화되었습니까?

2. 나는 활동과 생각 중 어느 편에 더 기울어진 삶의 모습을 가지고 있습니까?

(0-아주 활동적이다   10-아주 사려가 깊다)

0   1   2   3   4   5   6   7   8   9   10

3. 내가 이웃에 대해 가지고 있는 편견은 무엇입니까?

15

그릇 살아간 다음 세대의 비극

-내일의 지도자상을 위하여-

사사기 9 : 8-15

"하루는 나무들이 나가서 기름을 부어 왕을 삼으려 하여 감람나무에게 이르되 너는 우리 왕이 되라 하매 감람나무가 그들에게 이르되 나의 기름은 하나님과 사람을 영화롭게 하나니 내가 어찌 그것을 버리고 가서 나무들 위에 요동하리요 한지라 나무들이 또 무화과나무에게 이르되 너는 와서 우리의 왕이 되라 하매 무화과나무가 그들에게 이르되 나의 단 것, 나의 아름다운 실과를 내가 어찌 버리고 가서 나무들 위에 요동하리요 한지라 나무들이 또 포도나무에게 이르되 너는 와서 우리의 왕이 되라 하매 포도나무가 그들에게 이르되 하나님과 사람을 기쁘게 하는 나의 새 술을 내가 어찌 버리고 가서 나무들 위에 요동하리요 한지라 이에 모든 나무가 가시나무에게 이르되 너는 와서 우리의 왕이 되라 하매 가시나무가 나무들에게 이르되 너희가 참으로 내게 기름을 부어 너희 왕을 삼겠거든 와서 내 그늘에 피하라 그리하지 아니하면 불이 가시나무에서 나와서 레바논의 백향목을 사를 것이니라 하였느니라."

그릇 살아간 다음 세대의 비극

우리 자녀들이 부모의 기대를 따라오지 못한다는 것이 부모에게는 참으로 안타까운 일이 아닐 수 없습니다. 그러나 한 걸음 더 나아가서 부모의 기대를 따르기는커녕 정반대로 부모의 뜻을 거슬러 빗나가 부모의 기대와는 거꾸로 된 삶을 살아갈 때, 그것은 부모의 가슴에 못질을 하는 안타까운 일이 됩니다.

이것이 바로 사사기에 나타난 아비멜렉 사건의 진상입니다. 그는 기드온의 여러 아들들 중 한 사람이었습니다. 사사기 9 : 1에는 여룹바알의 아들 아비멜렉이라는 말씀이 나옵니다 여룹바알은 기드온의 별명입니다.

기드온이 미디안과의 전쟁에서 승리한 이후에 백성들이 기드온 앞에 나와 자기들을 국가적인 위기에서 구출한 영웅 기드온을 왕으로 삼고자 했을 때, 그 백성들 앞에서 기드온이 말했던 언약을 여러분은 기억합니까? "나는 왕이 되지 않겠습니다. 그리고 나의 아들들도 왕노릇 하지 않겠습니다."

그러나 기드온이 죽은 후 얼마 되지 않아서, 기드온의 기대와 달리 그 아들들 중에 한 사람이었던 아비멜렉이―그는 서자이기는 했지만, 역시 아들이었습니다―그의 배다른 형제 무려 70명을 처참하게 죽이면서 왕위에 등극하는 사건이 발생합니다.

왕이 되는 것이 순리적인 사건도 아니었고, 그나마도 자기와 연관이 있었던 세겜 땅의 친척들의 도움을 빌려서 일종의 청부 살인 사건을 일으킵니다. 그리고 그가 왕이 된 것이었습니다. 이것이 그의 아버지인 기드온의 기대와는 얼마나 빗나간 사건입니까?

그런데 70명이 죽어 가는 이 비극의 마당에서 유일한 생존자가 있었습니다. 이 생존자는 제일 막내 아들, 요담이었습니다. 이 요담은 매우 용감한 사람이었습니다.

그는 자기의 배다른 형제 중 하나였던 아비멜렉이 왕이 된 후에, 이 살인 사건에 가담하고 아비멜렉을 아버지의 기대와 달리 왕으로 삼는 일에 가담했던 세겜 땅 사람들을 깨우쳐 주기 위해서, 그 세겜이라는 마을을 병풍처럼 둘러싸고 있는 유명한 산이었던 그리심 산의 꼭대기에 올라갑니다.

이 산의 맞은편에는 에발 산이 버티고 서 있었고, 두 산이 만나고 있는 계곡은 일종의 천연 극장을 형성하고 있었기에 꼭대기에서 말하면 마이크 없이도 울림 소리를 낼 수 있었습니다.

그는 그리심 산 정상에 올라 산의 어느 한 곳을 마치 강단으로 삼아서 살인 사건에 가담했던 그 세겜 사람들, 그리고 아버지의 기대와 달리 왕이 되었던 아비멜렉을 향해서 유명한 설교를 시작합니다. 그 설교는 일종의 비유적인 설교, 또는 풍유적인 설교라고 할 수 있는데 "네 개의 나무"라는 유명한 설교입니다.

어느 숲속에서 다른 나무들이 감람나무에게 찾아와서 "당신이 우리들의 왕이 되어 주십시오"라고 요청을 합니다. 그러나 감람나무는 사양을 합니다.

그러자 나무들은 두번째로 무화과나무에게 찾아가서 "당신이 우리의 왕이 되어 주시면 어떨까요?"라고 말했더니 무화과나무도 사양을 합니다.

세번째로 포도나무에게 찾아가서 "당신이 우리의 왕이 되어 주십시오"라고 하자 포도나무마저도 사양을 합니다.

그래서 네번째로 다른 나무들이 가시나무를 찾아가서 왕이 되어 달라고 요청하자, 가시나무는 기다리기나 한 것처럼 "빨리 들어 오시오. 나를 왕으로 삼으시오. 당신은 이제 내 그늘 아래서 살아야 합니다. 만약 내 말에 복종하지 않으면 이 가시나무에서 불이 나와 당신들 모두를 불살라 버릴 것입니다"라고 말합니다. 일종의 공갈, 협박입니다. 이렇게 해서 가시나무가 왕이 된다는 이야기입니다.

이 이야기를 왜 합니까? 누구에 대한 풍자입니까? 가시나무는 바로 그 형제 아비멜렉을 풍자하고 있는 것입니다. 부당한 방법으로 왕이 되었던 아비멜렉에 대한 하나의 풍자였습니다. 이 가시나무의 상징을 통해서 요담은 아비멜렉이라는 한 사람의 인생의 비극을 증언하고 있었던 것입니다.

여러분, 중국에는 "두 사람이 함께 여행을 하다 보면, 동행자가 착한 사람이든지 악한 사람이든지 교훈을 받을 수 있다"라는 격언이 있습니다. 동행하는 사람이 선인일 경우, 의인일 경우 나도 저 사람처럼 인생을 살아야 하며 교훈을 받을 수 있고, 반대로 동행하는 사람이 악인일 경우, 나는 저 사람처럼 살지 말아야지 하며 교훈을 받을 수 있다는 것입니다. 아비멜렉의 인생의 교훈─이 사람의 비극 앞에서 우리는 이 사람처럼 인생을 살지 말아야겠다는 교훈을 받습니다.

사랑하시는 여러분, 그렇다면 이 아비멜렉의 비극의 정체는 무엇입니까? 이 사람의 생이 보여 주는 그 비극의 본질은 과연 무엇일까요?

이기적 욕망의 비극

첫째로, 그것은 삶에 대한 진정한 본분, 또는 삶에 대한 진정한 목적을 망각해 버린 이기적 욕망의 비극입니다.

사랑하는 여러분, 사람이 사는 목적이 어디에 있습니까? 인생의 존재 목적이 어디에 있습니까?

예수께서는 이 질문을 하러 온 율법 학자에게 무엇이라고 대답하십니까? 예수님은 다시 그에게 "성경에는 가장 큰 계명이 무엇이라고 쓰여져 있느냐?" 하고 질문하셨습니다. 그는 "마음을 다하고 목숨을 다하고 뜻을 다하고 힘을 다하여 네 하나님을 사랑하고, 네 이웃을 네 몸과 같이 사랑하는 것입니다"라고 대답했습니다.

주님은 이 율법 학자의 말을 승인하시면서 이것이 인생의 목적이라고 말씀하십니다. 사람이 사는 목적은 하나님을 사랑하고 이웃을 사랑하는 것입니다. 그런데 이 본분이 망각되면, 이 목적이 망각되면 남는 것은 자기 욕심 차리는 일밖에는 없는 것입니다.

9절에 보시면 숲의 나무들이 감람나무에게 찾아와서 "당신이 우리의 왕이 되어 주십시오"라고 부탁했을 때, 이 감람나무의 대답의 본질은 도대체 무엇이었습니까? 자신의 기름은 하나님과 사람을 영화롭게 하는데, 이 본분, 이 목적을 버리고 나무들 위에서 왕노릇 할 이유가 어디 있겠는가라는 그의 대답은, 그가 하나님과 사람을 영화롭게 하는 것은 왕이 되는 것보다 더 커다랗고 더 중요한, 더 본질적인 삶의 목적이라는 것입니다.

그 다음에는 무화과나무를 찾아갔지만 거절당하자, 세번째로 포도나무를 찾아갑니다.

13절의 포도나무의 대답을 들어보십시오. 포도나무는 "새 술을 내는 것은 하나님과 사람을 기쁘게 하는 일인데, 내가 어떻게 그 것을 버리고 나무들을 다스리겠느냐"라고 대답했습니다. 그의 대답은 포도나무에게 있어서 가장 중요한 것은 여기서 내는 술로 하나님과 사람을 기쁘게 하는 것인데, 이 목적, 이 본분을 망각하고 나무들의 왕이 될 이유가 없다는 사양의 말입니다.

감람나무나 무화과나무나 포도나무나 동일한 고백을 하고 있습니다.

사랑하는 여러분, 하나님 없이, 하나님을 떠나서 삶을 살아가는 세상 사람들의 삶의 문법은 언제나 일인칭이 먼저 옵니다. 그리고 다음에 이인칭, "당신들, 이웃들"이 오는 것입니다. 그리고 삼인칭은 맨 나중에 오는 것입니다.

그러나 여러분, 크리스천의 삶의 문법을 아십니까? 물과 성령으로 거듭나 하나님을 아버지로 모시고 사는 그리스도인들의 삶의 방식에 적용되어야 할 삶의 문법은 언제나 그분, 하나님을 먼저 모셔야 합니다. 그분이 우리의 삶에서 가장 중요한 분이고, 둘째로 중요한 것이 다른 사람들, 이웃들이고, 제일 마지막에 와야할 것이 우리 자신입니다. 이것은 세상 사람들이 추구하는 삶의 모습과는 얼마나 다른 삶의 모습입니까? 주님이 가장 먼저 와야되고, 그 다음이 이웃들이고, 그리고 우리 자신은 제일 마지막에 와야 한다는 것입니다.

그러나 오늘 대부분의 인생이 삶을 살아가는 모습들은 어떻습니까? 평생 삶을 살면서 나, 나 자신이라는 테두리를 벗어나지 못하고 사는 사람들이 얼마나 많습니까? 자신의 이기심이라는 견고한 껍질, 그 감옥을 깨뜨리지 못하고 평생 자기만을 위해서 발버둥이치다가 떠나가는 사람이 얼마나 많은지 모릅니다.

이웃들을 위해서 기도하는 중보 기도 사역에 참여하신 분들의 공통적인 간증이 있습니다. 그것은 내가 지금까지 너무나 이웃을 망각하고 살아 왔다는 것입니다. 다른 사람을 위해서 기도를 해 보니, 고통받고 있는 이웃들이 얼마나 많은지 알게 되었다는 것입니다. 질병으로 인해 고생하는 사람들, 얽혀진 인간 관계 때문에 고민하고 있는 사람들, 누구에게도 고백할 수 없는 학대 때문에 시달리고 있는 사람들, 사업이 파산하고, 보장되지 못한 미래 때문에 고통하고 있는 이웃들……그들은 이웃을 위해서 기도하면서 이웃을 발견합니다.

뿐만 아니라 그 중보 기도실에 들어가면 선교사들을 위해서 기도하게 됩니다. 아프리카를 위해서, 남아메리카를 위해서, 러시아와 중국에 있는 분들을 위해서 기도합니다. 자기 평생 그 대륙과는 상관이 없다고 생각했던 사람들이 아프리카에서 복음을 전하는, 그 정글에서 복음을 전하는 선교사들을 위해서 기도하면서, 거기에 사는 분들이 자신의 형제라는 사실을 깨닫고, 나대신 나가서 복음을 전하고 있는 선교사들의 삶과 일치감을 느끼기 시작합니다. 그것은 자기에게 있어서 위대한 발견, 정말 새로운 발견이라고 그들은 고백합니다.

중보 기도 사역에 참여했던 한 분이 저에게 찾아와서 "목사님, 이 중보 기도 사역에 참여하니까, 내 인생의 시야가 너무너무 넓어집니다"라고 고백한 적이 있습니다.

맞습니다. 하나님의 눈으로 세계를 바라보고, 하나님의 가슴으로 세상을 바라보고, 온 세계를 끌어안고, 그들을 위해서 기도하

는 인생, 이런 크리스천을 가리켜서 세계적인 그리스도인이라고
말합니다. 중보 기도를 통해서 우리는 세계를 가슴에 품고, 이 세
계를 하나님이 바라보시는 시각으로 바라보고, 하나님의 가슴으
로 세계의 고통을 느끼면서 함께 사는 사람들, 이웃을 위해 사는
사람들이 됩니다.

　여러분, 여름철이 되면 많은 젊은이들이 선교를 위해 다른 나
라로 떠납니다. 할 수만 있다면 여러분, 여러분의 자녀를 보내십
시오. 너무나 좋습니다. 왜냐하면 그곳에 갔다 오면 우선, 그들
자신의 인생이 변합니다. 참 성숙하게 변하고, 인생을 더 진지하
게 살려고 노력하고, 부모와의 관계도 굉장히 달라집니다.
　왜 그런 줄 아십니까? 평생 자식들이 부모에게 받기만 하고
자라다가 그곳에 가서 한번 소매를 걷어붙이고 땀을 흘리고, 봉
사해 보고, 가난 속에서 고통당하고 있는 사람들을 섬겨 보고, 그
들에게 성경 말씀을 전하는 복음 전파의 삶을 경험하면서, 그들
은 처음으로 이웃을 발견하는 것입니다. 이웃을 위해서 살아가는
삶이 얼마나 고상한 삶인가를 발견하게 되는 것입니다.
　지금은 그렇게 외국에도 갈 수 있지만 저와 여러분이 자라나던
시절에는 단기 선교라는 것은 꿈도 꾸지 못했던 일입니다. 우리
가 중·고등학교 시절에 최고의 보람이라면 농촌 봉사였습니다.
그러나 우리도 우리 젊은 시절, 농촌 봉사를 한번 갔다 오면, 그
것 때문에 우리의 인생에 대한 시각이 얼마나 많이 달라졌습니
까? 얼마나 우리 생각이 커졌습니까? 그것이 바로 이웃을 발견
하는 작업입니다.

　사랑하는 여러분, 재미있는 사실은 우리가 자기만을 위해서 살
면 살수록 자기를 잃어버린다는 것입니다. 그리고 쓸모 없이 자

신을 낭비하게 됩니다. 그러나 이웃을 위해서 자기를 버리면 자기를 찾습니다. 역설이지만 이것은 대단한 진리입니다. 자기의 목숨을 얻는 자는 잃을 것이고, 자기의 목숨을 잃는 자는 얻을 것이라(마 10 : 39)는 이 위대한 역설의 말씀처럼 말입니다. 이웃을 위해서 자신의 삶을 주고, 자신의 삶을 불사르고, 희생하면 자기가 삽니다. 신바람이 나고, 보람을 찾게 됩니다. 의미를 찾습니다.

아비멜렉, 그는 내가 다스리고, 내가 뺏고, 내가 얻는, 자기만을 위한 인생을 살았던 사람, 그리고 처절하게 인생을 소모하고 낭비해 버렸던 사람입니다.

이 사람 아비멜렉의 인생의 비극, 가시나무로 상징된 이 사람의 삶의 비극은 무엇입니까? 그것은 한마디로 말하면 삶의 본분, 삶의 목적, 하나님을 위하여 그리고 이웃들을 위하여 이 중요한 삶의 목적을 잃어버린 이기적인 욕망의 비극입니다. 그것이 바로 아비멜렉의 비극의 정체입니다.

지배욕을 추구한 비극

두번째로, 아비멜렉의 비극은 섬김보다는 지배욕을 추구했던 삶의 비극이라고 말할 수 있습니다.

여러분, 하나님과 이웃을 위해서 산다는 것은 무엇입니까? 그것은 하나님과 이웃을 섬긴다는 것이 아니겠습니까? 그러나 어떻게 섬기는 것입니까? 말로만 섬긴다는 것은 아닐 것입니다.

우리가 이웃을 섬긴다는 것은 우리가 구체적으로 도움이 되는 무엇인가로 이웃에게 기여한다는 것입니다. 기여가 있어야 합니다. 이웃을 섬기기 원합니까? 무엇을 기여했습니까? 어떻게 기여했습니까? 감람나무를 생각해 보기 바랍니다.

감람나무는 기름을 생산합니다. 그래서 이웃들이 등불을 가지고 다니면서 어둠을 밝힐 수 있도록 합니다.

무화과나무는 단 것을 냅니다. 무화과나무의 열매는 얼마나 달콤합니까? 아름다운 실과를 맺습니다. 그래서 무화과나무는 다른 사람의 입을 즐겁게 하고 눈을 즐겁게 합니다.

포도나무는 포도 열매를 맺습니다. 또 새 술을 냅니다. 새 술은 잔치 석상에서 얼마나 중요한 것입니까? 중동 지방의 잔치 석상에서 포도주는 없어서는 안 될 것입니다. 이렇듯 섬김은 자신이 가진 것으로 이웃들에게 기여하는 것입니다.

그러나 가시나무는 무엇으로 기여를 합니까? 가시로 기여합니까? 그것은 기여가 아닙니다. 기여할 것이 아무것도 없습니다.

다른 나무들이 와서 왕이 되어 달라고 하니까 15절에서 가시나무가 소리 치는 내용을 들어봅시다. 거기서 강조된 단어가 무엇입니까? "내 그늘에"입니다. "내 그늘에 와서 피하라. 내 지배를 받고, 내 다스림을 받아라. 그렇지 않으면 불로 태워 버릴 것이다." 이것이 무슨 기여입니까? 내가 지배하겠다, 내가 다스리겠다, 내가 훈장 달겠다, 내가 벼슬하겠다는 것입니다. 자기밖에 없는, 기여 없는 인생입니다.

여러분, 여러분은 자녀를 가르치면서 "공부 잘하라"는 이야기만 합니까? 왜 공부를 잘해야 합니까? 그 이유에 대해서 설명을 해야 합니다.

"애야, 사람으로 태어나서 이 사회의 역사 속에 뭔가 기여하는 것이 있어야 사람이 사는 보람이 있단다"라고 설명을 합니까? 아니면 혹시 "내가 살아 보니, 뭐니 뭐니 해도 머니(money, 돈)가 최고더라. 벌어야 괄시받지 않는다. 열심히 벌어라. 출세해라. 그래야 무시받지 않는다"고 가르칩니까? 그렇게 가르친다면 자기 자신의 욕망을 위하는 인생만을 가르치는 것입니다. 그것을 위해서 공부하라는 것입니까? 이것은 바로 아비멜렉 같은 자녀를 길러내는 것입니다.

지배욕, 다스리고 빼앗는 것만을 위해서만 인생을 살라고 가르치는 것입니다. 이 지극히 세속적이고 이기적인 영성이 때때로 예수님의 제자들 가운데에도 자리 잡고 있었다는 사실은 얼마나 슬픈 일입니까? 그것은 처음 제자들에게도 있었던 유혹이었습니다.

어느 날 야고보와 요한이 어머니를 대동하고 예수님 앞에 나왔습니다. 그리고 그 어머니가 "선생님, 주님이 온 세상을 다스리시는 그 날이 되면, 내 아들을 예수님의 오른편과 왼편에 앉게 해주세요"라고 말했습니다. 아니, 야고보와 요한 자신도 그렇게 말한 것으로 기록되어 있습니다. "선생님 저희가 반드시 선생님의 오른쪽과 왼쪽 자리를 차지해야 합니다."

권력에 대한 의지, 출세에 대한 의지, 욕망에 대한 이 의지에 대해서 주님께서 하신 말씀을 기억하십니까? "으뜸이 되고자 하는 자는 먼저 종이 되어야 하느니라"고 주님은 말씀하셨습니다.

그리고 모든 시대의 심금을 울린 주님의 이러한 도전을 여러분은 기억합니까? "인자가 온 것은 섬김을 받으려 함이 아니라 도리어 섬기려 하고 자기 목숨을 많은 사람의 대속물로 주려 함이니라"(마 20 : 28). 주님의 이런 삶이 바로 섬기는 삶인 것입니다.

그러나 아비멜렉의 인생의 비극은 이 고귀한 삶의 방식, 곧 섬김보다는 지배하고 빼앗는 것을 추구했던 삶의 비극이었습니다. 혹시 여러분은 그 비극의 현장에 서 있지는 않습니까?

파괴를 지향한 비극

셋째로, 아비멜렉의 비극은 생산보다도 파괴를 지향하는 삶의 비극입니다.

가시나무는 아무것도 기여할 것이 없었다는 말씀을 이미 드렸습니다. 그런데 아무것도 기여할 것이 없는 것에 더하여 파괴하는 것입니다.

다시 말해 아비멜렉은 70명이나 되는 자신의 인척을 모두 죽이고 말았습니다. 라이벌 의식 때문에 자신이 왕이 되는 길에 방해가 되는 모든 존재들을 죽여 버리고 만 것입니다. 출세욕과 권력욕은 이렇게 비참하고, 이렇게 더러운 것일 수가 있습니다.

여러분, 도대체 가시나무의 재주가 무엇입니까? 단지 찌르는 재주 그 하나밖에 없습니다. 그래서 피 흘리게 하는 재주, 가시나무는 그 재주밖에 없습니다. 감람나무의 재주는 무엇입니까? 기름을 생산하는 것입니다. 무화과나무의 재주는 무엇입니까? 단 열매를 생산하는 것입니다. 포도나무는 포도와 새 술을 생산합니다. 다 생산이 있습니다.

그러나 가시나무는 생산이 없습니다. 가장 비생산적인 삶, 아니 비생산적일 뿐 아니라 파괴적인 삶의 상징이 바로 가시나무입니다.

오늘 여러분은 생산하는 사람입니까, 아니면 파괴하는 사람입니까? 그것은 사람들이 모인 자리에서 어떤 이웃에 대한 이야기가 나왔을 때, 그 주제를 다루는 여러분들의 자세를 점검해 보시면 됩니다. 사람을 죽이고 살인하는 것만이 파괴가 아닙니다.

여러분, 이웃에 대한 이야기가 나왔을 때, 모두 같이 어울려서 한결같이 그 사람을 매도하고, 비판하고, 그 사람을 헐뜯고 있다면, 그 자리에서 여러분은 그 이웃에 대해서 어떻게 발언을 합니까? 그 중에 만약 크리스천이 있다면, "그 친구 좀 도와줄 방법이 없을까? 우리가 그를 위해서 좀 기도해야 할 것 같다"라고 말해야 할 것입니다.

하나님이 내게 주신 은사, 하나님이 내게 주신 기술을 가지고 이웃에게 어떻게든 도움이 될 수는 없을까? 그 사람이 우리 모두의 지탄의 대상이라 할지라도 그 사람의 삶을 바꾸기 위해서 기도해야 할 것입니다. 그 사람의 인생을 바꾸기 위해서, 그 사람이 우리들과 함께 성경을 공부하고, 세미나에 참석하도록 그를 위해서 기도해야 할 것입니다.

주님께서 여러분에게 주신 모든 기회를 가지고 내 이웃의 삶 속에 있어야 할 진정한 변화에 기여하기 위해서 여러분은 노력합니까? 아니면, 같이 동조하면서 그 이웃을 넘어뜨리는 자리에 참여합니까? 마치 아비멜렉이 자기의 형제들을 죽이겠다고 날뛸 때 생각 없이, 그 자리에 동참했던 세겜 땅의 그 많은 무리처럼 말입니다. 부화 뇌동(附和雷同)하면서 같이 중상하고, 같이 헐뜯고 해서는 안 될 것입니다.

여러분, 바울 사도가 그의 서신을 통해서 가장 많이 강조하는 것이 있는데 그것이 무엇인 줄 아십니까? 그것은 서로서로 사랑하라는 말입니다. 그러나 그 단어 못지않게 강조되는 것이 있습니다. 서로서로 세우라입니다.

여러분은 이웃들을 세워 주는 사람입니까? 아니면 허는 사람입니까? 아비멜렉의 인생의 비극은 바로 그가 허는 자, 파괴하는 자였다는 사실입니다. 그러나 그는 다른 사람들만 파괴하고, 다른 사람만 헐고 있었던 것이 아니라, 마지막에는 자기의 인생 그 자체를 비참하게 파괴해 버립니다. 이 아비멜렉의 마지막, 그의 최후가 궁금하지 않습니까?

53절을 읽어 보십시오. "한 여인이 맷돌 윗짝을 아비멜렉의 머리 위에 내려 던져 그 두골을 깨뜨리니." 어떻게 죽습니까? 비참하게 죽는 모습입니다. 한 여인이 던진 맷돌 위짝에 머리가 깨져 죽습니다.

우연한 죽음이라고 생각합니까? 어쩌다가 이렇게 비참하게 죽었다고 생각합니까? 저는 그렇게 보지 않습니다. 이것은 계산된 하나님의 심판이라고 생각합니다. 그의 삶을 향해서, 그가 정확하게 받아야 할 대가를 준엄하게 요구하신 하나님의 공의로운 심판입니다.

사람이 무엇으로 심든지 그대로 거둘 것이라고 하나님은 말씀하셨습니다(갈 6 : 7). 이웃을 헐고, 이웃을 빼앗고, 이웃을 누르고 있던 이 사람의 마지막에서 그를 기다리고 있었던 이 비참한, 그러나 공의로운 하나님의 심판의 모습을 여러분은 주목해 보십시오.

그런데 재미있는 것은 죽어 가면서 이 사람이 보여 준 마지막 반응입니다. 아주 희한합니다. 54절을 보십시오. "아비멜렉이 자기의 병기 잡은 소년을 급히 불러 그에게 이르되 너는 칼을 빼어 나를 죽이라 사람들이 나를 가리켜 이르기를 그가 여인에게 죽었다 할까 하노라 소년이 찌르매 그가 곧 죽은지라."

이것은 아주 웃지 못할 장면입니다. 두골이 깨져 죽어 가면서도 그는 자신의 옆에 있던 병사에게 나를 빨리 찔러 달라고 말합니다. 자기가 여자가 던진 맷돌 윗짝에 맞아 죽었다는 오명을 남기고 싶지는 않다고 합니다.

마지막 죽음의 순간에, "하나님, 잘못 살아온 인생을 회개합니다"라고 말해야 할 정말 중요한 순간에 회개하지는 않고, 회개는

커녕 남자의 자존심을 지키고자 했던 것입니다.

남자의 얄팍한 자존심을 넘어서지 못한 사람, 이 추악한 사람, 열등감 속에 사로잡혀 자존심의 감옥에서 헤어나지 못했던, 그리고 그 자존심 때문에 다른 사람을 죽이고, 허물다가 마지막에 비참하게 깨어져 죽은 사람!

아비멜렉의 삶은 바로 인생의 목적을 망각하고 산 삶입니다. 우리를 지으신 하나님께서는 우리에게 하나님을 위해서 살라고 하십니다. 그리고 이웃을 위해서 살라고 하십니다. 이 명령, 이 본분, 이 목적을 망각하고 이웃을 짓밟기 위해서 살아왔던, 지배욕에 붙잡혀 살아왔던 이 인생, 남을 짓밟고, 헐고, 파괴하다가 자기의 인생마저 비참하게 파괴해 버린 이 사람의 처절한 죽음의 최후 행로를 보십시오.

결론은 무엇입니까? 여러분은 이 사람처럼 살지 않도록 결심해야겠습니다.

오늘을 살아가는 우리의 삶의 모습이 무엇입니까?

그저, 돈 조금 벌기 위해서 몸부림 칩니까? 한 그루의 나무도 그 나무의 내는 것을 가지고 하나님을 영화롭게 하고 인간을 영화롭게 합니다. 그렇다면 우리는 더 더욱 하나님을 기쁘시게 하고, 이웃을 기쁘게 해야 합니다.

평생 자기 욕심만 만족시키기 위해서 비틀거리다가 비위에 맞지 않으면 이웃을 비난하며, 이웃을 시기하고, 이웃을 비판하고 그러다가 가버리는 인생이 되지는 맙시다.

아비멜렉의 비극을 교훈 삼아서 우리의 삶이 그런 추악한 모습이 되지 않도록 기도합시다. 그리고 이런 자녀를 키워 내는 비극이 우리의 가정에는 없어야 할 것입니다.

네 맘과 정성을 다하여서 주 너의 하나님을 사랑하라.

네 몸을 아끼고 사랑하듯 형제와 이웃을 사랑하라.

주께서 우리게 명하시니 그 명령 따라서 살아가리.

주여, 이 찬양처럼 살게 하옵소서.

주여, 이 고백이 우리의 고백이 되게 하옵소서. 또한 우리 자녀들의 고백이 되게 하옵소서. 예수님의 이름으로 기도합니다. 아멘.

복습과 토의 질문

1. 아비멜렉의 삶의 비극의 내용을 정리해 보십시오.
①
②
③

2. 나의 자녀들의 삶의 경향을 평가해 보십시오.

(0-이기적   10-이타적)

0	1	2	3	4	5	6	7	8	9	10

(0-지배적   10-희생적)

0	1	2	3	4	5	6	7	8	9	10

(0-파괴적   10-생산적)

0	1	2	3	4	5	6	7	8	9	10

3. 위의 평가 기준을 가지고 자녀의 삶에 있어야 할 변화를 위해 부모가 어떻게 도울 수 있는지를 토의해 보십시오.

16

다음 세대에게 남길 유산

창세기 5 : 1 - 24

"아담 자손의 계보가 이러하니라 하나님이 사람을 창조하실 때에 하나님의 형상대로 지으시되 남자와 여자를 창조하셨고 그들이 창조되던 날에 하나님이 그들에게 복을 주시고 그들의 이름을 사람이라 일컬으셨더라 아담이 일백 삼십세에 자기 모양 곧 자기 형상과 같은 아들을 낳아 이름을 셋이라 하였고 아담이 셋을 낳은 후 팔백년을 지내며 자녀를 낳았으며 그가 구백 삼십세를 향수하고 죽었더라 셋은 일백 오세에 에노스를 낳았고 에노스를 낳은 후 팔백 칠년을 지내며 자녀를 낳았으며 그가 구백 십이세를 향수하고 죽었더라 에노스는 구십세에 게난을 낳았고 게난을 낳은 후 팔백 십오년을 지내며 자녀를 낳았으며 그가 구백 오세를 향수하고 죽었더라 게난은 칠십세에 마할랄렐을 낳았고 마할랄렐을 낳은 후 팔백 사십년을 지내며 자녀를 낳았으며 그가 구백 십세를 향수하고 죽었더라 마할랄렐은 육십 오세에 야렛을 낳았고 야렛을 낳은 후 팔백 삼십년을 지내며 자녀를 낳았으며 그가 팔백 구십 오세를 향수하고 죽었더라 야렛은 일백 육십 이세에 에녹을 낳았고 에녹을 낳은 후 팔백년을 지내며 자녀를 낳았으며 그가 구백 육십 이세를 향수하고 죽었더라 에녹은 육십 오세에 므두셀라를 낳았고 므두셀라를 낳은 후 삼백년을 하나님과 동행하며 자녀를 낳았으며 그가 삼백 육십 오세를 향수하였더라 에녹이 하나님과 동행하더니 하나님이 그를 데려 가시므로 세상에 있지 아니하였더라."

다음 세대에게 남길 유산

여러 해 전에 프린스턴 대학의 총장을 지냈던 한 분이 "당신의 자녀들이 축복된 미래를 살아가기 원하십니까? 그렇다면 결코 재물을 유산으로 남기지 마십시오. 그대신 가치를 유산으로 남기십시오"라는 말을 했습니다.

지난 세기의 유명한 설교가 가운데 한 분은 "부모가 자녀에게 남길 수 있는 가장 소중한 유산이 있다면 나는 이 세 가지 유산을 남기라고 부탁하고 싶다. 첫째는 좋은 기억을 남길 것이며, 둘째는 좋은 습관을, 셋째는 좋은 이상을 남기도록 부탁하고 싶다"는 말을 했습니다.

성경은 어떻게 가르칩니까? 하나님이 저와 여러분을 부모가 되게 하시고 또, 자녀를 갖게 하셨는데 하나님께서 저와 여러분이 자식들에게 남겨 주기 원하시는 유산이 있다면 무엇일까요?

오늘의 본문은 세 가지 유산을 강조하고 있습니다.

축복의 유산

첫번째로, 본문은 축복의 유산을 강조합니다.

본문 2절에 보면, 하나님께서 인간을 창조하신 가장 중요한 의도를 성경은 이렇게 선포하고 있습니다. "남자와 여자를 창조하셨고 그들이 창조되던 날에 하나님이 그들에게 복을 주시고 그들의 이름을 사람이라 일컬으셨더라."

하나님이 사람을 사람 되게 하신 이유, 우리를 사람으로 창조하신 가장 중요한 의도 가운데 하나는 우리를 축복하시기 위해서였다는 것입니다. 사실 이 말씀은 창세기 1장에 나타난 인간 창조에 대한 하나님의 본래의 의도를 다시 한번 강조하여 말씀하고 있는 것입니다.

하나님은 인간을 창조하셨습니다. 그리고 창조하신 것으로 끝내신 것이 아니라 그 다음에 또한 그들로 자녀를 낳게 하셨습니다(창 1:28). 다시 말해서 우리의 자녀들에게 그 축복을 유산으로 남겨 줄 수 있게 하기 위해서 하나님은 자녀를 허락하셨다고 성경은 기록하고 있습니다.

우리가 잘 아는 창세기 12장에서 하나님이 아브라함을 부르셨을 때, 이 아브라함으로 하여금 선택한 민족의 조상이 되게 하신 중요한 이유 중 하나가 "너는 앞으로 복의 근원이 되라"는 것임을 알 수 있습니다. 이것은 그 자신이 복을 받을 뿐 아니라 자손에게 복을 넘겨 주는 복의 근원이 되라는 축복입니다.

그 이후로 유대 민족에게는 자녀를 축복하는 것을 부모의 책임 가운데 가장 중요한 책임 중에 하나라는 문화적 전통이 생기게 되었습니다. 하나님의 백성들이 자녀에게 축복하는 것이, 그 축복을 자녀에게 넘겨 주는 것이 부모의 책임 가운데 하나라고 인식하게 된 것입니다.

여러 가지 축복이 있는데 그 중에서 가장 중요한 축복은 일생에 단 한번 하는 축복입니다. 그것은 죽기 직전에, 자기의 죽음을 예견하면서 자녀를 축복하는 것입니다.

우리는 성경에서 그런 장면을 많이 볼 수가 있습니다. 이삭이 죽기 전에 야곱을 불러서 축복했습니다. 장남인 에서를 축복해야 하는데 야곱이 장남인 줄 알고 그에게 축복했습니다. 그리고 그 다음에 에서가 돌아왔을 때는 이미 축복은 끝났던 것입니다. 그래서 다시 에서를 축복할 수가 없었습니다.

그들에게는 이러한, 죽기 직전에 축복을 남긴다는 사상이 있었습니다. 그것은 일생에 한번 하는 축복이지만 그 밖에도 자기 생애를 통해서 부모는 자녀들을 계속적으로 축복해야 한다는 것이 이스라엘 민족의 중요한 믿음 가운데 하나였습니다.

그래서 자녀들이 먼 여행을 떠나게 되면 아버지가 그 자녀의 머리에 손을 얹고 기도를 하면서 축복을 합니다. 뿐만 아니라 결혼을 할 때도, 결혼해서 출가하기 직전에 그 부모가 자녀를 축복합니다. 머리에 손을 얹고 축복을 해주든지, 손을 잡고 축복을 하든지 축복을 해줍니다. 또 사업차 먼 길을 떠나기 직전에 부모가 자녀를 먼저 축복해 줍니다. 싸움터에 나가기 전에 부모가 자녀를 축복합니다. 심지어는 하루를 끝마치고 잠자리에 들기 전에 부모가 잠자리에 드는 자녀의 머리에 손을 얹고 축복을 해줍니다. 축복의 전통입니다.

그런데 구약의 전통을 보면 이 축복을 할 때 중요한 두 가지 방법이 있었습니다.

첫째는 접촉을 하면서 축복하는 것입니다. 그냥 말로만 축복하는 것이 아니라 접촉을 통해서 축복을 합니다. 그래서 머리에 손

을 얹고 축복을 하든지, 키스를 하면서 축복을 하든지, 손을 잡고
축복을 하든지, 포옹을 하고 축복을 하든지 합니다. 이러한 접촉
을 통해서 축복을 전달합니다.

속죄의 제물을 잡을 때도 양이나 염소의 머리에 손을 얹습니
다. 이것은 내 죄가 양이나 염소에게 전가된다, 그것이 전달된다
는 하나의 그림이었습니다. 이와 같이 머리에 손을 얹거나 접촉
을 하면서 축복을 하는 것도 축복을 전달한다는 하나의 그림, 하
나의 언어였던 것입니다. 그래서 반드시 신체적으로 접촉을 합니
다.

이러한 신체적인 접촉과 함께 의미 있는 말을 해줍니다. 꼭 기
도만 하는 것이 아닙니다. 기도에도 메시지를 포함하고, 기도가
끝난 다음에 자녀에게 축복의 말을 해줍니다. 마치 야곱이 죽을
때에 자기 아들들을 불러 놓고 축복의 말을 해준 것처럼 말입니
다.

이것은 그들의 아름다운 미래를 암시하는 적극적인 축복의 말
입니다. 부모의 소원을, 마치 그들의 미래를 암시하는 것처럼 적
극적으로 축복을 암시하는 메시지를 담아서 축복하는 이러한 축
복의 습관이 있습니다.

여러분, 이것이 얼마나 아름다운 전통입니까? 저는 이것은 오
늘의 그리스도인의 삶의 장에 다시 회복되어야 하는 축복의 전통
이라고 생각합니다.

최근 미국의 기독교 서적 베스트셀러 가운데 하나로, 게리 스
몰리(Gary Smalley)와 존 트랜트(John Trent)가 공저한 축복(The
blessing)이라는 책이 있습니다. 이것은 부모가 어떻게 자녀들에
게 이 축복을 전달하는 것을 생활화할 수 있는가라는 문제를 다
루고 있는 아주 좋은 책입니다. 이것은 한국어로도 번역이 되었

는데 그 제목이 축복하면서, 사랑하면서입니다.

　오늘 한국의 부모들은 자녀를 교육하는 데 있어서 어려움을 많이 겪고 있습니다. 고민 속에 빠져 있는 자녀들, 또 깊은 열등감에 빠져 있는 자녀들의 문제를 파고 들어가면 결국 문제는 둘 중의 하나입니다. 하나는 부모의 사랑의 결핍입니다. 혹은 축복의 부족입니다. 만약 이런 축복의 전통에 근거해서 자녀들의 일생을 통해, 자녀들이 태어난 순간부터 자녀를 축복하고, 기회가 있을 때마다 "주님의 이름으로 내가 너를 축복한다"고 말한다고 생각해 보십시오.

　자녀들이 "길을 떠나면서 하나님의 축복이 함께할 것이다", "이 어미의 축복이, 이 아비의 축복이 너와 함께할 것이다", "너는 놀라운 하나님의 사람이 될 것이다", "너는 믿음의 사람이 될 것이다", "너는 기도의 사람이 될 것이다"라는 축복의 말을 들으면서 성장한다고 생각해 보십시오.

　어떤 사람은 아이가 집에 제 시간에 안 들어온다고 "나가 죽어!"라고 소리 칩니다. 그것은 저주입니다. 그래서 어느 날 가출을 하는 자녀들의 모습을 볼 수 있습니다. 비록 그렇더라도 자녀를 이해하면서, "네가 오늘은 무슨 사정이 있어서 그랬겠지. 내일은 반드시 일찍 들어올 줄 믿는다"고 말하며, 계속적인 믿음을 가지고 자녀들을 축복해 보십시오.

　신경질을 내지 마시고, 자녀들을 끌어안고, 이해하고, 축복해 보십시오. 이 축복은 위대한 힘을 가지고 있습니다. 이것은 자녀들의 삶을 설득할 수 있는 가장 중요한 방편입니다.

　그리고 마지막에 우리가 세상을 떠날 때 자녀들에게 축복을 전달해 주면서 "나와 함께한 하나님이 너와 함께할 것이다. 나를 축복하신 그 하나님이 너희를 축복하시기를 바란다"고 말하십시오. 이 마지막 말이 얼마나 중요합니까?

수년 전 일본에서 한 비행기 사고로 승객 전원이 일시에 생명을 잃어버렸습니다. 그 비행기가 추락해서 완전히 산화되기 전에 한 3,40분 동안 계속 곡예를 했던 모양입니다. 이 때 일본의 한 중년 신사가 재빨리 메모지를 꺼내서 자기 아내에게 남기는 유언을 썼습니다. 그것이 나중에 발견되어서, 남편이 마지막으로 쓴 그 편지가 아내에게 전달되었습니다. 그 편지가 나중에 공개되었는데 대충 이런 내용이었습니다.

> 나는 지금 너무나 슬프오. 그러나 생각해 보면, 내 일생을 통해서 감사할 것이 너무나 많았소.
> 셔오시(이것은 아마 자기 큰 아들의 이름인 것 같습니다), 너와 네 동생들은 반드시 훌륭한 사람이 될 것을 아빠는 믿는다. 네 엄마를 잘 도와 드리고, 우애를 나누면서 인생의 길을 슬기롭게 살아갈 것을 부탁한다.
> 게이꼬, 당신 자신과 아이들을 잘 돌보구려. 내가 당신과 함께 그리고 애들과 함께 나누었던 마지막 식사 시간을 생각해 보오. 나는 내 일생을 통해 당신과 함께 누렸던, 그 행복했던 순간순간들을 생각하면서 지금 감사하고 있소. 신이여, 축복하소서.

비록 그는 세상을 떠나갔지만, 사랑하는 남편에게, 사랑하는 아빠에게 마지막 축복의 메시지를 받아 든, 그 아내와 자식들은 결코 잘못되지 않으리라고 저는 생각합니다. 이것은 마지막으로 남길 수 있는 얼마나 위대한 축복의 메시지인가요!

290 향유 내음 가득한 집

사랑하는 여러분, 우리가 자녀에게 남길 것이 많이 있습니다.
그러나 가장 중요한 것, 축복을 우리 자녀들에게 남길 수 있다면,
평생을 통해서 자녀들을 축복했던 아빠, 축복했던 엄마로서 이
축복을 유산으로 남길 수 있다면 우리의 삶은 결코 헛되지 않을
것입니다.

경건의 유산

두번째로, 본문은 경건의 유산을 강조합니다.

본문은 일종의 족보입니다. 그렇다면 누구의 족보입니까? 아
담의 족보입니다. 그러나 더 엄격히 말하자면, 이것은 아담의 족
보가 아니라 셋의 족보입니다. 아담의 아들이었던, 가인을 대신
해서 하나님이 주셨던 셋의 족보입니다. 그래서 4절까지, 하나님
께서 아담에게 대신 주셨던 셋의 중요성을 강조하고 있습니다.

반면에, 창세기 4장의 마지막에 또 다른 족보 하나가 나오는데
그것은 아담의 아들 중에서 특별히 가인의 족보입니다. 살인자였
던 가인의 계열을 따른 가인의 족보가 창세기 4 : 16-22까지이고
창세기 5장은 셋의 족보입니다.

셋의 족보란 무엇을 의미합니까? 가인의 족보가 불경건한 핏
줄이라면, 셋을 통해서 형성되는 족보는 경건한 핏줄입니다. 경
건한 후손들입니다. 경건한 계열의 후손을 말하고 있는 것입니
다.

많은 사람의 이름이 나옵니다. 그런데 오늘 본문의 절정에서
마지막으로 나오는 중요한 자손이 누구입니까? 에녹입니다. 경
건한 셋의 핏줄에서 많은 아들들이 나왔는데 그 중에서 에녹이
나왔습니다. 그리고 에녹은 자기 생애를 통해서 하나님과 동행했

습니다.

이런 자랑스러운 자손을, 300년을 하나님과 더불어 순간순간마다 주님을 생각하고, 주님을 기억하고, 주님을 증거하고, 주님을 나타내면서 살았던 에녹을 낳을 수 있었던 핏줄입니다. 다시 말해서 이것은 이 경건한 핏줄을 통해서 그 부모들의 경건한 영향입니다. 그 신앙의 조상들, 믿음으로 살았던 그 선조들을 통해서 드디어 믿음의 사람, 경건의 사람이었던 에녹이 나올 수가 있었다는 것입니다.

에녹의 경건한 삶은 바로 부모의 영향이었음을 강조하려고 하는 것이 이 창세기 5장의 분명한 의도입니다.

여러분이 여호수아서 6장을 보면 아간이라는 사람의 이야기가 나옵니다. 이 아간은 범죄한 사람입니다. 전리품 중에서 은과 금덩이와 외투 한 벌을 숨겼다가 자기 가족이 망했을 뿐 아니라 자기 민족을 패전의 비극으로 몰아넣었던 장본인인 아간의 범죄가 여호수아서 7장에 기록됩니다.

아주 재미있는 것은 아간의 범죄가 기록된 여호수아 7:1은 "유다 지파 세라의 증손 삽디의 손자 갈미의 아들 아간이"라고 시작됩니다. 아간을 소개하는 방법이 아주 흥미롭습니다.

저는 어느 날 이 말씀을 읽다가 도대체 이 조상들이 어떤 조상이기에 이렇게 길게 소개해 놓았는지 궁금해서 한번 조사를 해 보았습니다. 아니나 다를까 이 조상들이 다 좋지 못한 사람들이었습니다.

우선, 유다는 부도덕한 관계로 세라를 낳게 됩니다. 다시 말하면 불경건한 아버지에게서 불경건한 아들 세라가 나왔고, 거기서 불경건한 후손 아간이 나온 것입니다.

이것은 저와 여러분들에게 십계명 중에서 제2계명을 연상시

킵니다. "나를 미워하는 자의 죄를 갚되 아비로부터 아들에게로 삼 사대까지 이르게 할 것이다"(출 20 : 5). 실제로 그 부모의 잘 못 때문에 뼈아픈 대가, 인생의 방황, 인생의 부도덕, 인생의 슬픔 을 겪고 있는 자손들이 얼마나 많이 있습니까?

반면에 누가복음 1 : 5-6에는 아주 유명한 부부 한 쌍이 소개 됩니다. 사가랴와 엘리사벳 부부입니다. 성경은 이 사가랴와 엘 리사벳 부부에 대해서 그들이 의인이었다는 사실을 강조합니다. 그들은 하나님의 말씀대로 살고 있었다는 것을 강조합니다. 그리 고 드디어 그들에게서 놀라운 아들, 세례(침례) 요한이 나왔다고 말합니다.

이 요한이 누구입니까? 광야의 소리, 이스라엘 백성들의 양심 을 흔들어 깨웠던 한 시대의 양심의 사람, 하나님의 사람입니다. 그런 부모에게서 요한이 나올 수가 있었습니다.

제가 참 좋아하는 이야기입니다. 약 300년 전에 미국의 뉴잉글 랜드에 유명한 법률가인 리처드 에드워즈라는 사람이 있었습니 다. 그 사람은 엘리자베스 터틀이라는 신앙의 여인과 결혼을 했 습니다. 그 아들이 티모시 에드워즈인데 이 사람도 아주 유명한 분입니다. 그런데 이 사람도 유명하지만 그의 아들인 조나단 에 드워즈가 더 유명합니다.

역사 속에서 가장 큰 발자국을 남긴 사람 중에 한 분이 바로 이 조나단 에드워즈(Jonathan Edwards)라는 분입니다. 프린스 턴 대학의 총장도 지냈고, 미국의 영적인 대각성 운동에 있어서 영향을 가장 많이 끼쳤던 인물이 바로 이 조나단 에드워즈입니 다.

조나단 에드워즈의 부인도 아주 아름다운 여인이었습니다. 얼 굴이 아름다웠다는 것이 아니라 신앙이 아름다웠다는 이야기입니다. 그 부인의 이름은 사라 피어폰트였고, 기도 생활에 아주 깊이 들어가 있었고, 영혼을 사랑하는 여인이었다고 합니다.

이 조나단 에드워즈가 사라 피어폰트와 결혼해서 후손들을 많이 두었습니다. 그런데 어떤 사람이 이 조나단 에드워즈의 가계를 연구하면서 그 후손을 추적해 보았습니다. 조나단 에드워즈의 후손이 지금까지 873명이 있었는데, 그들은 이런 사람들이었다고 합니다.

대학 총장을 지낸 사람이 12명, 교수가 65명, 의사가 60명, 성직자가 100명, 군장교가 75명, 저술가가 80명, 변호사가 100명, 판사가 30명, 공무원이 80명, 하원 의원이 3명, 상원 의원이 2명, 미국의 부통령을 지낸 사람이 1명, 그리고 평범한 신앙인이었지만 아름답게 인생을 살았던 후손들 265명이었습니다.

그런데 이 조나단 에드워즈가 어렸을 때 친구가 한 명 있었는데, 맥스 주크라는 친구였습니다. 그는 함께 주일학교를 다니다가 어느 날 신앙 생활을 그만 두고, 불경건한 삶을 추구하다가 신앙이 없었던 한 여인과 만나 자식을 두었습니다.

이 조나단 에드워즈의 친구였던 맥스 주크의 후손들을 또한 동시에 추적해 보았습니다. 맥스 주크는 후손을 1,292명을 두었다고 합니다.

그 자녀들이 어떤 사람들이었는가 알아보았더니, 유아로 사망한 자손이 309명, 직업적 거지가 310명, 질병에 의한 불구자가 440명, 매춘하는 자가 50명, 도둑이 60명, 살인자가 70명, 그저 그렇고 그런 사람이 53명이었습니다.

이 가계들의 극적인 대조는 부모의 영향이, 부모가 어떤 삶을 추구하느냐가 자녀들에게 어떤 영향을 남기는가에 대한 극적인 교훈입니다.

오늘 당신의 삶은 어떤 종류의 삶입니까? 오늘 당신의 신앙 생활은 어떻습니까? 당신은 자녀들에게 신앙적인 측면에 있어서 어떤 영향을 남기고 계십니까?

여러분, 이 창세기 5장에서 가장 중요한 인물은 셋입니다. 이 족보를 셋의 족보라고 했습니다. 이 셋은 어떻게 출발했습니까? 4:26에 보면, 셋의 대에서 처음으로 그들이 하나님의 이름을 불렀다고 했습니다.

하나님의 이름을 불렀던 셋의 자손 가운데서 누가 나왔습니까? 에녹이 나왔습니다. 하나님과 더불어 동행했던 에녹, 다시 말해 경건한 부모가 경건한 영향을 자녀에게 남길 수 있는 것입니다.

우리는 자녀들에게 남길 수 있는 많은 유산 가운데서 경건의 유산, 경건 생활의 유산을 꼭 남겨야 합니다. 이 경건을 영어로 godliness라고 말하는데, 이것은 하나님 같은, 하나님을 닮음이란 뜻입니다.

내 인격에 있어서 하나님을 닮은 삶, 내 마음과 태도에 있어서 살아 계신 하나님, 자비로우신 하나님, 공의로우신 하나님의 품성과 인격을 닮아 가며, 주님을 닮아 가는 것을 내 생애 최대의 목표로 삼고 경건을 추구하는 부모들이 되어야 합니다.

사랑하는 여러분, 오늘 여러분들과 저는 우리의 자녀들에게 어떤 영향을 남기고 있습니까? 경건을 유산으로 남길 수 있는 부모들은 어디에 있습니까?

영생의 유산

마지막 세번째로, 오늘 본문은 영생의 유산을 강조합니다.

그것은 영원한 생명의 유산입니다. 창세기 5장의 본문을 읽으면서 어떤 분들은 "굉장히 오래도 살았구나!"라는 생각을 했을지도 모릅니다. 또 어떤 분은 "이럴 리가 없다. 성경이 순가짜다"라고 생각했을지도 모릅니다.

참으로 오래 살았습니다. 어떤 사람은 500세, 어떤 사람은 800세, 930세를 살았습니다. 저도 왜 이렇게 오래 살았는지는 모르겠습니다. 하지만 성경이 이렇게 말하니까 저는 그대로 믿습니다.

한 크리스천 과학자는 홍수 시대에 처음으로 비가 왔다는 표현이 성경에 있다는 것을 지적합니다. 그전에는 비가 왔다는 기록이 없습니다. 그러니까 노아의 홍수 이전에 지구를 싸고 있었던 환경은 지금과는 대단히 달랐을 것이라고 추정합니다.

그리고 그전에는 수증기 같은 것이 지구를 둘러싸고 있었고, 지금과 달리 태양 광선이 사람들의 몸에 직접 접촉할 수 없었던 전혀 다른 환경이었을 것이라고 가정합니다. 이런 가정 아래에서 900세, 800세는 결코 불가능하지 않다고 그들은 주장합니다.

그러나 본문이 말하고 있는 주요점은 그것이 아니라, 이렇게 오래 산 사람들도 다 죽었다는 것입니다. 본문이 무엇을 말하고 있는지 다시 읽어 보십시오. 본문에서 계속 강조하고 있는 단어는 결국에는 죽었더라는 이야기입니다. 그들의 인생은 "그들은 죽었더라"로 정리될 수 있습니다.

사람이 살면서 어떤 것을 경험했든, 업적이 무엇이고, 성취한 것이 무엇이든 삶의 마지막 결론은 바로 이것입니다. "죽었더라." 생각해 보면 쓸쓸한 이야기입니다. 내 인생이 정리될 때, 내 일생

을 이 한 줄, "그는 죽었더라"로 정리된다는 것이 얼마나 허무한
지 모릅니다.

오늘 교회에 오시는 한 분을 붙들고 이렇게 물어 봅니다.
"어디 가십니까?"
"교회 갑니다."
"왜 가십니까?"
"예배 드리려고 가지요."
"그 다음에 무얼 하십니까?"
"그 다음에 집에 돌아가서 편안히 쉬면서 다음 한 주간을 준비
하겠지요."
"그 다음에 무엇을 하십니까?"
"또 내일 아침 새벽부터 일어나 장사해야죠."
"장사해서 무엇을 하십니까?"
"식구들 먹여 살려야죠."
"그 다음에 무엇을 하십니까?"
"이제 자식들 다 결혼시킨 후에는 여행도 하고 좀 편히 살아야
죠."
"그 다음에 무엇을 하십니까?"
"무엇을 하다니요? 그 다음에 죽겠죠."
그리고 보면, 이 교회 마당에 들어오시는 분들에게 "어디 가십
니까? 무엇을 하십니까?"라고 물었을 때, 모든 중간 과정을 빼
면 결국 "죽으려고 옵니다"가 됩니다. 인생의 모든 길은 어쩌면
죽음으로 통하는지도 모릅니다.

그러나 사랑하는 여러분, 이 허무한 족보는 죽음이 인생의 마
지막 종지부라고 선언하는 족보로 끝나지 않는다는 사실이 중요

합니다. 이 셋의 족보는 대단히 중요한 또 하나의 족보와 연결되어 있습니다.

바로 이 셋의 족보를 통해서 누가 오십니까? 이 경건한 후손의 계열을 통해서 예수 그리스도가 오셨습니다. 그래서 여기서 나타나는 이 셋의 족보, 이 허무한 족보는 죽음의 허무와 죽음의 저주는 그 후손이신 예수 그리스도로 말미암아 극복될 수가 있었습니다.

이것이 바로 복음입니다. 이런 의미에서 이 족보는 마태복음 1장에 나오는 족보와 연결이 됩니다. "아브라함과 다윗의 자손 예수 그리스도의 세계라"(마 1:1). 마태복음 1장의 족보와 창세기 5장의 족보를 읽으면서 여러분, 어떤 대조를 발견하십니까? 창세기 5장에서 가장 많이 반복, 강조된 단어는 "죽었더라"이고 마태복음 1장에서 가장 강조된 단어는 "낳고"입니다.

의도적으로 성경의 기자는 "죽음"의 단어를 생략하고 있습니다. 물론 그들이 안 죽었다는 것은 아닙니다. 이 족보의 주인공이신 예수 그리스도로 말미암아 이 죽음이 극복될 수 있었다는 희망을 전해 주고 있는 것입니다.

예수님이 하신 놀라우신 말씀을 여러분은 기억하십니까? 사랑하는 친구 나사로의 무덤 앞에 서서 하신 그 놀라운 말씀 말입니다. "나는 부활이요 생명이니 나를 믿는 자는 죽어도 살겠고"(요 11:25). 부활을 통해서 죽음 건너편에 소망을 보증하시고, 육체는 스러져 가도 우리 안에 영원한 생명을 간직하고 살 수 있도록 하셨습니다. 내가 죽는 날, 무덤 저 건너편에 있을 소망을 간직할 수 있다는 이 놀라운 희망을 갖게 하셨습니다.

그런 의미에서 이 족보는 그 생명의 강줄기를 향한 희망을 전달하고 있는 족보입니다. 예수님 때문에 생명이 가능했고, 영원한 삶이 가능했고, 죽음 저 건너편의 희망이 가능했던 것입니다.

사랑하는 여러분, 여러분은 자녀들에게 이 영원한 생명의 선물을 주고 있습니까? 자녀들에게 모든 선물을 다 준다고 해도 그들에게 이 영원한 생명의 선물을 줄 수 없다면, 그들은 주님 앞에서 벌벌 떠는 인생의 마지막 허무를 느낄 수밖에 없을 것입니다.

그러나 내 사랑하는 아들이, 내 사랑하는 딸이 예수 그리스도를 구세주와 주님으로 영접하고, 그리스도 안에 있는 생명, 그 영원한 생명을 간직할 수 있다면, 그 영생 때문에 생은 감격이며 감사일 수 있을 것입니다. 그리고 그들은 그 영원한 생명 때문에 죽음의 마지막 순간에도 죽음 건너편에 있는 영원한 삶과 천국을 바라보며 걸어갈 수 있는 최후의 승리를 경험할 수 있을 것입니다. 이 최후의 승리를 여러분의 자녀들에게 남겨 주기 원합니까?

몇 년 전에 라이언 화이트라는 18세 먹은 소년이 에이즈로 세상을 떠날 때 미국의 TV와 신문이 얼마나 굉장하게 보도했는지 모릅니다. 13살 때 혈루병으로 수술을 하다가 수혈 도중에 에이즈에 감염되어서 5년 후 참으로 불행하게 죽게 된 것입니다.

5년간 투병 생활을 하는 가운데 보여 준 이 소년의 용기, 이 소년의 삶의 모습과, 또 에이즈가 결코 나쁜 사람들만 감염되는 것이 아니라 순수한 사람들도 감염될 수 있다는 사실이 미국인들에게 참으로 놀라운 살아 있는 교훈을 주었습니다.

그가 마지막 죽음의 시간이 다가왔을 때 아버지와 나눈 대화가 한 기독교 잡지에 실렸습니다.

아버지가 사랑하는 아들을 보면서 "라이언, 아버지는 너무너무 가슴이 아프고 슬프다. 네가 이렇게 가야 하다니"라고 말했다고 합니다. 그러자 그 소년은 너무나 명랑하게 아버지를 바라보면서 죽음의 순간을 앞에 두고 이렇게 말했다고 합니다.

"아빠, 아빠는 나에게 생명을 주셨어요. 아빠는 제가 18년 동안 이 세상을 즐겁게 살아갈 수 있도록 생명을 주셨어요. 그런데 아빠는 생명을 주셨을 뿐 아니라, 저에게 예수 그리스도를 가르쳐 주셨고, 저는 그리스도 때문에 영원한 생명을 선물로 얻을 수 있었어요. 아빠는 저에게 이 세상 누구도 줄 수 없는 가장 값비싼, 가장 놀라운 영원한 생명을 선물로 주셨잖아요. 아빠는 이 세상 누구보다도 내게 가장 소중한 선물을 주셨어요."

이 라이언 화이트가 병상에 누워 있는 동안에 별별 사람들이 다 찾아왔습니다. 레이건 대통령도 특사를 보내서 이 소년을 위로했고, 마이클 잭슨도 찾아가서 선물을 주었고, 도널드 트럼프까지 찾아가서 굉장한 선물을 주었습니다. 아마 미국의 소년 치고 이렇게 많은 선물을 받은 소년은 없었을 것입니다.

그러나 이 소년은 마지막에 신앙을 소개해 준, 기도를 가르쳐 준 아빠에게 이렇게 말한 것입니다. "아빠, 아빠는 저에게 가장 놀라운 선물을 주셨어요. 아빠를 통해서 예수님을 알았고, 영원한 생명을 얻을 수 있었으니까요. 아빠, 사람은 누구나 다 죽잖아요. 나는 조금 일찍 가는 거예요. 그러나 아빠, 나는 영원한 생명이 있으니까, 아빠의 말처럼 천국으로 갈 수 있을 거예요."

이보다 더 놀라운 선물이 어디 있습니까? 우리 가운데 얼마나 많은 부모들이 자녀들에게 이 선물을 주었다고 말할 수 있습니까? 여러분의 자녀들이 이 세상을 떠날 때, "우리 엄마를 통해, 우리 아빠를 통해 죽음 건너편에 저 영원한 소망을 주신 하나님, 감사합니다"라고 말할 수 있게 하십시오. 이 선물을 줄 수 있는 부모가 되십시오.

자녀들이 좀 속을 썩여도 자녀를 축복합시다. 무엇보다도 여러분과 제가 어떻게 사느냐가 자녀들의 삶에 가장 큰 영향을 끼칩니다. 부모의 불성실한 신앙 생활은 자녀들에게 불성실한 신앙생활을 가르칩니다. 부모의 형식적인 신앙 생활은 자녀들에게 형식적인 신앙 생활을 가르치고 있는 것입니다. 부모 이상으로 자녀들이 신앙을 배울 수는 없습니다.

당신은 경건을 유산으로 남기는 부모입니까? 무엇보다 여러분의 자녀들과 함께 앉아서 그리스도와 개인과의 관계에 대해서 이야기하고, 그들에게 죽음 건너편에 있는 소망을 말할 수 있는 가정은 얼마나 위대한 가정입니까?

오, 하나님! 우리의 자녀들이 축복 속에 그들의 인생 길을 걷게 하시고, 경건한 자가 되게 하시고, 영생의 확신을 가진 자로 평생을 살도록 도와주시고, 자녀들이 그렇게 살아갈 수 있도록 모범을 보이는 부모들이 되게 하여 주옵소서.

이런 기도 속에 살고, 가장 위대한 가치를 유산으로 남기는 부모들이 되어야 하지 않겠습니까?

아버지 하나님!
축복과 경건과 영생을 유산으로 남길 줄 아는 그리스도인의 가정, 그리스도인 부모들이 될 수 있도록 우리를 축복해 주옵소서. 예수님의 이름으로 기도합니다. 아멘.

복습과 토의 질문

1. 나의 부모로서의 자녀 양육은 비판과 축복 중 어느 편에 기울어져 있었습니까?

(0-아주 비판적이다   10-축복한다)

0   1   2   3   4   5   6   7   8   9   10

2. 우리 가정에는 자녀들과 함께하는 경건의 시간이나 가정 예배가 있습니까? 앞으로 시작해야 한다면 그 시간과 장소, 방법을 토의하십시오.

3. 자녀 중 영생의 확신이 없는 자녀가 있다면 그 대책을 이야기해 보십시오.

4. 자녀에게 남기고 싶은 신앙적 유언을 간단히 기록해 보십시오.

부록

17
이혼과 재혼의 성경적 윤리

이혼과 재혼의 성경적 윤리

최근에 이혼에 관한 질문을 개인적으로 많이 접하게 되었습니다. 오늘날 미국에서는 결혼하는 두 쌍 중에 한 쌍 꼴로 이혼을 경험하고 있습니다. 그리고 이혼했다가 재혼하는 경우, 그 가정이 깨어지는 것은 첫 이혼율을 훨씬 더 능가한다는 통계를 우리는 접하고 있습니다.

이혼이라는 문제가 한국 그리스도인들에게는 대단히 낯설었던 문제였지만 이제는 더 이상 도외시할 수 없는 현실적인 문제로 우리 앞에 다가오고 있습니다. 그래서 이 문제에 대해서 성경은 무엇을 가르치고 있으며, 그리스도인들은 어떻게 이혼을 이해해야 하는가에 대한 성경적 관점의 정립이 꼭 필요한 시점에 와 있다는 생각이 들었습니다. 그래서 이 문제를 성경을 통해서 다루어 보기로 하였습니다.

이혼의 문제를 둘러싸고 교회는 두가지 책임을 갖습니다. 하나는 예언적 책임이고, 또 하나는 목회적 책임이라고 할 수 있습니다.

예언적 책임이란 하나님의 말씀을 통해서 이혼의 문제에 대한 뚜렷한 표준을 제시할 필요가 있다는 것이고, 또 성도들로 하여

금 그 표준 앞에 순종을 요구해야 한다는 교회의 진리에 대한 책임인 것입니다. 우리는 이것을 예언적 책임이라고 말할 수 있습니다.

또한 교회는 이혼한 사람들을 대상으로 한 목회적 책임이 있습니다. 그것은 이미 이혼이라는 사건을 통해서 상처를 경험한 그들의 마음을 치유하고, 또 따뜻하게 돌볼 책임입니다.

만약 한 교회가 성경이 무엇을 가르치는가 하는 예언적 책임만을 강조하고 상처받은 사람들을 치유하고 돌보는 목회적 책임을 망각한다면, 이미 이혼한 사람들을 다루는 그 교회의 상(이미지)은 바리새적인 이미지를 갖게 될 가능성이 많습니다. 남을 정죄하고 비난하고, 그래서 상처받은 사람들에게 상처를 더하는 그런 교회상을 만들게 되는 것입니다.

반면에 교회가 예언적 책임을 망각하고 목회적 책임만 강조한다면, 성경이 결혼과 이혼의 문제에 관해서 어떤 표준을 가르치고 있는가 하는 정확하고 분명한 하나님의 말씀에 대한 표준 제시에 소홀한 채 무조건 치료와 돌봄에만 몰두한다면 그 교회는 무의식 가운데 이혼을 오히려 장려하고, 교회의 세속화를 초래할 가능성이 많습니다. 그래서 이 두 가지의 책임, 이혼에 대한 교회의 예언적 책임과 목회적 책임의 균형은 대단히 중요한 것입니다.

이혼 문제에 대해 역사적으로 교회가 천명한 태도

이혼의 문제에 대해서 교회는 역사적으로 어떤 태도를 천명해 왔습니까?

1. 로마 가톨릭의 입장

먼저, 로마 가톨릭이 이혼에 대해 가져 왔던 전통적인 입장을 생각해 봅시다. 오늘날의 그리스도인들도 무의식 가운데 이러한 로마 가톨릭의 전통적인 입장에 영향을 받고 있는 것이 사실입니다. 한마디로 로마 가톨릭의 이혼에 관한 전통적 입장은 배우자의 죽음 이외에는 어떤 이혼도 용납할 수 없고, 그런 사람들의 어떤 재혼도 간음으로 정죄하는 입장입니다.

2. 종교 개혁자들의 입장

그러나 우리가 종교 개혁 시대에 접어들면서 소위 종교 개혁자들은 이혼에 대한 입장을 조금 다르게 취했습니다. 전통적으로 로마 가톨릭은 배우자의 죽음 이외에는 어떤 유형의 이혼과 어떤 유형의 재혼도 용납하지 않았지만 종교 개혁자들은 죽음 이외에 이혼이 가능한 세 가지 이유를 첨부했습니다. 칼빈도, 웨슬리도 같은 입장이었습니다.

첫번째는 간음입니다. 상대방이 부도덕한 행위, 즉 남편이 부도덕한 행위에 빠져 있을 때, 혹은 아내가 부도덕한 행위에 빠져 있을 때에는 이혼이 정당화될 수 있다는 입장입니다.

또 하나, 종교 개혁자들이 제시한 이혼 가능한 사유는 내버림, 곧 상대방에게 버림을 받은 경우입니다. 버림받은 입장에 서 있을 때에는 이혼이 가능하다는 것입니다.

세번째는 학대입니다. 지나친 학대, 인간으로서는 도저히 견딜 수 없는 학대를 상대방에게서 받을 때에는 이혼이 정당화될 수 있다는 것입니다. 이러한 세 가지가 이혼 가능한 사유로 종교 개혁자들이 제시했던 것입니다.

3. 복음주의자들의 입장

현대에 들어와서 오늘날의 복음주의자들은 이혼에 대한 교회의 구속적 책임을 강조하기 시작했습니다. 구속적 책임이란, 주님이 죄 많은 우리를 구속하시고, 우리를 하나님이 본래 기대하셨던 그 원상태로 회복하시기 원하셨던 것처럼, 우리도 우리 주변에 이혼이라는 정신적인 또는 상황적인 상처를 이미 경험하고 있는 사람들을 따뜻한 마음으로 용납하고 치료해야 한다는 것을 말합니다.

이혼에 대한 성경의 가르침

이혼에 대해 성경은 무엇을 가르치고 있습니까?

우리는 우선 이혼에 대한 분명한 성경적 관점부터 접할 필요가 있습니다. 이혼에 대한 하나님의 분명한 말씀을 전제로 하고 나서 그 다음의 문제들을 생각해야 할 필요가 있는 것입니다.

말라기 2 : 16 말씀을 보면 "이스라엘의 하나님 여호와가 이르노니 나는 이혼하는 것과 학대로 옷을 가리우는 자를 미워하노라 만군의 여호와의 말이니 그러므로 너희 심령을 삼가 지켜 궤사를 행치 말지니라"고 말합니다.

하나님은 이혼하는 것을 미워하신다고 말씀하십니다. 이혼하는 사람을 미워한다고 말씀하시지 않으셨습니다. 하나님은 이혼하는 것, 이혼하는 행위 그 자체를 증오하시며, 그것은 하나님을 불쾌하게 하고, 그를 기쁘게 하지 못한다는 것을 성경은 분명히 가르치고 있습니다.

하나님은 이혼하는 것을 미워하십니다. 우리는 이 분명한 이혼에 대한 성경의 천명을 전제로 하고 관련된 여러 가지 문제들을 성경을 통해 함께 다루어 보도록 하겠습니다.

1. 예수님의 이혼관

마태복음 19:1-9에서 이혼 문제에 대한 주님의 생각과 입장
을 알 수 있습니다.

> 예수께서 이 말씀을 마치시고 갈릴리에서 떠나 요단
> 강 건너 유대 지경에 이르시니 큰 무리가 좇거늘 예수
> 께서 거기서 저희 병을 고치시더라 바리새인들이 예수
> 께 나아와 그를 시험하여 가로되 사람이 아무 연고를
> 물론하고 그 아내를 내어버리는 것이 옳으니이까 예수
> 께서 대답하여 가라사대 사람을 지으신 이가 본래 저희
> 를 남자와 여자로 만드시고 말씀하시기를 이러므로 사
> 람이 그 부모를 떠나서 아내에게 합하여 그 둘이 한 몸
> 이 될지니라 하신 것을 읽지 못하였느냐 이러한즉 이제
> 둘이 아니요 한 몸이니 그러므로 하나님이 짝지어 주신
> 것을 사람이 나누지 못할지니라 하시니 여짜오되 그러
> 하면 어찌하여 모세는 이혼 증서를 주어서 내어버리라
> 명하였나이까 예수께서 가라사대 모세가 너희 마음의
> 완악함을 인하여 아내 내어버림을 허락하였거니와 본
> 래는 그렇지 아니하니라 내가 너희에게 말하노니 누구
> 든지 음행한 연고 외에 아내를 내어버리고 다른 데 장
> 가 드는 자는 간음함이니라.

우리는 이 말씀 속에서 이혼에 대한 예수님의 입장을 몇 가지
로 정리해 볼 수가 있습니다.

그 첫째는 오늘 예수께서는 이 말씀을 통해 결혼의 유일성과
영속성을 강조하셨다는 것입니다(5-6절). 지상에 살아 있는 동
안에 한 남자와 한 여자가 책임 있고 영속적인 결혼의 상태를 유

지하는 것이 얼마나 중요한 것인가를 강조하신 것입니다.

결혼은 한 남자와 한 여자의 단순한 만남을 통해서 이루어진 사건이 아닙니다. 결혼은 하나님의 사건입니다. 하나님의 섭리가 그 배후에 있었다는 것입니다. 그렇다면 이러한 하나님의 섭리를 거역하고 이혼하는 것은 합당하지 않다는 사실을 주님은 분명히 천명하십니다.

둘째로, 말씀 속에 분명히 계시된 이혼에 대한 주님의 교훈은 인간의 완악성 때문에 이혼은 허용되고 있다는 것입니다(7-8절). 인간인 우리가 가지고 있는 부패성이나 완악성 때문에 이혼이 요청될 수밖에 없는, 어쩔 수 없는 상황이 있을 수 있다는 사실을 주님은 이해하셨던 것입니다.

그러나 이것은 이혼을 허용하시는 메시지는 절대로 아닙니다. 주님은 본래는 그렇지 않다고 말씀하십니다(8절). 이것은 본래적인 하나님의 의도는 아닙니다. 이것은 결코 하나님이 기대하시는 최선의 뜻이 아닙니다. 그러나 인간의 완악성과 부패성 때문에 이혼이 불가피하게 요청되는 상황이 있을 수도 있음을 주님이 여기서 인정하셨다는 것을 기억할 필요가 있습니다.

그 다음으로, 우리가 예수님의 이혼에 대한 가르침을 통해서 볼 수 있는 중요한 원리는, 주님은 음행 이외의 원인 때문에 이혼하는 것을 분명히 간음죄로 정죄하셨다는 것입니다(9절). 그것이 분명 범죄라는 것을 주님도 시인하셨습니다.

그러나 이 말씀은 배우자가 간음 상태에 있다고 해서 자동적으로 이혼이 합리화될 수 있다는 가르침은 아닙니다. 그와 같은 경우에라도 그리스도인의 제일차적 태도는 화목와 용서를 추구하는 것이지 이혼이 첫번째 취할 태도는 아니라는 것을 성경은 분명히 가르치고 있습니다.

성경에서 바로 이러한 문제에 대한 아주 아름다운 사건을 엮은 책이 있습니다. 상대방이 음행했음에도 불구하고 그를 그대로 포기하지 아니하고, 돌아오도록 계속 촉구하고 또 촉구하는 러브 스토리, 그것은 바로 호세아서입니다.

상대방이 음행했다고 해서 "오늘부터 끝장이다"라는 태도는 그리스도인이 취할 태도가 아닙니다. 그리스도인으로서 우리에게는 그와 같은 상황 속에서도 먼저 상대방에게 회개를 촉구하고, 용서를 베풀면서 화목을 추구해야 할 일차적 책임이 있는 것입니다.

그러나 상대방의 부정 때문에 이혼은 가능할 수 있다고 주님은 분명히 말씀하십니다. 이것은 산상 수훈을 통해서도 분명히 가르쳐 주신 말씀입니다.

> "또 일렀으되 누구든지 아내를 버리거든 이혼 증서를 줄 것이라 하였으나 나는 너희에게 이르노니 누구든지 음행한 연고 없이 아내를 버리면 이는 저로 간음하게 함이요 또 누구든지 버린 여자에게 장가 드는 자도 간음함이니라"(마 5:31-32).

여기에는 우리가 얼른 이해하기 어려운 말씀이 있습니다. 바로 "아내를 버리려거든 이혼 증서를 주라"는 말씀입니다. 구약성경에도 여러 번 반복되어 나타납니다. 이것은 하나님이 명령하신 법입니다. 이것이 무슨 의미입니까? 이혼을 장려하는 말씀입니까? 절대로 그렇지 않습니다.

구약 시대에는 이혼 증서 없이 아내를 버리고 다른 여자와 살다가 일정한 시간이 지나서 다시 그 아내를 취하는 남자가 상당히 많았습니다. 그래서 그들에게 이혼을 하려거든 이혼 증서를 주라고 명령하셨습니다. 일단 이혼 증서를 주고 이혼을 하면 다시는 그 아내를 자기의 아내로 취할 수 없는 것이 그 당시의 법이었습니다.

결국 이 말씀은 이혼을 장려하는 것이 아니라, 마음이 내키면 같이 살다가 마음이 내키지 않으면 버리고, 또 마음이 내키면 다시 취하고 하는 방법으로 여성을 다룰 수 있는 것이 아님을 가르치고 있습니다. 그리고 정말 이혼을 하려거든 책임 있는 행동을 하라는 것입니다.

다시 말해서 이혼 문제에 대한 심각한 재고를 요청하기 위해서 주께서 이 말씀을 주신 것이라는 그 배경을 이해할 필요가 있습니다.

주님께서는 음행 이외의 원인 때문에 이루어지는 이혼은 정당화될 수 없다고 말씀하셨습니다. 이 말씀과 함께 이혼에 대한 성경의 분명한 가르침 하나는 일단 이혼하게 되면 결혼의 언약은 거기서 깨진 것이고 다시 연합할 수 없다는 것입니다.

종종 어떤 사람이 이혼하고 다른 여인과 살고 있는데 주위의 크리스천들이 처음 부인에게 돌아가라고 상담해 주는 것을 간혹 볼 수가 있습니다. 그것은 대단히 비성경적인 조언입니다. 이 문제에 대해서 구약에서는 어떻게 가르치고 있었는지 찾아 봅시다.

"사람이 아내를 취하여 데려온 후에 수치되는 일이 그에게 있음을 발견하고 그를 기뻐하지 아니하거든 이혼 증서를 써서 그 손에 주고 그를 자기 집에서 내어보낼 것이요 그 여자는 그 집에서 나가서 다른 사람의 아내가 되려니와 그 후부도 그를 미워하여 이혼 증서를 써서 그 손에 주고 그를 자기 집에서 내어보내었거나

혹시 그를 아내로 취한 후부가 죽었다 하자 그 여자가
이미 몸을 더럽혔은즉 그를 내어보낸 전부가 그를 다시
아내로 취하지 말지니 이 일은 여호와 앞에 가증한 것
이라 네 하나님 여호와께서 네게 기업으로 주시는 땅으
로 너는 범죄케 하지 말지니라"(신 24:1-4).

하나님께서는 여인을 버렸다가 다시 취하는 것을 지극히 가증
스럽게 여기며 미워하신다고 성경은 말씀합니다. 그것은 절대로
허용될 수가 없습니다.

크리스천들이 결혼이라는 사건을 이해할 때 가장 중요한 것은
결혼은 언약이라는 것입니다. 이것은 하나님 앞에서의 언약입니
다. 물론 그 언약은 깨어지지 말아야 할 약속인 것이 사실입니다.

그러나 그 언약은 인간의 죄로 깨어질 수도 있는 약속입니다.
깨어지면 그것으로 마침표입니다. 그것은 다시 회복될 수 없는
것입니다.

한번 이혼을 해 버리고 나면 남남이 되어 버립니다. 다시 화합
할 수 없는 것입니다. 그러므로 이혼하기 전에 심각한 기도와 결
정이 요청되는 것이지, 이혼하게 되면 이미 돌아올 수 없는 다리
를 건너가 버린 것입니다. 다시 옛날의 남편이나 아내와 합할 수
없는 것입니다.

그러나 우리는 성경의 분명한 가르침에도 불구하고, 이혼하고
다른 사람과 살고 있는데 다시 돌아가도록 촉구하는 일들을 종종
합니다. 그리고 그것이 가장 크리스천다운 중재인 것처럼 그렇게
충고를 합니다. 그러나 그것이 하나님의 뜻이 아니라는 사실을
분명히 기억하시기 바랍니다.

이 말씀과 아주 비슷한 맥락의 말씀이 예레미야 3장에도 기록
되어 있습니다. 예레미야 선지자의 말씀입니다.

"세상에서 말하기를 가령 사람이 그 아내를 버리므로
그가 떠나 타인의 아내가 된다 하자 본부가 그를 다시
받겠느냐 그리하면 그 땅이 크게 더러워지지 않겠느냐
하느니라 나 여호와가 말하노라 네가 많은 무리와 행음
하고도 내게로 돌아오려느냐"(렘 3 : 1).

이미 이혼이 성립되고 나면 옛날 상태로 다시 돌아올 수 없는
다리를 건너가 버렸다는 사실을 성경은 분명히 가르치고 있습니
다.

마태복음과 마가복음에 나타난 예수님의 이혼관에서 볼 수 있
는 이혼의 분명한 원인은 두 가지가 있습니다. 첫째로 죽음은 타
당한 이혼의 원인이 될 수 있습니다. 또 하나의 이유가 있다면
그것은 상대방의 음행, 곧 상대방의 부정입니다. 그것도 이혼의
정당한 사유가 될 수 있다고 주께서 말씀하셨음을 기억하시기 바
랍니다.

옛날 한때는 배우자가 죽었음에도 불구하고 재혼까지도 용납
하지 않았던 율법주의적 자세를 교회가 지닌 때가 있었습니다.
이것은 성경에 대한 무지에서 이러한 태도를 취하게 된 것입니
다.

로마서 7 : 1 이하에 보면 바울이 그리스도인과 율법의 관계를
다루면서 이혼과 재혼의 문제를 간접적으로 다루고 있습니다.

"형제들아 내가 법 아는 자들에게 말하노니 너희는
율법이 사람의 살 동안만 그를 주관하는 줄 알지 못하
느냐 남편 있는 여인이 그 남편 생전에는 법으로 그에
게 매인 바 되나 만일 그 남편이 죽으면 남편의 법에서
벗어났느니라 그러므로 만일 그 남편 생전에 다른 남자

에게 가면 음부라 이르되 남편이 죽으면 그 법에서 자
유케 되나니 다른 남자에게 갈지라도 음부가 되지 아니
하느니라"(롬 7:1-3).

죽음은 분명한 이혼의 사유가 될 수 있습니다. 그리고 부도덕
의 사건도 이혼의 정당한 사유가 된다는 것을 주께서 분명히 말
씀하셨습니다. 이것이 나중에 바울 사도에 의해서 얼마나 발전된
가르침으로 나타나는가를 고린도전서 7장을 통해서 보시기 바랍
니다.

2. 바울 사도의 이혼관
고린도전서 7:10-16의 말씀을 살펴보겠습니다.

"혼인한 자들에게 내가 명하노니 (명하는 자는 내가
아니요 주시라) 여자는 남편에게서 갈리지 말고 (만일
갈릴지라도 그냥 지내든지 다시 그 남편과 화합하든지
하라) 남편도 아내를 버리지 말라 그 남은 사람들에게
내가 말하노니 (이는 주의 명령이 아니라) 만일 어떤 형
제에게 믿지 아니하는 아내가 있어 남편과 함께 살기를
좋아하거든 저를 버리지 말며 어떤 여자에게 믿지 아니
하는 남편이 있어 아내와 함께 살기를 좋아하거든 그
남편을 버리지 말라 믿지 아니하는 남편이 아내로 인하
여 거룩하게 되고 믿지 아니하는 아내가 남편으로 인하
여 거룩하게 되나니 그렇지 아니하면 너희 자녀도 깨끗
지 못하니라 그러나 이제 거룩하니라 혹 믿지 아니하는
자가 갈리거든 갈리게 하라 형제나 자매나 이런 일에
구속받을 것이 없느니라 그러나 하나님은 화평 중에서

너희를 부르셨느니라 아내된 자여 네가 남편을 구원할
는지 어찌 알 수 있으며 남편된 자여 네가 네 아내를
구원할는지 어찌 알 수 있으리요."

이 바울 사도의 말씀을 통해서 우리는 이혼에 관한 몇 가지 분
명한 가르침을 요약할 수가 있습니다.

첫번째는, 바울 사도도 여기에서 이혼은 하나님의 뜻이 아니라
는 것을 분명히 천명하고 있습니다(10절). 그리고 이것은 누구의
직접적인 명령이라고 말씀하였습니까? 바로 주님의 명령이라고
했습니다. 바울 사도가 주님이 하신 말씀을 그대로 인용할 때 이
것은 분명히 주의 말씀이라고 말합니다. 주의 말씀을 해석할 때
는 "이것은 주님이 직접 명한 것은 아니지만", "이것은 내 의견이
지만" 하고 말합니다.

그러나 그것이 성경에 기록된 이유는 그것까지 하나님이 합당
한 교훈으로, 성령께서 바울을 감동하신 것으로 간주하셨기 때문
입니다. 그만큼 정직하게, 영감의 문제에 관해서 바울 사도가 얼
마나 신실하게 성경을 기록하고 있는가도 여기서 알 수 있습니
다.

첫번째 충고에 대해서는 이것은 내 명령이 아니라 주께서 하신
말씀이라는 것을 분명히 말하면서 헤어져서는 안 되며, 이혼은
하나님의 뜻이 아님을 분명히 천명합니다.

그 다음, 이 말씀 속에 나타난 바울 사도의 이혼관 중에서 두번
째로 중요한 사실은, 재혼하지 않은 상태에서 이혼이나 별거중인
사람들에게 걸 수 있는 하나님의 최대의 기대는 다시 합하라는
것입니다. 화합이 하나님의 뜻이요 기대라는 것을 분명히 말하고
있습니다(12절).

그러나 재혼하였으면 그것은 끝난 것입니다. 재혼하였다면 이제는 다시 돌아갈 수 없지만, 아직 재혼하지 않은 상태에서 별거 중이거나 갈려 있는 상태라면 하나님이 원하시는 최선의 기대는 다시 화목하는 것입니다.

세번째로, 본문에서 바울 사도는 불신자 남편과 살고 있는 아내들에 관해 특별히 말씀하고 있습니다. 그들은 배우자의 구원을 위해서 참고 인내하라고 하십니다. 아무리 괴로운 일이 있어도, 상대방이 믿지 않음으로써 생기는 많은 아픔과 갈등이 있음에도 불구하고 참으라고 말합니다. 왜입니까? 상대방의 구원을 위해서입니다(14절).

마침내 믿지 않는 남편이 아내 때문에 어느 날 성령님의 감동하심과 사역을 통해 크리스천이 될 수 있는 가능성이 있으므로, 그가 성도가 되어 주님 앞에서 새로운 삶을 살게 될 가능성을 바라보고 그의 구원을 위하여 할 수 있으면 머물러 있으라는 것입니다.

네번째는, 만약 그 불신자인 남편이나 아내가 이혼을 고집한다면 어떻게 됩니까? 본문은 어떻게 말씀하고 있습니까? 이혼할 수 있다는 것입니다.

여기서 이혼이 또 다른 타당한 사유로 성경 안에서 허용되는 것을 볼 수 있습니다. 불신자인 남편이나 아내가 이혼을 계속 고집할 때는 이혼이 허용될 수 있다는 것입니다(15절). 그러나 이 말씀은 상대가 믿지 않는다고 이혼을 무조건 할 수 있다는 말씀이 아닙니다.

15절에서 갈리는 행동을 하는 주체적인 사람은 믿지 아니하는 사람입니다. 그러면서도 이 말씀이 오해될 상당한 가능성이 있기

에 바울은 친절하게 한마디 말씀을 더 첨부합니다. "그러나 하나
님은 화평 중에서 너희를 부르셨느니라"(15절 하).

그러나 해도 해도 안 되는 경우, 내가 감당할 수 있는 상황을
넘어서서 불신자인 상대방이 나를 학대하거나 이혼을 고집하는
경우에는 더 이상 그것을 붙들고 있을 필요는 없으며, 정당하게
헤어져도 좋다는 것이 성경의 가르침입니다.

이제 바울 사도의 이혼관 중에서 우리는, 음행 이외의 이혼의
또 다른 이유들이 새로 두 가지가 첨부된 것을 볼 수 있습니다.
하나는 불신자가 이혼하자고 할 때이며, 또 하나의 경우는 여기
서 직접적으로 다룬 것은 아니지만 "갈리거든, 버리거든" 하는
단어 속에서 나타난 중요한 개념으로, 상대방이 나를 버릴 때입
니다. 오랜 시간 버려진 상태 속에 있을 때입니다.

이것은 어떤 배경에서 주어졌느냐 하면, 7 : 5에 정당한 부부 생
활에 대해서 묘사하면서 "서로 분방하지 말라 다만 기도할 틈을
얻기 위하여 합의상 얼마 동안은 하되 다시 합하라 이는 너희의
절제 못함을 인하여 사단으로 너희를 시험하지 못하게 하려 함이
라"고 말씀하십니다. 정상적인 부부 생활의 모습은 분방하지 않
는 것입니다.

그 외에 어떤 이유라도 부부가 헤어져 있는 시간은 있어서는
안 됩니다. 그리고 그 후에 계속되는 메시지 가운데서 버리는 이
야기와 갈리는 이야기가 나옵니다. 그래서 기독교 윤리학자들은
이 말씀을 근거해서 이혼에 대한 또 다른 중요한 이유를 발견해
냈습니다.

그것은 상대방이 나를 버리는 경우, 그때 이혼은 정당화될 수
있다는 것입니다. 그때 문제가 되는 것은 그러면 언제까지 기다
려서 결정하는가입니다. 어느 날 아무 설명 없이 상대방이 나를

버리고 집을 나가서 돌아오지 않습니다. 우리가 크리스천이기 때문에, 이혼할 수 없다는 사실 때문에 무한정 기다려야 합니까? 오늘 이 말씀에 의하면 꼭 그럴 필요는 없다는 것입니다.

그러나 이 문제에 대해서 기독교 윤리 학자들은 아주 조심스러운 충고를 합니다. 아주 조심스러운 것입니다. 이것은 물론 성경은 아닙니다. 저도 성경이 아니라는 사실을 분명히 말씀해야 하겠습니다.

보통 기독교 윤리 학자들은 적어도 1년은 기다려야 한다고 생각합니다. 그러나 1년이 넘어서 아무런 소식이 없을 때는 이혼과 재혼은 정당화될 수 있다는 것입니다. 그때 그 1년간의 기다림에 대해서도 우리는 몇 가지 전제를 둘 수가 있습니다. 그것은 "왜 계속 소식이 없는가"입니다.

몇 가지 이유가 있을 수 있습니다. 하나는 사망입니다. 또 하나는 별거된 상태에서 다른 여자나, 다른 남자와 사는 부도덕 가운데 빠져 있을 가능성이 있습니다. 또 하나는 상대방이 결혼을 거절하고 상대방을 버렸다는 분명한 의사 표현일 수 있습니다.

이 세 가지 전제 위에서, 상대방의 죽음이나 부도덕이나 결혼을 거절했다는 그러한 차원 위에서 이혼과 재혼은 정당화될 수 있다는 것입니다. 이것은 예수님의 이혼관을 조금 더 발전시켜 구체적인 상황 속에서 한두 가지의 설명을 더 첨부하고 있는 바울의 메시지입니다.

재혼에 대한 우리의 생각

우리는 재혼을 어떻게 생각해야 합니까?

그 다음으로 우리는 중요한 문제를 생각해 봅시다. 그렇다면 우리는 재혼을 어떻게 생각해야 합니까? 재혼은 무조건 죄악입니까? 어떤 경우에 재혼은 죄악일 수 있습니까?

그러나 여기에서도 우리가 분명히 짚고 넘어가야 할 것은 재혼이 모두 용서받을 수 없는 죄는 아니라는 것입니다. 성경은 다른 모든 행위와 마찬가지로 이 재혼을 용서받을 수 없는 죄로 처리하고 있지는 않다는 사실입니다.

이 문제에 관해서 우리는 그리스도인의 열린 마음으로 이것을 이해할 필요가 있습니다. 어떤 사람의 경우에 있어서 재혼은 적극적으로 권장될 필요가 있다는 것도 성경은 가르치고 있습니다.

> "그러므로 젊은이는 시집 가서 아이를 낳고 집을 다 스리고 대적에게 훼방할 기회를 조금도 주지 말기를 원하노라"(딤전 5 : 14).

젊은 과부의 경우, 혼자 살다 보면 여러 가지 악한 소문과 잘못된 소문이 그를 중심으로 형성될 가능성이 있습니다. 그러면 사탄에게 커다란 훼방거리를 주게 됩니다. 그가 그리스도인인 경우에 그것을 통해서 주님의 이름과 교회를 위해 굉장히 유익하지 못한 일이 생길 수 있는 충분한 가능성이 있습니다. 다음 구절의 맥락을 보면 좀더 그 상황을 잘 이해할 수 있습니다.

> "젊은 과부는 거절하라 이는 정욕으로 그리스도를 배반할 때에 시집 가고자 함이니"(딤전 5 : 11).

교회가 전적으로 도와야 할 대상으로서 젊은 과부를 등록시키고 돕는 일은 삼가라는 것입니다.

왜 배반이라는 이야기가 나옵니까? 초대 교회에서는 과부의 경우에 "나는 주님의 일을 하기 위해서 전적으로 내 생애를 바치겠습니다. 내가 다른 책임 져야 할 대상이 없으므로 하나님의 일에 전적으로 헌신하겠습니다"라고 하면 그 과부를 사역자처럼 사용했습니다. 약속하고, 헌신하고 사역자로서 출발하는 것입니다.

사실 홀로 되신 분들이 주님의 일에 헌신하면 누구보다도 하나님의 일을 잘 감당할 수 있습니다. 그들은 시간이 있고 다른 책임이 없기 때문에 다른 어떤 사람보다도 하나님의 사역에 온전히 헌신할 수 있는 가능성을 더 많이 갖고 있습니다.

초대 교회는 그들을 활용했던 것이 분명합니다. 그래서 그들은 사역자로 등록하고 교회는 그들의 생활을 대신 책임 지는 습관이 있었다는 것을 여기서 볼 수가 있습니다. 그러나 늙은 과부의 경우는 그것이 잘 되지만 젊은 과부의 경우에는 잘 되지 않는다는 것입니다.

> "또 저희가 게으름을 익혀 집집에 돌아다니고 게으를 뿐 아니라 망령된 폄론을 하며 일을 만들며 마땅히 아니할 말을 하나니"(딤전 5 : 13).

하나님의 일을 하기 위해서는 사역자처럼 심방을 많이 했을 것입니다. 물론, 모두 그런 것이 아니라 이러한 여인이 있었다는 것입니다. 그래서 이런 경우에는 14절에서처럼 재혼이 적극적으로 권장되고 있는 상황을 볼 수가 있습니다.

재혼 전에 고려해야 할 사항들

재혼 전에 고려해야 할 사항들은 무엇입니까?

어떤 그리스도인이 이혼한 후에 재혼을 고려하고 있다고 해봅시다. 그렇다면 재혼 전에 그가 갖추어야 할 마음의 자세나 태도는 어떠한 것일까요? 서너 가지의 중요한 제안을 하고 싶습니다.

첫번째는, 회개와 용서의 분명한 작업이 선행되어야 한다는 것입니다.

미국 교회에서는 이혼한 사람 또 재혼한 사람을 다룰 때 두 가지 상태로 나누어서 다룹니다. 하나는 책임 있는 편(guilty party)이고, 다른 하나는 피해받은 편(innocent party)입니다.

이혼하는 경우에 있어서 전혀 잘못한 것 없이 남편에 의해서 일방적으로 이혼을 당하는 경우가 있습니다. 이들은 죄책을 느껴야 할 대상이 아닙니다. 오히려 우리가 긍휼을 베풀어야 할 대상입니다. 바로 피해받은 편입니다.

그러나 여인을 버린 남편의 경우에는 책임 있는 편입니다. 이들은 하나님 앞에서 범죄한 상태에 있는 부류입니다.

우리가 이혼한 사람들이라고 해서 그들 모두를 싸잡아 정죄하는 것은 절대로 그리스도인으로서 합당한 자세는 아닙니다. 그 어떤 상황에서 이혼까지 해야만 했었는가라는, 상황을 깊이 살펴보고 이해하는 자세가 필요합니다.

특별히 먼저 그가 책임 있는 편인가 혹은 피해받은 편인가를 구별할 필요가 있습니다. 그러나 어느 편이든 이혼의 상태에서 하나님 앞에서 절대로 아무런 잘못이 없다고 말할 수는 없을 것입니다. 그 이혼에 이르기까지 상당한 부분을 그가 책임 져야 하기 때문입니다. 물론 피해받은 편인 경우에는 더 이상 죄책감을 느끼게 할 필요는 없겠지만, 일단 자기의 과거를 정리하기 위한 분명한 회개와 용서의 작업은 선행될 필요가 있다는 것입니다.

두번째로, 재혼을 하려는 사람이 반드시 고려해야 할 것은 신자와 결혼해야 한다는 것입니다.

교회는 결혼을 고려하는 상대방이 신자가 아닐 때 축복할 수 없습니다. 그러나 상대방이 신자일 때는 축복할 수 있습니다. 신자는 신자와 재혼해야 한다는 사실입니다.

그가 새로운 가정을 이루려는 이 중요한 마당에서, 그의 재혼 생활은 처음 결혼보다 훨씬 어려울 수가 있습니다. 이러한 상황에서 주 안에서의 결합이 아니라 이 재혼은 너무나도 위험할 수가 있습니다.

특별히 이 재혼을 상담하거나 다루는 경우에 있어서 재혼하려는 사람이 상대방이 어떤 사람인가를 분명히 알도록 하는 작업이 필요합니다. 그 상대방이 똑같이 이혼한 사람이라면 이전 상대방과의 관계가 분명히 청산되었는가를 살펴볼 필요가 있습니다. 혹시 아직도 기다리고 있는 대상이 있는지 알아보아야 합니다. 만약 우리가 이것을 고려하지 않고 그 사람에게 재혼을 촉구한다면 이것은 하나님 앞에 또 다른 범죄를 일으키는 결과를 초래하게 될 것입니다.

세번째로, 재혼 이전에 충분히 시간을 두어야 할 필요가 있습니다.

그가 자신의 삶을 심리적으로나 영적으로나 도덕적으로 정리하기 위해서는 어느 정도의 시간이 필요합니다. 그래서 그러한 충분한 시간을 가졌는가를 고려할 필요가 있습니다.

　네번째로, 재혼 기간 전에 벌써 동거하고 있는 사람에 대한 문제입니다.

　우리가 오늘날 이러한 현상들을 많이 볼 수 있기 때문에 실제로 이 문제를 다루지 않을 수가 없습니다. 정식으로 결혼식을 올리기 전에 동거하고 있었다면, 어떻게 해야 하는가? 우리는 이 문제에 대해서, 성경이 무엇을 결혼이라고 하는가, 함께 살기만 하면 결혼인가에 대해 생각해 보아야 합니다.

　적어도 성경이 결혼이라고 인정하는 결혼은 동거하는 사실만으로는 안 됩니다. 성경은 사실 결혼을 동거의 차원으로만 보지 않습니다. 더 중요한 것은 이것이 언약이라는 것입니다. 언약에는 서약이라는 분명한 작업이 있어야 합니다. 하나님 앞에서 "이 여인을 내 아내로 취합니다", "이 남자를 내 남편으로 취합니다"라는 서약이 결혼을 성립시키는 것입니다. 그것은 두 사람이 함께 살고, 함께 성생활을 하고 있다는 사실보다도 크리스천의 결혼을 성립시키는 가장 중요한 요소가 됩니다.

　그렇다면 하나님 앞에서 그 서약의 과정을 거치지 않았다면 함께 살고 있다는 사실만으로 결혼했다고 말할 수 없습니다. 결혼하지 않은 것입니다. 결혼하지 않은 상태에서 그들이 동거하고 있었다면 현재 죄 가운데 있는 것입니다.

　우리는 먼저 그 문제에 대해서 그들이 하나님 앞에 용서를 구하도록 조심스럽게, 그러나 분명하게 요청할 필요가 있습니다. 그것은 하나님과 개인 사이의 문제지만, 우리는 그들이 이 문제의 과정을 정당하게 통과할 수 있도록 그리스도인으로서 곁에서 권면할 필요가 있습니다. 용서받은 사람으로, 주님 앞에 정말 축복받을 만한 새로운 출발을 한다는 사실은 이런 경우에 있는 사람들에게 보다더 중요한 과제이기 때문입니다.

　그래서 결혼이 결혼으로 성립하기 위해서는 항상 이 세 가지가 필요합니다. 첫째는 서약이고, 둘째는 증인입니다. 성경은 증인이 없는 언약의 효력성을 인정하지 않습니다. 그 다음 셋째로는 함께 사는 일입니다. 이 세 가지가 함께 있을 때 기독교가 인정하는 결혼이 성립할 수 있는 것입니다.

다섯번째로, 재혼하는 분들이 꼭 기억해야 할 것은 하나님께서 온전히 용서하셨음을 확신하는 것입니다.

그들이 진지하게 하나님 앞에 용서를 구하고 새로운 삶을 출발한다면, 하나님께서 그들을 온전히 용서하셨음을 확신해야 합니다. 주님은 더 이상 과거를 묻지 않습니다. 이 용서를 확신할 때 그들은 새로운 미래를 향해서 담대하게 나아갈 수가 있습니다.

그런데 이때 한 가지 더 첨부할 사실이 있습니다. 하나님은 그들의 죄를 분명히 용서하셨음에도 불구하고, 그들은 본인들의 잘못에 대한 대가를 상당한 기간 동안 지불해야 할 각오를 스스로 해야 한다는 사실입니다.

하나님은 분명히 용서하셨지만, 이혼자라는 낙인은 평생 그들이 짊어지고 살게 될 것입니다. 그것을 어쩌면 자기의 잘못에 대한 당연한 대가로 받아들일 수 있는 각오와 결심은 굉장히 필요한 것입니다. 이 문제에 관해서 우리는 다윗의 태도를 함께 공부할 필요가 있습니다.

다윗이 밧세바와 범죄한 후에 나단 선지자를 통해서 자신의 죄에 대한 지적을 받고 용서를 구했고, 다윗은 용서를 받았습니다. 하나님은 분명히 용서하셨습니다. 그러나 다윗의 고난은 계속됩니다. 많은 경우 우리가 하나님의 용서를 받았음에도 불구하고 우리가 과거에 저질렀던 범죄 때문에 상당한 기간 동안 이 땅에 살면서 대가를 지불해야 하는 상처는 계속될 수 있습니다. 지금 다윗의 경우가 바로 그러한 경우입니다.

> "다윗왕이 바후림에 이르매 거기서 사울의 집 족속
> 하나가 나오니 게라의 아들이요 이름은 시므이라 저가
> 나오면서 연하여 저주하고 또 다윗과 다윗왕의 모든 신
> 복을 향하여 돌을 던지니 그때에 모든 백성과 용사들은
> 다 왕의 좌우에 있었더라 시므이가 저주하는 가운데 이
> 와 같이 말하니라 피를 흘린 자여 비루한 자여 가거라
> 가거라"(삼하 16 : 5-7).

다윗은 간음했을 뿐 아니라 살인까지 했습니다. 자기의 간음을
정당화하기 위해서 밧세바의 남편까지 죽이는 범죄를 저질렀습
니다. 이 문제에 관한 고발이 시므이라는 사람을 통해서 다윗에
게 던져지는 순간입니다. 이때 다윗이 어떻게 이 사건을 다루고
반응했는가 하는 것이 아주 흥미롭습니다.
다윗이 어떻게 반응했습니까? 다윗은 지금 왕입니다. 지금 자
기가 거느리는 군사도 있습니다. 인간적으로 한다면 다윗이 얼마
든지 그 사람을 처치할 수 있었던 상황입니다. 그러나 다윗은 이
렇게 대답했습니다.

> "스루야의 아들 아비새가 왕께 여짜오되 이 죽은 개가
> 어찌 내 주 왕을 저주하리이까 청컨대 나로 건너가서 저
> 의 머리를 베게 하소서 왕이 가로되 스루야의 아들들아
> 내가 너희와 무슨 상관이 있느냐 저가 저주하는 것은 여
> 호와께서 저에게 다윗을 저주하라 하심이니 네가 어찌
> 그리하였느냐 할 자가 누구겠느냐 하고"(16 : 9-10).

"하나님이 허락하셨기에 이런 일이 일어나지, 어떻게 그 사람 힘으로만 하겠느냐, 이것이 만약 주의 손을 거쳐서 내게 이루어진 일이라면 나는 달게 이 아픔을 감당하겠다." 이 얼마나 은혜스러운 태도입니까? 여기에서 우리는 다윗의 아름다운 인격의 한 단면을 볼 수 있는 것입니다. 그리고 다윗은 또 이렇게 말했습니다.

> "또 아비새와 모든 신복에게 이르되 내 몸에서 난 아들도 내 생명을 해하려 하거든 하물며 이 베냐민 사람이랴 여호와께서 저에게 명하신 것이니 저로 저주하게 버려 두라 혹시 여호와께서 나의 원통함을 감찰하시리니 오늘날 그 저주 까닭에 선으로 내게 갚아 주시리라"(16:11-12).

다윗은 이것을 내가 하나님의 사람답게 감당한다면 주께서 오늘 저주받은 나의 이 상황을 오히려 선한 상황으로 바꾸어 주실 것을 믿는다고 다윗은 고백하고 있습니다. 하나님의 사람이 사건을 다루는 아름다운 자세를 배울 수 있습니다.

미국 교회에는, 그가 이혼한 사유를 사람들이 잘 몰라서 여러 가지 악한 소문에 시달리게 되거나, 또 여러 가지 괴로움을 받게 되면, 자신의 문제를 사랑하는 성도들 앞에서 간증함으로써 그것을 정리하고, 온 교인이 그를 사랑할 수 있도록 돕는 관례도 있습니다. 재혼은 어떤 경우에 죄악일 수 있지만, 그것은 결코 용서받을 수 없는 죄는 아니라는 사실을 분명히 기억합시다.

재혼자에 대한 교회의 태도

교회가 재혼자들을 어떻게 다루어야 합니까?

그 다음 단계로 한 가지 더 첨부할 것은 교회가 이런 사람들을 어떻게 다루어야 하는가라는, 재혼자에 대한 교회의 태도입니다.

한동안 미국 교회는 재혼한 사람들에게 집사의 직분을 줄 수 있는가, 또 한 걸음 더 나아가서 재혼한 사람도 목사가 될 수 있는가, 이혼 경력이 있는 사람도 목사가 될 수 있는가에 관한 문제로 신랄한 토의의 과정을 겪으면서 몸살을 앓았습니다. 여기에서 이 문제에 관해 정리해 보겠습니다.

이혼 경력이 있는 사람에게 집사 직분을 줄 수 없다고 말하는 교회가 아직도 있습니다. 또, 어떤 교회에서는 집사를 할 수 있다고 말합니다. 왜 이런 두 가지 태도가 나오게 됩니까?

디모데전서 3 : 2에는 우선 감독의 문제가 나옵니다. 미국 사회에서는 워낙 이혼하는 사람들이 많아지니까, 이혼한 사람으로서 목회를 하는 분들이 굉장히 많이 있습니다. 그들을 어떻게 보느냐가 여러 면으로 문제의 초점이 되고 있습니다.

본문은 감독의 조건 중 하나로 "한 아내의 남편이 되는 것"을 말씀하고 있습니다. 이 구절을 어떻게 해석하느냐가 문제입니다. 똑같은 자격이 집사에게도 적용이 되고 있는 것을 볼 수 있습니다(12절).

"한 아내의 남편이 된다"는 것이 무엇을 의미하는가? 오랫동안 교회는 한 아내의 남편이 된다는 것을, 결혼을 한 번밖에 안한 사람을 말하는 것이라고 이해해 왔습니다. 그러니까 두 번 결혼한 사람은 감독도 될 수 없고, 집사도 될 수 없다는 입장이었습니다.

그러나 오늘날 대부분의 신학자들이나 주경학자들은, 한 아내

의 남편이란 그 사람의 결혼의 역사에 있어서 한 번만 결혼한 것
을 말하는 것이 아니라 그의 현재의 상태를 말하는 것이다라고
합니다. 그들은 한 아내의 남편이란, 현재 한 아내와 살며, 도덕적
으로 성실한 삶을 살고 있는 사람이라고 보는 것이 더 합당한 성
경의 해석이라고 주장합니다.

본문이 한 개인의 역사를 말하는 것이 아니고, 개인의 현재의
도덕적 품성을 말하고 있다는 사실은 본문의 상황에서 명백합니
다. 본문의 상황이 어떻습니까? 교회 지도자의 자격에 관한 이야
기입니다. 교회 지도자의 자격을 말하면서 특별히 한 아내의 남
편을 말하는 이유가 어디에 있습니까?

만약 교회 지도자가, 목사가 건강한 부부 생활을 하지 못하는
경우, 또 자신의 성적인 욕구를 성령 안에서 처리할 수 없는 경우,
교회 지도자는 그 사역의 대상이 남성만이 아니라 여성이기도 하
기에, 이런 문제에 대해 건강한 자기 관리 능력이 없는 경우라면
실수할 가능성이 많습니다.

사실 이런 문제 때문에 지도자의 도덕적인 타락으로 말미암아
교회 전체가 몸살을 앓고, 기독교계에 큰 어둠을 가져오는 경우
가 비일 비재합니다. 그래서 저는 개인적으로 신학 공부를 하려
는 사람들에게 이 질문을 꼭 합니다. 여자 문제에 있어서 유혹을
극복할 수 있는 분명한 확신이 있고, 그러한 문제에 있어서 책임
있는 삶을 살고 있다는 자기 자신에 관한 확신이 있는가? 만약
그러한 확신이 없다면 목사가 되지 않는 것이 낫다고 저는 충고
합니다.

이러한 배경에서 볼 때, 본문 말씀이 의미하는 바는 그 사람의
역사에 관한 것은 아닙니다. 그 사람이 과거에 이혼한 경력이 있

는가, 없는가를 따지려는 것이 아니라, 그가 현재 한 여인에게 성
실한 남자로서 가정 생활을 잘하고 있는가를 묻고 있는 것입니
다. 그렇다면 본문 말씀에 근거하여, 이혼한 사람은 집사가 될 수
없다든지 목사가 될 수 없다고 하는 것은 성경이 요구하지 않은
조건까지 요구하는 지나친 해석이라고밖에 말할 수 없습니다.

저는 오늘 본문 말씀에 근거해서 용서받은 이혼자의 경우, 그
는 얼마든지 주님의 일을 위해서 주 앞에 헌신할 수 있는 분명한
자격이 있다고 믿습니다. 만약 이것이 안 된다고 우긴다면 하나
님도 집사가 될 수 없다는 이야기가 됩니다. 구약성경에 보면 하
나님과 이스라엘의 관계를 부부 관계에 비유하고 있습니다. 그리
고 하나님께서는 그 백성의 부정 때문에 내가 너희를 버린다고
진노하십니다. 물론 이것은 하나님의 잘못이 아닙니다. 백성의
잘못으로 인한 것입니다.

만약 이렇게 이혼자는 주의 일에 쓰일 수 없다는 원리를 적용
시킨다면 한 사람이 주님을 위해 봉사할 수 있는 많은 기회를 차
단하는 다른 의미의 죄악일 수 있습니다. 이혼한 사람에 대해서
정죄하려는 태도를 가짐으로써 하나님의 사역을 오히려 가로막
고, 그의 삶을 어둡게 만드는 정죄자의 입장보다는, 그를 구속하
려는 구속자의 입장에 서는 것이 보다 성경적인 자세라고 생각합
니다.

이혼의 위기를 겪고 있는 가정을 위한 제언

이혼의 문제를 다루면서 마지막으로 현재 자신의 가정이 이혼
의 위기를 겪고 있는 분들을 위해서 몇 가지를 덧붙이겠습니다.
이혼할 수 있는 가능성 앞에 서 있는 가정들에게 도움이 될 수

있도록 몇 마디만 첨부하려고 합니다.

첫번째로, 사람들이 결혼 생활의 위기를 경험하게 되면 제일 먼저 갖게 되는 생각이 "우리는 잘못 결혼한 것이 아닌가" 하는 것입니다.

"우리는 아예 처음에 잘못 만난 것이 아닐까, 어쩌면 하나님의 섭리도 없는데 우리는 만난 것이 아닐까, 헤어지는 것이 좋지 않을까"라는 생각을 할 수가 있습니다. 물론 하나님의 최선의 뜻이 아닌 상태에서 결혼할 수 있습니다. 그러나 일단 결혼하면 결혼 이라는 하나님 뜻 안에 있는 것입니다.

이혼이 하나님의 뜻입니까? 아닙니다. 그렇다면 이제 우리는 더 이상 하나님의 뜻 가운데 있는가 없는가라는 문제로 고민할 필요가 없습니다. 내가 상대방에게 보다 합당한 자격이 있는 대상이 되어가도록 노력하는, 끊임없는 노력이 필요할 따름입니다.

두번째로, 부부생활의 위기를 겪고 있을 때 언제나 그 위기를 악화시키는 요소는 상대방을 비난하는 것입니다.

지금, 결혼 생활에 위기를 겪고 있다면 "이 문제에 대한 나의 책임은 무엇인가, 내 삶에 무엇이 잘못되었는가"를 먼저 살펴보아야 합니다. 언제나 자기 눈에 있는 들보를 먼저 발견하도록 노력해야 합니다. 상대방을 정죄하는 일이 그 결혼 생활을 악화하고 재앙으로 끌고 가는 경우를 우리 주변에서 너무 자주 볼 수가 있기 때문입니다.

세번째로, 상대방이 만약 부정을 하고 있는 경우, 내 남편이나 아내가 부정한 생활을 하고 있다고 판단될 경우에는 어떻게 해야 할까요?

이 문제에 대해서는 성경적인 원리에 근거한 분명한 직면이 필요하다고 생각합니다. 그리고 이런 문제에 관해서 두 가지 결단을 할 필요가 있다고 생각합니다.

첫째는 일정한 기간을 두지 않고 계속 인내하며 상대방이 돌아옴을 기다리며 화목을 촉구하겠다는 자세를 가지는 것입니다. 또 하나의 경우 그것이 너무 견디기 어려운 아픔일 경우에 상대방에게 분명한 날짜를 통보할 수가 있습니다. 왜냐하면 부정이란 그대로 눈을 감아 주어서는 안 되는 것이기 때문입니다. 이것은 하나님도 기뻐하지 않습니다. 분명하게 상대방의 문제와 직면할 필요가 있습니다. 상대방의 부정이 확실한 경우에는 "내가 당신에게 이러한 기간을 주겠으니 그 안에 돌아오든가, 결심을 하도록 하라"고 요구할 수 있는 권리가 모든 그리스도인 남편과 아내에게 있다고 생각합니다.

네번째로, 별거의 문제에 관해서 생각해 보도록 하겠습니다.
아담스라는 기독교 상담 학자는 "별거는 성경에 없는 것이다"라고 말하면서 별거는 성경적인 원리가 아니라는 사실을 분명히 강조하고 있습니다.

우리는 이혼을 막는 마지막 방법으로 우선 헤어져 있어 보도록 이 별거를 요구할 수가 있습니다. 그러나 많은 임상 경험을 통해서 별거가 화목에 조금도 도움이 될 수 없다는 사실이 밝혀졌습니다. 오히려 별거는 관계를 더 악화시킬 가능성이 많습니다.

그 사건을 분명히 직면해서 상대방에게 어떻게 해야 할 것인가를 결정하는 것만이 해결의 길이지 일시 동안의 별거는 이혼의 위기 앞에 서 있는 부부들에게 별로 도움이 될 수 없다는 사실입니다.

마지막으로, 부부가 결혼 생활의 위기를 겪을 때, 그들은 자기들이 직면하고 있는 문제보다도 더 중요한 하나님을 향해서 시선을 돌릴 필요가 있습니다.

많은 경우 문제를 다루다 보면 인격을 건드리게 되고, 책임을 논하다 보면 더 심한 논쟁을 통해서 이 문제를 악화시킬 수가 있습니다.

이런 유사한 많은 경우에 우리는 우리의 시선을 그럴 때일수록 더 주님 앞에 집중시킬 필요가 있습니다. 겸손히 두 사람이 하나님 앞에 무릎 꿇어 주의 지혜를 구해야 합니다. 만약 그들이 참으로 해결을 원한다면, 해결은 얼마든지 가능하다는 것입니다.

굉장히 우울한 주제를 이야기했습니다. 그러나 실제로 이러한 문제를 직면하는 많은 이웃들을 볼 수 있기 때문에 이 말씀은 실제적으로 매우 중요한 교훈을 주고 있다고 생각합니다. 우리 주변에 이런 아픔을 당한 사람들을 치료하고, 돌보며, 또 올바른 충고를 통해서 이웃들을 하나님과 화목케 하며, 부부간의 화목을 도모하는 화해자로, 상담자의 역할을 감당할 수 있는 우리가 되도록 기도합시다.

아버지, 하나님! 감사합니다.

주의 말씀의 정교함과 확실함과 영광스러움 앞에 우리는 다시 한번 놀랍니다. 우리의 삶에서 우리가 당할 수 있는 폭풍우와 어둠과 상처의 가장 깊은 부분까지 미리 조명하시며, 나를 향해서, 내 이웃들을 향해서, 내 가정을 향해서 이 말씀을 주신 것을 감사합니다.

아버지 하나님, 우리 각 사람에게 허락하신 이 가정을 견고한 그리스도의 가정으로 지켜 나갈 수 있도록 이 말씀을 우리의 가슴 속에 품게 하옵소서. 우리의 가정에 이러한 비극이나 어려움이 닥치지 않도록 끊임없는 사랑의 노력을 우리 각 사람의 마음속에 베풀어 주옵소서. 주께서 우리를 사랑하신 그 사랑으로 남편과 아내와 자녀를 사랑하며, 우리의 가정을 주 앞에 바치는 주님의 가정들이 되게 하여 주옵소서.

인생의 여정에서 우리가 다루고 있는 이러한 문제로 인하여 상처를 받은 사랑하는 가정들을 주께서 치유하시며, 위로해 주시며, 그 가정 위에 밝은 날을 주시기를 바라고 기도합니다. 우리 주변의 이러한 이웃들을 주의 사랑으로 용납하며, 용서하며, 주님의 아름다운 사랑으로 치유할 수 있는 관심을 우리에게 허락해 주옵소서. 예수님의 이름으로 기도합니다. 아멘.

복습과 토의 질문

1. 이혼 문제에 대한 교회의 두 가지 책임에 대하여 기술해 보십시오.

2. 이혼이 허용될 수 있는 예외적 상황들에 대하여 토의하십시오.

3. 한번 이혼을 경험한 사람들이 재혼을 고려할 때 유의해야 할 일들에 대하여 토의하십시오.

향유 내음 가득한 집

ⓒ 생명의말씀사 1995

등록 : 1962. 1. 10. No.1 – 201

1995. 4. 30. 1판1쇄 발행
1996. 11. 30.   7쇄 발행

발행인 : 김 재 권
저 자 : 이 동 원
발행소 : 생 명 의 말 씀 사
인쇄소 : 신 성 인 쇄 사

110 – 062
서울 종로구 신문로2가 1 – 151

은행지로 : 3001653

본 사 TEL : (02) 738 – 6555
        FAX : (02) 739 – 3824

영업부 TEL : (02) 595 – 3546
        FAX : 080 – 022 – 8585

발송부 TEL : (02) 3158 – 6778
        FAX : (02) 3158 – 2362

국내직영서점

말씀사 (광화문점)
110 – 061 종로구 신문로1가 58-1
(구세군 회관 2층)
TEL : (02) 737 – 2288
FAX : (02) 737 – 4623

말씀사 (강남점)
137 – 040 서초구 잠원동 75 – 19
반포쇼핑타운 3동 2층 전관
TEL : (02) 595 – 1211
FAX : (02) 595 – 3548

해외직영서점

L.A.점 : WORD OF LIFE BOOKS
2717 W. Olympic Blvd.,
Los Angeles, CA., 90006
TEL : (213) 382 – 4538
FAX : (213) 382 – 1154

시카고점 : WORD OF LIFE BOOKS
3523 W. Lawrence Ave.,
Chicago,IL., 60625
TEL : (773) 509 – 1110
FAX : (773) 509 – 1679

워싱턴점 : WORD OF LIFE BOOKS
7031 Little River Turnpike #17D
Annandale, VA., 22003
TEL : (703) 256 – 3444
FAX : (703) 256 – 5515

값 6,700 원
ISBN 89 – 04 – 15257 – 7